THEODOR FONTANE

WANDERUNGEN DURCH
DIE MARK BRANDENBURG

Theodor Fontane

WANDERUNGEN DURCH
DIE MARK BRANDENBURG

Herausgegeben von
Bodo von Petersdorf

Band 1

Die Grafschaft Ruppin 1

Rheinsberg · Die Ruppiner Schweiz
An Rhin und Dosse · Auf dem Plateau
Gentzrode

Weltbild Verlag

*Herausgegeben von Bodo von Petersdorf aus dem Archiv
der J. G. Cottaschen Verlagsbuchhandlung Farben & Nachfolger
mit freundlicher Unterstützung des Mundus Verlages GmbH.
Ungekürzte und mit Nachträgen versehene Gesamtausgabe.*

Redaktion & Gesamtherstellung:
Millium Media Management

Printed in Germany

ISBN 3-8289-0163-8

INHALTSVERZEICHNIS

Die Grafschaft Ruppin

Rheinsberg

Rheinsberg

1.

Die Kahlenberge. Französische Colonistendörfer. Einfahrt in Rheinsberg.
Der Ratskeller. Unter den Linden. Das Möskefest

Rheinsberg von *Berlin* aus zu erreichen ist nicht leicht. Die Eisenbahn
zieht sich auf sechs Meilen Entfernung daran vorüber und nur eine
geschickt zu benutzende Verbindung von Hauderer und Fahrpost führt
schließlich an das ersehnte Ziel. Dies mag es erklären, warum ein Punkt
ziemlich unbesucht bleibt, dessen Naturschönheiten nicht verächtlich
und dessen historische Erinnerungen ersten Ranges sind.

Wir haben es besser, kommen von dem nur drei Meilen entfernten Ruppin und lassen uns durch die Sandwüste nicht beirren, die, zunächst
wenigstens, hüglig und dünenartig vor uns liegt. Fragt man nach dem
Namen dieser Hügelzüge, so vernimmt man immer wieder »die Kahlenberge«. Nur dann und wann wird ein Dorf sichtbar, dessen ärmliche
Strohdächer von einem spitzen Schindelturm überragt werden. Mitunter
fehlt auch dieser. Einzelne dieser Ortschaften (z. B. Braunsberg) sind von
französischen Colonisten bewohnt, die berufen waren, ihre Loire-Heimat
an dieser Stelle zu vergessen. Harte Aufgabe. Als wir eben genanntes
Braunsberg passieren, lugten wir aus dem Wagen heraus um »französische Köpfe zu stadieren«, auf die wir gerechnet. Wie heißt der Schulze
hier? fragten wir in halber Verlegenheit, weil wir nicht recht wußten, in
welcher Sprache wir sprechen sollten. »Borchardt.« Und nun waren wir
beruhigt. Auch die südlichen Race-Gesichter sahen nicht anders aus, als
die deutsch-wendische Mischung, die sonst hier heimisch ist. Übrigens
kommen in diesen Dörfern wirklich noch französische Namen vor und
»unser Niquet« z. B. ist ein Braunsberger.

Die Wege, die man passiert, sind im großen und ganzen so gut, wie
Sandwege sein können. Nur an manchen Stellen, wo die Feldsteine wie
eine Aussaat über den Weg gestreut liegen, schüttelt man bedenklich den
Kopf in Erinnerung an eine bekannte Kabinettsordre, darin Friedrich der
Große mit Rücksicht auf diesen Weg und im Ärger über 195 Tlr. 22. Gr. 8
Pf. zu zahlende Reparaturkosten ablehnend schrieb: »Die Reparation war
nicht nötig. Ich *kenne den Weg* und muß mir die Kriegs-Camer vorh ein
großes Beest halten, um mir mit solches ungereimtes Zeug bei der Nahse
kriegen zu wollen«. Der König hatte aber doch unrecht, »trotzdem er den
Weg kannte.« Erst auf dem letzten Drittel wird es besser; im Trabe nähern
wir uns einem hinter reichem Laubholz versteckten, immer noch rätsel-
haftem Etwas, und fahren endlich, zwischen Parkanlagen links und einer
Sägemühle rechts, in die Stadt Rheinsberg hinein.

Hier halten wir vor einem reizend gelegenen Gasthofe, der noch dazu den
Namen der »Ratskeller« führt, und da die Turmuhr eben erst zwölf schlägt

und unser guter Appetit entschieden der Ansicht ist, daß das Rheinsberger Schloß all seines Zaubers unerachtet doch am Ende kein Zauberschloß sein werde, das jeden Augenblick verschwinden könne, so beschließen wir, *vor* unserem Besuch ein solennes Frühstück einzunehmen und gewissenhaft zu proben, ob der Ratskeller seinem Namen Ehre mache oder nicht. Er tut es. Zwar ist er überhaupt kein Keller, sondern ein Fachwerkhaus, aber eben deshalb weiter sich jedem Vergleiche mit seinen Namensvettern in Lübeck und Bremen geschickt entzieht, zwingt er den Besucher, alte Reminiszenzen beiseite zu lassen und den »Rheinsberger Ratskeller« zu nehmen wie er ist. Er bildet seine eigene Art, und eine Art die nicht zu verachten ist. Wer nämlich um die Sommerszeit hier vorfährt, pflegt nicht unterm Dach des Hauses, sondern unter dem Dache prächtiger Kastanien abzusteigen, die den vor dem Hause gelegenen Platz, den sogenannten »Triangelplatz« umstehen. Hier macht man sich's bequem und hat einen Kuppelbau zu Häupten, der alsbald die Gewölbe des besten Kellers vergessen macht. Wenigstens nach eigener Erfahrung zu schließen. Ein Tisch ward uns gedeckt, zwei Rheinsberger, an deren Kenntnis und Wohlgeneigtheit wir empfohlen waren, gesellten sich zu uns, und während die Vögel immer muntrer musizierten und wir immer lauter und heitrer auf das Wohl der Stadt Rheinsberg anstießen, machte sich die Unterhaltung.

»Ja«, begann der eine, den wir den Morosen nennen wollen, »es tut Not, daß man auf das Wohl Rheinsbergs anstößt. Aber es wird freilich nicht viel helfen, ebensowenig wie irgend etwas geholfen hat, was bisher mit uns vorgenommen wurde. Wir liegen außerhalb des großen Verkehrs und der kleine Verkehr kann nichts bessern, denn was unmittelbar um uns her existiert, ist womöglich noch ärmer als wir selbst. Durch ein unglaubliches Versehen leben hier zwei Maler und ein Kupferstecher. Der Boden ist Sandland, Torflager gibt es nicht, und die Fischzucht kann nicht blühen an einem Ort, dessen sämtliche Seen für 4 Taler Preußisch verpachtet sind.«

Wer weiß, wo diese Bekümmernisse schließlich gelandet wären, wenn nicht eine große Festfahne, die von einigen Kindern an uns vorübergetragen wurde, den Klagestrom unterbrochen, uns selbst aber zu der Frage veranlaßt hätte: was ist das? »Das ist die Fahne vom *Möskefest,* die man hat reparieren lassen« erwiderte der andere, dessen gute Laune das Gegenstück zu der Morosität seines Nachbarn bildete. »Der sie trägt, ist Fähnrich Wilhelm Huth, und der ihm zur Rechten geht, heißt General Eduard Netzeband; sitzt seit Ostern in Quarta.« Diese Bemerkungen machten uns natürlich begierig mehr zu hören, und so vernahmen wir denn, was es mit dem Möskefest eigentlich sei. Da diese Feier der Stadt Rheinsberg eigentümlich ist, so darf ich wohl einen Augenblick dabei verweilen. Das Möskefest ist ein Kinderfest, das alljährlich am Sonntage vor Pfingsten gefeiert wird. Möske bedeutet »Waldmeister« (asperula odorata), und in alten Zeiten lief die Festlichkeit einfach darauf hinaus, daß die Stadtkinder frühmorgens in den Wald zogen, Waldmeister pflückten und damit heimkehrend den Altar und die Pfeiler der Kirche schmückten. Erst im Jahre 1757 nahm die Feier einen andern Charakter an. Am 6. Mai war die Schlacht bei Prag geschlagen worden, und am 20. Mai traf die Nachricht davon in Rheinsberg ein. Es war Sonntag vor Pfingsten, also der Tag des Möskefestes. Die Siegesfreude, vielleicht auch der Umstand, daß der damals schon in Rheinsberg residierende Prinz Heinrich zu dem glücklichen Ausgange der Bataille sehr wesentlich beigetragen hatte, schuf auf einen Schlag die bis dahin rein kirchliche Feier in eine militärisch-patriotische Feier um. Und was damals Impromptu war, blieb. Das Möskefest ist ein Soldatenspiel geworden, das die Rheinsberger Jugend aufführt. Früh am Morgen schon ziehen vier Trommler durch die Straßen und schlagen Reveille, die jungen Soldaten sammeln sich, und so geht's mit Musik vor das Haus des »Generals«. Hier dreimaliges Vivat, dem General und seinen Angehörigen ausgebracht, dann zieht alles, militärisch in Sektionen aufmarschiert, in den schönen Boberow-Wald hinaus, wo nun das Waldmeisterpflücken beginnt. Nachmittags kommen die jungen Mädchen und besuchen mit ihren Angehörigen die mittlerweile zu Turnen und Wettlauf übergegangenen Soldaten in ihrem Waldbivouac, Preise werden verteilt, Pfänderspiele gespielt, und spät am Abend erst erfolgt unter Trommelschlag und Liedersingen der allgemeine Rückmarsch in die Stadt.

Unser Frühstück war abgetan, und wir schickten uns nunmehr an, dem Schlosse, dessen gelbe Rückwände schon überall durch das Baum- und Strauchwerk hindurchschimmerten, unsern Besuch zu machen. Die vertrauliche Mitteilung beider Herren indes »daß der alte Kastellan um diese Zeit seinen Mittagsschlaf zu halten pflege« bewog uns zuvor einen Umweg zu machen und erst noch in die alte Rheinsberger *Kirche* hineinzusehen.

2.
Die Rheinsberger Kirche

Wir hatten bald guten Grund, uns bei dem Mittagsschlafe des alten Kastellans zu bedanken, denn sehr wahrscheinlich daß wir ohne denselben an der Rheinsberger Kirche vorübergegangen wären. Und doch ist es ein alter und in mehr als einer Beziehung interessanter Bau. Die erste Anlage desselben datiert weit zurück, und erst 1568 war es, daß er durch Achim v. Bredow um zwei Drittel vergrößert wurde. Man kann den Anbau noch jetzt von dem älteren Teile deutlich unterscheiden.

Diese Kirche ist der einzige Punkt in Rheinsberg, wo man auf Schritt und Tritt den Bildern zweier völlig entgegengesetzter Epochen, der Bredow- und der Prinz-Heinrich-Zeit begegnet, und diesen Gegensatz als solchen empfindet. In Schloß und Park stören die französischen Inschriften nicht, wohl aber hier in der Kirche, darin deutsche Kunst und deutsche Sprache längst vorher Hausrecht geübt hatten.

Wir treten durch einen Vorbau von der Seite her ein. Gleich dieser Vorbau, der sein spärliches Licht nur mittelst der offen stehenden Tür empfängt, zeichnet sich durch den angedeuteten Gegensatz aus. Zur Linken, fast ein Vierteil des ganzen Raumes einnehmend, erhebt sich hier ein grau getünchtes Monument, das genau die Form eines aus Backstein aufgemauerten Kachelofens hat. Es ist dies das Grabmal, das Prinz Heinrich dem Andenken seines Violinisten Ludwig Christoph Pitschner, geb. 5. März 1743, gest. 3. Dezember 1765, errichten ließ und trägt folgende Inschrift:

> Un prince, Ami des Arts, secondant mon Genie –
> Déjà l'École d'Italie
> A l'Allemagne mon Berceau
> Promet un Amphion nouveau:
> Mais comme j'anvançois dans ma carrière illustre
> J'ai vu de mes beaux jours s'éteindre le flambeau
> Sans passer le milicu de mon cinquième Lustre;
> Muses! pleurez sur mon Tombeau.

Also etwa in freier Übersetzung:

> Gepflegt, getragen durch fürstliche Gunst,
> Versprach ich, ausübend italische Kunst,
> Meiner Heimat zwischen Rhin und Rhein
> Demnächst ein neuer Amphion zu sein.
> Doch während ich leuchtend wuchs und stieg,
> Stieg die Sonne meines Lebens herab.
> Dem Tode gehört der letzte Sieg
> Und die Muse weint an meinem Grab.

So reimte man damals in Rheinsberg. Dem Pitschnerschen Monument gegenüber aber stehen an der Wand entlang sechs aufgerichtete Grabsteine der Bredowschen Familie, drei Männlein und drei Fräulein, die bis vor kurzem im Schiff der Kirche lagen und blicken ernst verwundert zu dem Kachelofen hinüber, an dem sie mit Mühe den Namen Pitschner entziffern. Zum Glück verstehen sie nicht französisch, sie würden sonst noch ernsthafter dreinschauen.

Wir treten nun in die freundliche, vor kurzem erst restaurierte Kirche. Die Hauptsehenswürdigkeit derselben ist das große kunstvoll gearbeitete Grabmonument Achims v. Bredow, desselben Achim v. Bredow, der im Jahre 1568 die Kirche erneute und erweiterte. Es ist ein Denkmal von ganz ungewöhnlichen Dimensionen, das bei wenigstens zehn Fuß Breite gewiß die doppelte Höhe hat. Es beginnt über der Holzeinfassung des Chorstuhls, reicht bis fast an die Decke hinauf, und besteht aus vier klar gegliederten Teilen. Oben das Bredowsche Wappen, zu beiden Seiten von allegorischen Figuren eingefaßt; darunter zwei Basreliefs, von denen das eine, nach links hin, die Auswerfung des Jonas aus dem Walfischbauche, das andere, nach rechts hin, die Auferstehung Christi darstellt; darunter in Lebensgröße die Figuren Achim v. Bredows und seiner Gemahlin einer gebornen Anna von Arnim; und endlich viertens unter diesen beiden Bildnissen folgende Inschrift:

> O frommer Christ, urtheile mild
> Der Du anschauest dieses Bild.
> Fragst Du, wer ich sei im Grab?
> *Gewesen* bin ich und Jtzt ab;
> Verfolgung, Sorge, Kreuz ohn' Zahl
> Die mir begegnet überall
> Ich ritterlich obwunden hab'
> Und ruhe nun in meinem Grab.
> Auch mit Geduld der Welt Bosheit
> Hab' ich ertragen allezeit
> Nach Gottes Willen, welcher ist
> Der allerbest zu jeder Frist –
> Gelobet seyst Du, Jesu Christ.

Welch' einfach schöne Worte. Die ganze Kernigkeit jener großen Zeit tritt einem daraus entgegen.

Wie klein und marklos daneben die französischen Verse, die, seitens eines der Hofpoeten des Prinzen Heinrich, zu Ehren eines Fräulein Elseners (einer Tochter des damaligen Rheinsberger Geistlichen) gedichtet und mit dünnen Buchstaben an den Fuß eines Aschenkrugs geschrieben wurden.

> La vertu, la douceur, les charmes,
> La firent aimer ici bas;
> Aussi voit-on que son trépas
> A chacun fait verser des larmes.

> Wir liebten sie, weil sie lieblich vereint
> Tugend, Sanftmut und Zauber der Wangen;
> Jetzt nun, wo sie hinübergegangen,
> Folgt ihr die Klage und jeder weint.

Wir werden noch an andrer Stelle Versen derart begegnen. Inmitten des Parks, der reich daran ist, erfreuen sie; hier aber, unter deutschen Liedern und Kernsprüchen, stören sie bloß und würden auch dann noch stören, wenn sie bedeutender wären als sie sind. Es zeigt sich deutlich, daß die Kirche der gemiedene Schauplatz der Voltairianer war, ein unheimlicher, gotisch gewölbter Keller, für den es sich nicht verlohnte, wenn eine Elsener oder ein Pitschner starb, eine besonders poetische Kraftanstrengung zu machen.

Die Rheinsberger Kirche weist noch eine Reihe kleiner Sehenswürdigkeiten auf, die hier wenigstens in Kürze namhaft gemacht werden sollen. Unter diesen ist ein Kristallglas-Kronleuchter, den die Rheinsberger Jungfrauen hier aufhingen und zum ersten Male mit Lichtern schmückten, als im Sommer 1763, in Gegenwart des Prinzen Heinrich, das Friedensfest gefeiert wurde. Da begegnen wir weiterhin einem alten, aus gebranntem Tone gefertigten und mit Wappen und Malereien reich verzierten Taufsteine, den drei Geschwister Sparr (Franz, Anna und Sabina) der Kirche schenkten, und da fesselt uns drittens eine der Renaissancezeit angehörige Kanzel, die »Jobst von Bredow's getreue Wittwe« mit allerhand Wappen der Bredows, Hahns und Schulenburgs ausgestattet, der Rheinsberger Kirche stiftete. Gegenüber dieser Kanzel, an der schweren alten Eichentür, die, von dem eingangs beschriebenen Vorbau her, in die Mitte der Kirche führt, stand am Pfingstsonntage 1737 König Friedrich Wilhelm I., eben erst von Berlin her in Rheinsberg eingetroffen. Als ein frommer Christ, der nicht leicht einer Predigt vorüberging, war er, eh er den kronprinzlichen Sohn im Schloß drüben überraschte, zuvor noch in die Kirche getreten. Und das war gut. Aber freilich ein so frommer Herr er war, ein so strenger Herr war er auch, und der alte Geistliche Johann Rossow, der das Glück oder Unglück hatte, den König schon von früher her zu kennen, erschrak beim Anblick Sr. Majestät dermaßen, daß er nur noch fähig war, mit zitternder Stimme den Segen zu sprechen. Worauf der König mit dem Stock nach der Kanzel hinauf drohte, eine Form der Aufmunterung, die begreiflicherweise völlig ihres Zwecks verfehlte. Johann Rossow starb bald nachher infolge des Schrecks. Im übrigen aber muß Rheinsberg und ganz besonders sein Pfarrhaus immer eine gesunde Luft gehabt haben. Von 1695 bis 1848, also in mehr als 150 Jahren, finden wir daselbst nur vier Prediger.

Noch eines Kindergrabmals sei gedacht. Es stammt ebenfalls aus der alt-Bredowschen Zeit her und steht rechtwinklig auf das umfangreiche Monument des Achim v. Bredowschen Ehepaars, das ich oben beschrieben. Ich würde dieses kleineren Denkmals, das die mittelmäßigen Bildnisse zweier Kinder, eines Mädchens und eines Knaben von drei bis vier Jahren aufweist, an dieser Stelle gar nicht Erwähnung tun, wenn sich nicht. als an einem Musterbeispiele, daran zeigen ließe, *wie und woraus Geschichten* entstehn. Es wird einem nämlich erzählt, beide Kinder hätten am See gespielt und wären durch einen nicht aufgeklärten Zufall ertrunken. In der Hoffnung auf näheren Aufschluß, unterzog ich mich einer Entzifferung der Umschrift. Und was fand ich? Das Mädchen war am 25. Februar, der Knabe am 4. März 1586 *also acht Tage später* gestorben. Die bloße Datenangabe genügte hier völlig, alles das, was erzählt wird, als ein Märchen erkennen zu lassen. Aber eine Prüfung der Bildnisse selbst ergab mir auch den Ursprung der Fabel. Das lang herabhängende blonde Haar des Mädchens sah täuschend aus wie halbkrauses Lockenhaar, das im Wasser seine Krause verloren hat und nur noch leise gewellt, wie eine kompakte Masse, über den Nacken fällt. Einfach der Anblick dieses Haares, das nur deshalb wie vom Wasser zusammengehalten aussieht, weil es der Steinmetz nicht besser und natürlicher machen konnte, hat der kleinen Erzählung von den im See ertrunkenen Geschwistern die Entstehung gegeben.

Ihre größte Sehenswürdigkeit hat die Rheinsberger Kirche seit einem Menschenalter eingebüßt. Es war dies das alte Grabgewölbe, darin sich die Särge der Familien von *Eichstädt* und *Sparr* und besonders der Familie *v. Bredow* befanden. Damals war die jetzt zugemauerte Gruft jedermann zugänglich, und nur am Schall des Tritts erkennt man auch heute noch, daß der Boden hohl ist, über den man hinschreitet. Ehe mit der Zumauerung begonnen wurde, schaffte man die druntenstehenden 40 Särge noch einmal ans Tageslicht und öffnete die Deckel. Und so paradierten sie wochenlang im Schiff der Kirche. Vor demselben Altare, vor dem die Gesichter einiger Bredows in die großen Sandsteinplatten eingegraben waren, standen jetzt die Toten in ihren halbaufgerichteten Särgen und blickten geschlossenen Auges auf ihre eigenen Bildnisse herab. Endlich aber war die Zeit da, wo die Toten wieder in ihre mittlerweile gelüftete Gruft zurück mußten, und Achim v. Bredow, dem man, als dem Vornehmsten, eine Flasche mit einem beschriebenen Zettel darin, mit in den Sarg gegeben, eröffnete den Reigen. Auf dem Zettel aber stand, daß Träger dieses Herr Achim V. Bredow sei, der in Genossenschaft vieler Bredows, Eichstädts und Sparrs hier 300 Jahre lang geschlummert, dann behufs Lüftung der Gewölbe vier Wochen lang im Kirchenschiffe zu Rheinsberg ausgestanden und im Maimonat 1844 seine alte Wohnung wieder bezogen habe. Daran schloß sich eine Chronik und die Namensunterschrift von Bürgermeister und Rat.

Und nun noch eins.

Während der Zeit, daß die Särge geöffnet im Kirchenschiffe standen, trug sich eine Geschichte zu, die, mit ihrem gespenstischem Anfluge, die Gemüter der Rheinsberger allerdings auf Wochen hin beschäftigen durfte. Unter den Toten befand sich nämlich auch eine Margarethe von Eichstädt, eine schöne Frau, die bei jungen Jahren gestorben war. Ihre weißen Grabgewänder waren noch wohlerhalten, um den Hals trugen sie reiches Geschmeide und endlich auch einen schmalen Trauring am Ringfinger der rechten Hand. Tag und Nacht hatten Wächter in der Kirche gestanden. Als nun die Zeit kam, wo die Särge wieder geschlossen werden sollten, bemerkte man, daß der Ring am Ringfinger Margarethes v. Eichstädt fort war. Ein gewöhnlicher Diebstahl konnte nicht vorliegen, das reiche Halsgeschmeide war unberührt geblieben und nur eben der Ring fehlte.

Wer trug ihn jetzt?

3.
Das Schloß in Rheinsberg. Anblick vom See aus. Die Reihenfolge der Besitzer. Die Zimmer des Kronprinzen. Die Zimmer des Prinzen Heinrich

Die alte Glocke zu *Rheinsberg*, die in mehr charakteristischen als poetischen Alexandrinern die Inschrift trägt:

Des Feuers starke Wuth riß mich in Stücken nieder,
Mit Gott *durch Meyers's Hand* ruf ich doch Menschen
    wieder, –

schlägt eben vier und läßt uns die Vermutung aussprechen, daß selbst der Nachmittagsschlaf eines vierundachtzigjährigen Castellans nunmehr zu Ende sein könne. Unser heiterer Freund antwortet mit einem ungläubigen »wer weiß«, ist aber nichtsdestoweniger bereit, die Führung bis ins Schloß zu übernehmen und uns seinem »Gevatter« vorzustellen. Unterwegs warnt er uns in humoristischer Weise vor den Bildererklärungen und Namensunterstellungen des Alten. »Sehen Sie, meine Herren, er hat eine Liste, auf der die Namen sämtlicher Portraits verzeichnet stehen, aber er nimmt es nicht genau mit der *Verteilung* dieser Namen. Einige Portraits sind fortgenommen und in die Berliner Galerien gebracht worden, was unsern Gevatter aber wenig kümmert; er stellt ihnen, nach wie vor, Personen vor, die sich gar nicht mehr im Schlosse zu Rheinsberg befinden. Prinzeß Amalie namentlich, die schon bei Lebzeiten so viel Schweres tragen mußte, muß auch im Tode noch allerlei Unbill über sich ergehen lassen, und jedes Frauenportrait, das der Wissenschaft der Kunstkenner und Antiquare bisher gespottet hat, ist sicher als ›Schwester Friedrichs des Großen‹ genannt zu werden. Sie werden sie in Hofkostüm, in Phantasiekostüm und in Maskenkostüm kennenlernen; besonders mach' ich Sie auf ein Kniestück aufmerksam, wo sie in Federhut und schwarzem Muff erscheint. Die Kehrseite des Bildes wäre Wohltat gewesen.«

Unter solchem Geplauder haben wir die der Stadt zu gelegene Rückseite des *Schlosses* erreicht, passieren den Schloßhof, steigen in ein bereitliegendes Boot und fahren bis mitten auf den See hinauf. Nun erst machen wir kehrt und haben ein Bild von nicht gewöhnlicher Schönheit vor uns. Erst der glatte Wasserspiegel, an seinem Ufer ein Kranz von Schilf und Nymphäen, dahinter ansteigend ein frischer Gartenrasen und endlich das Schloß selbst, die Fernsicht schließend. Nach links hin dehnt sich der See; wohin wir blicken, ein Reichtum von Wasser und Wald, die Bäume nur manchmal gelichtet, um uns irgendein Denkmal auf den stillen Grasplätzen des Parks, oder eine Marmorfigur oder einen »Tempel« zu zeigen.

Das Schloß war in alten Tagen ein gotischer Bau mit Turm und Giebeldach. Erst zu Anfang des vorigen Jahrhunderts trat ein Schloßbau in französischem Geschmack an die Stelle der alten Gotik und nahm 30 Jahre später unter Knobelsdorffs Leitung im wesentlichen die Formen an, die er noch jetzt zeigt. Eine Beschreibung des Schlosses versuch' ich nur in allgemeinsten Zügen. Es besteht aus einem Mittelstück (corps de logis) und zwei durch eine Kolonnade verbundenen Seitenflügeln. In Front der See. Mehr eine Eigentümlichkeit als eine Schönheit bilden ein paar abgestumpfte Rundtürme, die sich an die Giebel der Seitenflügel anlehnen und deren einem es vorbehalten war, zu besonderer Berühmtheit zu gelangen.

Langsam nähern wir uns wieder dem Ufer, befestigen den Kahn am

Wassersteg und schreiten nun plaudernd unsren Weg zurück. Unter der Kolonnade machen wir halt und rekapitulieren die *Geschichte* des Orts. Es ist nötig, sie gegenwärtig zu haben.

Die Herrschaft *Rheinsberg* war ein altes Besitztum der *Bredows.* Seit 1618 sind die Hauptdaten folgende:

Jobst v. Bredow verkauft Rheinsberg an Cuno v. Lochow, Domherrn zu Magdeburg. 1618.

Der Große Kurfürst nimmt, nach dem Erlöschen dieser Familie v. Lochow, Rheinsberg in Besitz und schenkt es dem General du Hamel. 1685.

General du Hamel verkauft es sofort an den Hofrat de Beville.

Die Bevilles besitzen es, Vater und Sohn, bis 1734. Vom *Sohne,* dem Oberstleutnant Heinrich von Beville, kauft es

König Friedrich Wilhelm I. und schenkt es an den Kronprinzen *Friedrich* I. 1734.

Der Kronprinz (Friedrich der Große), obschon nur bis 1740 dort, behält es als Eigentum bis 1744.

Im Jahre 1744 erhält es Prinz Heinrich von seinem Bruder als Geschenk, übersiedelt aber erst 1753 nach Rheinsberg.*

Prinz Heinrich von 1753 bis 1802 († 3. August).

Prinz Ferdinand von 1802 bis 1813 († 2.Mai).

Prinz August von 1813 bis 1843 († 19. Juli).

Seit 1843 ist es wieder königlicher Besitz. –

Wir nähern uns jetzt von der Kolonnade her dem linken Flügel des Schlosses, treten auf einen großen Flur und ziehen leise mit der Hand des Bittstellers an der Klingel des Kastellans. Er schläft wirklich noch, aber seine Frau nimmt unverdrossen das große Schlüsselbund von der Wand und schreitet treppauf vor uns her.

Wollt' ich dem Leser zumuten, uns auf diesem Gange zu folgen, so würd' ich ihn nur verwirren; ich begnüge deshalb damit (ohne Rücksicht auf die Reihenfolge darin wir die Zimmer sahen) in nachstehendem *erst* von den Zimmern Kronprinzen *Friedrich* und *danach* von denen des Prinzen *Heinrich* zu sprechen.

Zunächst also die Zimmer des Kronprinzen, des nachmaligen »Großen Königs«. Sie befinden sich in *beiden* Flügeln, wenn man, wie billig, den großen Konzertsaal mit hinzurechnet, den Konzertsaal, in welchem unter Leitung Grauns und unter Mitwirkung des Kronprinzen die klassischen Kompositionen jener Epoche zur Aufführung kamen. Dieser Konzertsaal

---

* Im Widerspruch hiermit steht allerdings, daß Prinz Heinrich im Jahre 1745 seine Mutter, die verwitwete Königin Sophie Dorothea, hier in Rheinsberg empfing. Poellnitz gibt davon eine sehr eingehende Beschreibung. Vielleicht aber hatte sich der Prinz eigens und auf kurze Zeit nur nach Rheinsberg begeben, um seine Mutter daselbst empfangen zu können.

befindet sich (immer von der Seefront aus) im *linken* Flügel des Schlosses, von dem aus seine hohen Fenster einerseits auf den Schloßhof, andrerseits auf das »Kavalierhaus« und einen vorgeschobenen Teil der Stadt herniederblicken. Er ist etwa 40 Fuß lang, fast ebenso breit und vortrefflich erhalten. Die Wände sind von Stuck und die Fensterpfeiler mit Spiegeln und Goldrahmen reich verziert; eine Hauptsehenswürdigkeit aber ist das große Deckengemälde von Pesne, das dieser, nach einem den Ovidschen Metamorphosen entlehnten Vorwurf, im Jahre 1739 hier ausführte. Der Grundgedanke ist: »die aufgehende Sonne vertreibt die Schatten der Finsternis« oder wie einige es ausgelegt haben »der junge Leuchteprinz vertreibt den König Griesegram.« Die Technik ist vortrefflich, und wie immer man auch über pausbackige Genien und halbbekleidete Göttinnen denken mag, in dem Ganzen lebt und webt eine künstlerische Potenz, gegen die es nicht gut möglich ist, sich zu verschließen. Schinkel soll unter dem Einfluß dieses Deckengemäldes die große Komposition entworfen haben, die sich jetzt al fresco in der Säulenhalle des Berliner alten Museums befindet. Was übrigens den Konzertsaal selber angeht, so fand innerhalb desselben, im Sommer 1848 ein etwas in Rot getauchtes Ruppin-Rheinsbergisches Gesangfest statt, das eigentümlich gestört wurde. Man war eben auf der »Höhe der Situation« als sich plötzlich eine halbe Stuckwand loslöste und mitten in den entsetzten Sängerkreis hineinfiel. Alles stob auseinander. Das Mauerwerk des alten Schlosses hatte sich aus seinen friderizianischen Erinnerungen heraus empört.

Dieser linke Flügel enthält außer dem Konzertsaal noch zehn oder zwölf kleinere Räume, von denen einige die Zimmer der Prinzeß Amalie heißen, während der Rest sich ohne jeden Namen begnügen muß. Diese »Namenlosen« sind die einzigen Räume des Schlosses, die noch eine praktische Verwendung finden. In ihnen logieren die Hausministerialbeamten, die hier gelegentlich eintreffen, um nach dem Rechten zu sehen. Es macht einen ganz eigentümlichen Eindruck, wenn man nach Passierung einer langen Reihe von Zimmern, die nur immer die Vorstellung in uns wachriefen »hier muß der oder der gestorben sein« plötzlich in ein paar Räume tritt, die liebe Rückerinnerungen an die Tage eigenen Chambregarnie-Lebens in uns wecken. Die kleinen Bettstellen von Birkenmaserholz, die roten Steppdecken von allersimpelstem Kattun, die Waschtoiletten mit dem Klappdeckel und die beinah faltenlosen Zitzgardinen, als habe das Zeug nicht ganz gereicht, alles hat den schlichtbürgerlichsten Charakter von der Welt, und das eitle Herz freut sich der Wahrnehmung, daß man in Schlössern schläft wie anderswo.

Doch vergessen wir über diesem stillen Behagen nicht unsere eigentliche Aufgabe, und wenden wir uns lieber jenem *kleinen Arbeitszimmer* zu, das, mit noch größerem Recht als der Konzertsaal, den Namen des Großen Königs führt.

Dies Arbeitszimmer liegt im *rechten* Flügel des Schlosses und zwar in dem kleinen Rundturm, der den Flügel nach vorn hin abschließt. Wir passieren abermals eine lange Zimmerreihe, bis wir endlich in ein kleines und halbdunkles Vorgemach treten, das sein Licht nur durch eine Glastür empfängt. Dies halbdunkle Vorgemach enthielt die kleine Bibliothek, die Friedrich der Große bald nach seiner Thronbesteigung nach Potsdam schaffen ließ; das davor liegende Zimmer aber, von dem uns nur noch die Glastür trennt, ist das Arbeitszimmer selbst. Nur sehr klein (höchstens zwölf Fuß im Quadrat) hat es nach drei Seiten hin eine entzückende Aussicht über Wald und See. Vor 140 Jahren muß es auch in seiner Ausstattung einen durchaus heiteren und angenehmen Eindruck gemacht haben. Es ist ein Achteck, das mit drei Seiten in der Mauer steckt, während fünf Seiten frei und losgelöst nach vorn hin liegen. Das Ganze setzt sich abwechselnd aus Wand- und Glasflächen zusammen: vier Paneelwände, drei Nischenfenster und eine Glastür. Die Fensternischen sind sehr tief und boten deshalb Raum zur Aufstellung von Polsterbänken, die sich an beiden Seiten entlangziehen. An den Paneelwänden stehen altmodische Lehnstühle mit *versilberten* Beinen und schlechten, dunklen Kattunüberzügen. Über den Lehnstühlen aber, in ziemlicher Höhe, sind Konsolen mit den Büsten Ciceros, Voltaires, Diderots und Rousseaus angebracht. In die Holzbekleidung ist vielfach Spiegelglas eingelassen, während sich zu Häupten der Eingangstür allerlei Zeichen des Freimaurerordens befinden und abermals ein Pesnesches Deckengemälde den Plafond bedeckt. Dasselbe zeigt die *Ruhe beim Studieren;* ein Genius überreicht der sitzenden Minerva ein Buch, auf dessen Blättern man die Namen Horaz und Voltaire liest. Das Bild hat verhältnismäßig gelitten, und kann überhaupt mit der glänzenden Schöpfung desselben Meisters im Konzertsaale nicht verglichen werden. In der Mitte des Zimmers steht auf vergoldeten Rokokofüßen und etwa von der Größe moderner Damenschreibtische der Arbeitstisch des Prinzen. Seine Schreibeplatte liegt schräg und kann aufgeklappt werden. Sie war ehedem mit rotem Samt überzogen, hat aber nicht nur die Farbe, sondern auch den ganzen Samtstoff längst verloren. Der Samt wird bekanntlich auf eine Unterschicht von festem Zeug aufgetragen. Diese Unterschicht war 1853, als ich Rheinsberg zum ersten Male besuchte, noch ziemlich intakt vorhanden. Seitdem aber haben sich die Dinge sehr zum Schlimmeren verändert. Nicht die Hälfte mehr existiert von diesem Unterzeug, und man kann deutlich sehen wie die Federmesser, je nach der Charakteranlage der Besucher, mal größere mal kleinere Karos herausgeschnitten haben.» Ich liebe nicht die Kastellane, die einen durch ihren Diensteifer um die Möglichkeit eines ruhigen Genusses bringen, aber ebensowenig mag ich jenen das Wort reden, die voll mißverstandener Nachsicht ein Auge da zudrücken, wo sie's aufmachen sollten.

Wir nehmen zögernd Abschied von diesem interessanten Zimmer, um uns nun den *Zimmern des Prinzen Heinrich* zuzuwenden. Sie liegen im ersten Stock des Korps des Logis und bilden eine ununterbrochene Reihenfolge. Den Anfang machen die sogenannten Prinz-Ferdinands-Zimmer, d. h. diejenigen, die Prinz *Ferdinand* zu bewohnen pflegte, wenn er bei seinem älteren Bruder, dem Prinzen *Heinrich* zum Besuche war. Vielleicht auch residierte der erstgenannte Prinz in der Zeit von 1802 bis 1813 wenigstens zeitweilig hier und bewohnte dann *diese* Räume.

Hinter diesen sogenannten Prinz-Ferdinands-Zimmern folgt der Konzertsaal (nicht zu verwechseln mit dem *kronprinzlichen* im linken Flügel), alsdann der sehr gut erhaltene Muschelsaal und endlich das Bibliothekzimmer. Neben diesem befindet sich das *Schlaf- und Sterbezimmer* des Prinzen Heinrich. Es ist ein großes, ziemlich dunkles Gemach, durch ein Paar Säulen in zwei Hälften geteilt. In der dunkleren Hälfte, halb durch die Säulen verdeckt, steht das Sterbebett, ein stattlicher, mit schweren Seidenvorhängen reich ausgestatteter Bau. Derartige Staatsbetten, namentlich wenn alt geworden, machen in der Regel einen ängstlichen Eindruck und erfüllen uns mit Dank, nicht in ihnen schlafen zu müssen. Anders hier, weil sich nichts von Verschossenheit zeigt, vielmehr alles frisch und farbig und voll beweglich lebensvoller Falten. – Um dieses Schlaf- und Sterbezimmer her gruppieren sich einige kleinere, die nur durch ihre Schildereien interessieren, meist Bilder in chinesischer Tusche von der Hand des Prinzen Heinrich selbst. Im großen und ganzen aber herrscht Mangel an guten Bildern, und nur einige wenige hat man dieser Stelle gelassen. Unter diesen sind zwei Bildnisse des jungen Grafen Bogislaw von Tauentzien und ein Portrait der ersten Königin *Sophie Charlotte* bei weitem die besten.

Auch die Zimmer im Erdgeschoß sind nicht ohne Interesse. Bilder, Büsten, Ausschmückungsgegenstände, die sich teils noch aus der Zeit des Prinzen Heinrich her in diesen Zimmern befinden oder aber verschönerungshalber seitdem ihren Weg aus dem obern Stock ins untere genommen haben, fesseln hier den Beschauer. In einem dieser Räume befinden sich beispielsweise die Büsten des Marquis de la Roche-Aymon und seiner Gemahlin, daneben eine Büste des französischen Schauspielers *Blainville*. Der Marquis, auf den ich in einem späteren Kapitel zurückkomme, war nach Tauentziens Abgang Adjudant des Prinzen und nebenher eine Art General en Chef des prinzlichen Heeres, d. h. jener *im Solde des Prinzen stehenden* Leibhusarenschwadron, die in Rheinsberg ihre Garnison und im Schlosse den Dienst hatte. Der Schauspieler Blainville, ein besonderer Liebling des Prinzen, gab sich selbst den Tod, als es der Kabale seiner Genossen gelungen war, ihm momentan die Gunst seines Herrn zu entziehen. Der Prinz soll diesen Verlust nie verwunden haben.

Ein, größerer Saal neben jenem büstengeschmückten Zimmer macht den Eindruck einer gewissen Wohnlichkeit, vielleicht weil er ein paar Spezialitäten enthält, die uns, wie ein Vogelbauer oder ein Tisch voll Nippsachen, die wohltuende Nähe von Menschen auch *dann* noch empfinden lassen, wenn diese lange vom Schauplatze abgetreten sind. Zu diesen Spezialitäten zähl' ich hier ein würfelförmiges Postament von dem Umfang eines großen Tabakskastens, das auf einem halb versteckten Ecktisch steht. Dieser Kasten muß bei bestimmter Gelegenheit als Untersatz für eine kostbare Blume gedient haben und von dem einen oder andern seiner Verehrer dem Prinzen überreicht worden sein. Noch jetzt umschließt der Kasten einen Blumentopf, aber die Blumen selbst sind von Papier. Alle vier Wände des Kastens enthalten reizende Aquarellbildchen, zwei davon Schlachtenbilder en miniature, von denen das eine die Inschrift trägt: »Condé aux lignes de Fribourg«, das andere: »Henri à la bataille de Prague«. Die Verbindlichkeit ist sehr fein und die Parallele gut gezogen. »Condé aux lignes de Fribourg« ist vielleicht eine Kopie, wenigstens entsinn' ich mich dunkel, im Louvre oder in den Sälen von Versailles etwas Verwandtes gesehen zu haben. Auf dem Frontbilde: »Henri à la bataille de Prague« erhebt der Prinz* eben den Degen, und den Kopf nach rechts hin zurückgewandt, um durch Wort und Blick die Nachfolgenden anzufeuern, führt er eine Grenadiercompagnie zum Sturm.

4.

Prinz Heinrich. Der Rheinsberger Park. Herr v. Reitzenstein und der verschluckte Diamant. Der Freundschaftstempel. Das Theater im Grünen. Das Grabmal des Prinzen

Außer den im vorigen Kapitel beschriebenen Zimmern des Kronprinzen und des Prinzen Heinrich, enthält das *Rheinsberger Schloß* nichts, was der Erwähnung wert wäre. Wenn man wieder ins Freie tritt, um über den Schloßhof hin, dem Park und dem See zuzuschreiten, so kann man die Frage nicht abwehren, wie kommt es, daß dieser kluge, geistvolle Prinz *Heinrich,* dieser Feldherr sans peur et sans reproche, dies von den nobelsten Empfindungen inspirierte Menschenherz, so wenig populär geworden ist. Man geh' in eine Dorfschule und mache die Probe. Jedes Tagelöhnerkind wird den Zieten, den Seydlitz, den »Schwerin mit der Fahne« kennen, aber der Herr Lehrer selbst wird nur stotternd zu sagen wissen, wer denn eigentlich Prinz Heinrich gewesen sei. Selbst in Rheinsberg, das der Prinz ein halbes Jahrhundert lang bewohnt hat, ist er verhältnismäßig ein Fremder. Natürlich, man kennt ihn, aber man weiß wenig von ihm. Einige von den Alten entsinnen sich seiner, erzählen dies und das, aber die

---

* Der Kopf des Prinzen auf diesem Bildchen ist *Portrait.* Es existieren im Ruppinschen außerdem noch vier Bildnisse des Prinzen Heinrich:

1. Im Besitz der Frau v. Kaphengst in Ruppin. Von Pesne gemalt.

2. Im Besitz des Grafen Zieten-Schwerin auf Wustrau. Von Frau Teerbusch.

3. Im Besitz des Herrn Gentz in Ruppin. Ein *Pastellbild* (befindet sich im »Tempel«).

4. Eine Büste; ebendaselbst.

(Ein andres sehr gutes Bild des Prinzen – mit Tigerfellaufschlägen an der Uniform und einer Terrainkarte von Freiberg auf dem nebenstehenden Tisch – befindet sich im Schloß zu *Tamsel.*)

lebende Generation lernt Geschichte wie wir, d.h. liest lange Kapitel vom Kronprinzen Friedrich und seinem Rheinsberger Aufenthalt, und hat sich daran gewöhnt, den Konzertsaal und das Studierzimmer als die alleinigen Sehenswürdigkeiten des Schlosses anzusehen. Die Zimmer des Prinzen *Heinrich*, Prinz Heinrich selbst, alles ist bloße Zugabe, Material für die Rumpelkammer. Das harte Los, das dem Prinzen bei Lebzeiten fiel, das Geschick »durch ein helleres Licht verdunkelt zu werden«, verfolgt ihn auch im Tode noch. An derselben Stelle, wo er durch fast zwei Menschenalter hin gelebt und geherrscht, geschaffen und gestiftet hat, ist er ein halb Vergessener, bloß weil der Stern seines Bruders *vor* ihm ebendaselbst geleuchtet. Und ein Teil dieses Mißgeschicks wird auch bleiben. Aber es ist andrerseits nicht unwahrscheinlich, daß die nächsten 50 Jahre schon Verdienst und Klang des Namens mehr in Harmonie bringen werden. Um es mit einem Worte zu sagen: dem Prinzen hat der Dichter bis zu dieser Stunde gefehlt. Von dem Augenblick an, wo Lied, Erzählung, Schauspiel ihn unter ihre Gestalten aufnehmen werden, werden sich auch die Prinz-Heinrich-Zimmer im Rheinsberger Schlosse neu zu beleben anfangen, und die Kastellane der Zukunft werden zu berichten wissen, was in dieser und jener Fensternische geschah, wer den Blumenkasten übergab und unter *welchem* Kastanienbaume der Prinz seinen Tee trank und mit einem freudigen: »oh soyez le bien venu« sich erhob, wenn Prinz Louis am Schloßtor hielt und lachend aus dem Sattel sprang.

Historische Gestalten teilen nicht selten das Schicksal alter Statuen. Einzelne stehen durch ein Jahrtausend hin immer leuchtend und immer bewundert auf dem Postament ihres Ruhmes; andere werden verschüttet oder in den Fluß geworfen. Aber endlich kommt der Moment ihrer Wiedererstehung, und nun erst – neben den glücklicheren neuaufgerichtet – erwächst der Nachwelt die Möglichkeit des Vergleichs.

Es muß zugegeben werden (und ich habe bereits in dem Kapitel »die Kirche zu Rheinsberg« darauf hingewiesen), daß etwas prononciert Französisches in Sitte, Gewöhnung, Ausdruck, sowie das geringe Maß jener *churbrandenburgischen Derbheit*, die wir an Friedrich dem Großen, all seiner Voltaire-Schwärmerei zum Trotz, so deutlich erkennen und so sehr bewundern, der Volkstümlichkeit des Prinzen Heinrich immer hindernd im Wege stehen wird, es fehlt aber auch noch viel bis zu jenem bescheideneren Teile von Popularität, worauf er unbedingten Anspruch hat. Seine Repliken waren nicht im Stile des älteren Tauentzien, als dieser, unter Androhung »daß man das Kind im Mutterleibe nicht schonen werde« aufgefordert wurde, Breslau zu übergeben; aber wenn er in seinen Antworten auch nicht dem Richard Löwenherz glich, der mit seinem Schwert ein zolldickes Eisen zerhieb, so glich er doch dem Saladin, der mit seiner Halbmondklinge das in die Luft geworfene Seidentuch im Niederfallen durchschnitt. Nur selten war er derb, rauh nie.

Wir sind nun in den *Park* getreten. Er umzieht in weitem Halbkreise die linke Hälfte des Sees und geht am jenseitigen Ufer unmittelbar in die schönen Laubholzpartieen des Boberow-Waldes über. Der Park ist eine glückliche Mischung von französischem und englischem Geschmack, zum Teil planvoll und absichtlich dadurch, daß man die Le Notreschen Anlagen durch Partieen im entgegengesetzten Geschmack erweiterte, zum Teil aber planlos und unabsichtlich dadurch, daß sich das zwangund kunstvoll Gemachte wieder in die Natur hineinwuchs. Die ursprüngliche Anlage soll das Werk eines Herrn v. Reitzenstein gewesen sein, der schließlich (wie das zu geschehen pflegt) in verleumderischer Weise beschuldigt wurde, die Kriegsabwesenheit des Prinzen zu seinem Vorteil benutzt und unredlich gewirtschaftet zu haben. Als er von dieser gegen ihn umgehenden Verleumdung und beinahe gleichzeitig auch von der nahe bevorstehenden Rückkehr des Prinzen hörte, gab er sich den Tod »indem er einen Diamanten verschluckte«. So das Volk. Es liegt auf der Hand, daß hier der nach dem Abenteuerlichen haschende Sinn desselben, eine komische Substituierung geschaffen hat. Ein verschluckter Diamant ist um nichts schädlicher als ein verschluckter Pflaumenkern, und so glaub' ich denn bis auf weiteres annehmen zu dürfen, daß sich v. R. *(wenn überhaupt)* einfach durch Blausäure, durch Essence d'Amandes getötet hat, aus welch letztrem Worte, lediglich nach dem Gleichklang, ein *Diamant* geworden ist.

Man passiert, abwechselnd dicht am See hin und mal wieder sich von ihm entfernend, die herkömmlichen Schaustücke solcher Parkanlage: Säulentempel, künstliche Ruinen, bemooste Steinbänke, Statuen (darunter einige von großer Schönheit,) und gelangt endlich bis an den sogenannten *Freundschaftstempel,* der bereits am jenseitigen Ufer des Sees, im Boberow-Walde gelegen ist. In diesem Freundschaftstempel pflegte der Prinz zu speisen, wenn das Wetter eine Fahrt über den See zuließ. Es war ein kleiner Kuppelbau, auf dessen Hauptkuppel noch ein Kuppelchen saß; über dem Eingang aber ein Frontispice. Frontispiz und Kuppeln existieren *nicht* mehr; sie drohten mit Einsturz und wurden abgetragen. Aber das Innere des »Tempels« ist noch wohlerhalten und besteht aus einem einzigen achteckigen Zimmer, um das sich, wie die Schale um die Mandel, ein etwas größerer achteckiger Außenbau legt. Genauso, wie wenn man eine kleine Schachtel in eine größere stellt und beide mit einem gemeinschaftlichen Deckel überdeckt. In dem achteckigen Einsatz befinden sich vier türbreite Einschnitte (die Türen selber fehlen) und mit Hülfe dieser Einschnitte wird es möglich, die sechszehn Inschriften zu lesen, die seinerzeit der *Innenwand* des achteckigen Außenbaues und zwar sehr wahrscheinlich vom Prinzen selber gegeben wurden. Sie sind abwechselnd zwei und vier Zeilen lang und beziehen sich auf das Glück der Freundschaft. Ich zitiere zwei derselben:

> Qui vit sans amitié, ne scauroit être heureux,
> Quand il auroit pour lui la fortune et les Dieux.

oder

> Pourquoi l'amour est-il donc le poison
> Et l'amitié le charme de la vie?

C'est que l'amour est le fils de la folie
Et l'amitié fille de la raison.

So sind sie alle. Kleine Niedlichkeiten ohne tiefere Bedeutung, und doch an *dieser* Stelle ebenso ansprechend, wie sie als Grab- und Kircheninschriften uns widerstrebend sind.

Jetzt feiert die junge Welt ihr Möskefest hier, bei welcher Gelegenheit sicherlich alle philosophischen Betrachtungen über das Glück der Freundschaft unterbleiben, und die sich »anbahnenden Verhältnisse« durchaus zu Gunsten des ewig im Schwunge bleibenden »fils de la folie« entschieden werden. Ein Möskefest an dieser Stelle bedeutet eine nicht üble Kritik und Ironie.

*

Vom Freundschaftstempel aus schreiten wir in den eigentlichen Park zurück, machen dem, wohlerhaltenen »Theater im Grünen« das lebendige Hecken statt der Coulissen hat, unsern Besuch und gelangen danach in allerhand schmale Gänge, deren Windungen uns schließlich bis an das *Grabmal* des Prinzen Heinrich führen. Es besteht aus einer Pyramide von Backstein, um die sich ein schlichtes Eisengitter zieht. Der Prinz, in seinem Testamente, hatte die völlige Vermaurung dieser Pyramide angeordnet; man ging aber von dieser Anordnung ab und ließ einen Eingang offen. Im Jahre 1853 sah ich noch deutlich den großen Zinksarg stehen, auf dem ein rostiger Helm lag. Seitdem ist ein brutaler Versuch gemacht worden, eben diesen Sarg, in dem man Schätze vermutete, zu berauben, was nun, nachträglich noch, zur Erfüllung der Testamentsanordnung, will also sagen zur Vermauerung der Pyramide geführt hat.

Wo früher der Eingang war, befindet sich jetzt eine große Steintafel mit der von Prinz Heinrich selbst verfaßten *Grabschrift*. Sie lautet:

Jetté par sa naissance dans ce tourbillon de vaine fumée
Qui le vulgaire appelle
Gloire et grandeur,
Mais dont le sage connoit le néant;
En proie à tous les maux de l'humanité;
Tourmenté par les passions des autres,
Agite' par les siennes;
Souvent exposé à la calomnie;
En butte à l'injustice;
Et accable' même par la perte
De parens chéris,
D'amis sûrs et fidèles;
Mais aussi, souvent consolé par l'amitié;
Heureux dans le recueillement de ses pensées,

Plus heureux
Quand ses services purent être utiles à la patrie
Ou à l'humanité souffrante:
Tel est l'abrégé de la vie de
Frédéric-Henri-Louis,
Fils de Frédéric-Guillaume, roi de Prusse,
Et de Sophie-Dorothée,
Fille de George I[er.] roi de la Grande-Bretagne.
Passant,
Souviens-toi que la perfection n'est point sur la terre.
Si je n'ai pu être la meilleur des hommes,
Je ne suis point au nombre des méchans;
L'éloge ou le blâme
Ne touchent plus celui
Qui repose dans l'éternité;
Mais la douce espérance
Embellit le derniers momens
De celui qui remplit ses devoirs;
Elle m'accompagne en mourant.
Né 18. janvier 1726.
Décédé le 3. août 1802.

So dachte, so schrieb man damals. Die »naissance« war ein Spiel des Zufalls, und man war es müd' »über Sklaven zu herrschen«.

Aus dieser Welt der Freiheitsphrase sind wir heraus, aber, Gott sei Dank, dem Wesen der Freiheit sind wir nähergekommen.

5.
Der große Obelisk in Rheinsberg und seine Inschriften

Vielleicht die größte Sehenswürdigkeit *Rheinsbergs* ist der Obelisk, der sich, gegenüber dem Schlosse, am jenseitigen Seeufer auf einem zwischen dem Park und dem Boberow-Walde gelegenen Hügel erhebt. Er wurde zu Anfang der neunziger Jahre vom Prinzen Heinrich »dem Andenken seines Bruders *August Wilhelm*« errichtet und trägt an seiner Vorderfront das vortrefflich ausgeführte Reliefportrait eben dieses Prinzen und darunter die Worte:

A l'eternelle memoire d'Auguste Guillaume
Prince de Prusse, second fils du roi
Frederic Guillaume.

Aber nicht dem Prinzen allein ist das Monument errichtet, vielmehr den preußischen Helden des Siebenjährigen Krieges überhaupt, allen jenen, die, wie eine zweite Inschrift ausspricht, »durch ihre Tapferkeit und Einsicht verdient haben, daß man sich ihrer auf immer erinnere«.

Da nun solcher preußischen Helden in jener Ruhmeszeit unzweifelhaft sehr viele waren, so lag es dem Prinzen ob, unter den vielen eine Wahl zu treffen. Diese Wahl geschah, und 28 wurden schließlich der Ehre teilhaftig, ihre Namen auf dem Rheinsberger Obelisken genannt zu sehen. Jeder Name steht in einem Medaillon und ist von einer kurzen, in französischer Sprache abgefaßten Charakteristik begleitet. Nachstehend geb' ich dieselben in Übersetzung.

Vorderfront

Marschall von Keith. Mit der größten Biederkeit vereinigte er die ausgebreitetsten und gründlichsten Kenntnisse. In Rußland, während des Krieges gegen die Türken, erwarb er sich einen wohlverdienten Ruhm, welchen er im preußischen Dienste bestätigte. Das Bedauern aller gefühlvollen Herzen, die Tränen aller Krieger verewigten auf immer sein Andenken. Er blieb bei dem Überfall zu Hochkirch, den 14. Oktober 1758.

Marschall v. Schwerin. Die Ehre seines Jahrhunderts und der Schild des Vaterlandes. Er vereinigte alle bürgerlichen und kriegerischen Tugenden. Die Feinde, welche er bekämpfte, konnten ihm ihre Bewunderung nicht versagen. Am 10. April 1741 gewann er die Schlacht bei Mollwitz. Im Jahr 1744 befehligte er die Armee, welche Prag belagerte, und nahm die Festung Ziskaberg. Im Jahre 1756 war er an der Spitze der preußischen Armee, welche durch Schlesien in Böhmen eindrang. Und obgleich das feindliche Heer ihm überlegen war, führte er dennoch einen Angriffskrieg gegen die von Piccolomini befehligten Oesterreicher. Die Völker, gesichert durch seine Menschlichkeit, verehrten seinen Heldenmut. Die Fahne in der Hand fiel er als Opfer seines Eifers, bei Prag am 6. Mai 1757.

Leopold, regierender Fürst von Anhalt-Dessau, einer der vollkommensten Feldherren; er zeichnete sich im Spanischen Erbfolgekriege aus. Turin war Zeuge seiner Kriegstaten. Er kämpfte dort an der Spitze der Preußen, welche er auch im Kriege 1742 in Oberschlesien anführte. Im Jahre 1745 schlug er die Sachsen bei Kesselsdorf, und bahnte sich den Weg nach Dresden. Sein militärisches Genie und sein Mut werden ihn auf immer unsterblich machen.

August Ferdinand, vierter Sohn des Königs Friedrich Wilhelm, war 1757 bei der Einschließung von Prag, und wurde bei einem Ausfall der Feinde verwundet. In der Schlacht bei Breslau, den 22. November desselben Jahres, behauptete er bis zu Ende der Schlacht einen wichtigen Posten. In der Schlacht bei Leuthen erwarb er sich neue Lorbeern. Ebenso schätzbar durch seine Tugenden, als durch seine Taten.

General von Seydlitz zeichnete sich aus von Jugend auf. Er war bei allen Feldzügen des Siebenjährigen Krieges zugegen, und stets mit Ehre und Ruhm. Durch Geschicklichkeit, Unerschrockenheit, vereinigt mit Schnelligkeit und Geistesgegenwart, wurden alle seine Kriegstaten den Feinden verderblich. Lowositz, Collin, Roßbach, Hochkirch, Zorndorf, Cunersdorf und Freiberg sind ihm Denkmäler des Sieges. Oft wurde er gefährlich verwundet. Die preußische Reiterei verdankt ihm den Grad der Vollkommenheit, welchen der Fremde bewundert. Dieser seltene Mann, alle Gefahren überlebend, verschied im Arme des Friedens.

General von Zieten erreichte ein ebenso glückliches als ehrenvolles Alter. Er siegte in jedem Gefechte. Sein kriegerischer Scharfblick, vereinigt mit einer heroischen Tapferkeit, sicherten ihm den glücklichen Ausgang jeden Kampfes. Aber was ihn über alles erhob, waren seine Redlichkeit, seine Uneigennützigkeit und seine Verachtung aller derer, welche auf Kosten der unterdrückten Völker sich bereicherten.

Der *Herzog von Bevern*. Er entschied 1756 den Sieg bei Lowositz. Im Jahre 1757 drang er aus Schlesien in Böhmen ein, und seine weisen Maßregeln verschafften ihm bei Reichenberg den Sieg über die Oesterreicher. In demselben Jahre widerstand er mit 22 000 Mann der Daunschen Armee, welche 80 000 Mann stark war, und nur nach der mutigsten Gegenwehr unterlag er bei Breslau. 1762 mit einem Korps bei Reichenberg aufgestellt, wurde er in Front und Rücken durch überlegene Macht angegriffen. Er schlug sie zurück, und behauptete das Schlachtfeld.

General von Platen. Er diente mit Auszeichnung in allen Kriegen, und war bei vielen Schlachten zugegen. Nach der Niederlage bei Cunersdorf sammelte er die zerstreuten Heereshaufen, deckte den Rückzug, blieb während der Nacht auf seinem Posten und ging erst am andern Morgen über die Oder zurück. Im Jahr 1762 wurde er mit einem Korps von dem König abgesendet; er schlug bei Posen 6000 Russen, machte viele Gefangene und vernichtete ihre Magazine. Er starb 1787.

Rechtsfront

Oberstlieutenant v. Wedell. Mit einem Bataillon Grenadiere, aus zwei Compagnieen der Garde und zwei vom Regiment Kronprinz zusammengesetzt, verteidigte er bei Selmitz in Böhmen mehrere Stunden lang, gegen die ganze österreichische Armee, den Übergang über die Elbe. So verschaffte er dem preußischen Heere die nötige Zeit, seine Quartiere zu erreichen. Nach fünf Stunden nötigten ihn die zahlreichen Batterien der Feinde zum Rückzuge. Als Prinz Carl über den Fluß gegangen war, in der Meinung, ein zahlreiches Heer bekämpft zu haben, erfuhr er durch einen Gefangenen, daß ein einziges Bataillon, aber von einem Helden angeführt, diese schöne Verteidigung gemacht habe. Mit demselben Bataillon griff er in der Schlacht bei Soor, am 30. September 1745, den linken Flügel der Oesterreicher an, und endigte hier sein Heldenleben.

Generallieutenant von Hülsen. Sehr geschätzt durch seine militärischen Talente. Fast in allen Schlachten war er zugegen, oft verwundet, und durch seine Unerschrockenheit stets ausgezeichnet. Im Jahre 1760 in der Schlacht bei Torgau wurde der linke Flügel, bei welchem er sich befand, zurückgetrieben. Er sammelte einige Flüchtlinge. Da aber seine Pferde getötet waren, und sein Alter und seine Wunden ihm nicht erlaubten, zu Fuß sein Korps anzuführen, so setzte er sich auf eine Kanone, und gelangte so, mitten im feindlichen Feuer, zum rechten Flügel.

von Tauentzien, General der Infanterie. In allen Feldzügen zugegen; seine Wunden sind rühmliche Denkmäler seines Mutes. 1760 verteidigte er Breslau gegen Laudon. Er befehligte 1761 die Belagerung von Schweidnitz, und erfreut sich gegenwärtig eines ehrenvollen Alters.

von Möllendorf, General der Infanterie, war bei allen Feldzügen von 1740 bis 1778. Bei Torgau, 1760, bemächtigte er sich der Anhöhen von Siptitz, und entriß dadurch dem Feinde den Sieg. Im Jahre 1762, als er auf gleiche Art die Anhöhen von Burkersdorf gewonnen hatte, nötigte dies den Marschall Daun, seine Stellung zu verändern, welches die Belagerung von Schweidnitz erleichterte. Im Winter von 1778 bis 1779 befehligte er bei der in Sachsen stehenden Armee ein besonderes Korps und schlug den Feind bei Brixen.

Generallieutenant von Haucharmoi. Aus Frankreich herstammend. Er war während des Spanischen Erbfolgekrieges in Italien und Flandern bei dem preußischen Heere zugegen. Im Kriege 1740 zeigte er sich wie ein zweiter Bayard, ohne Furcht und ohne Tadel. In der Schlacht bei Prag, den 6. Mai 1757, starb er auf dem Bette der Ehren.

General von Retzow, Intendant der Armee. 1758 befehligte er ein von der Armee des Königs getrenntes Korps. Er war bei Weißenberg gelagert, wo der rechte Flügel der Daunschen Armee ihm gegenüberstand. Am Tage des unglücklichen Überfalls bei Hochkirch, den 14. Oktober 1758, besetzte er eine Anhöhe hinter der Armee des Königs, und wurde so durch seine Klugheit und Tapferkeit der Rückzug gedeckt. Er starb einen Monat darauf, als er seinem Vaterlande einen so wichtigen Dienst geleistet hatte.

Oberst von Wobersnow, erster Adjutant des Königs. Er zeichnete sich aus durch lebhaftes Ehrgefühl und große militärische Kenntnisse. 1757 in der Schlacht bei Prag, als er den preußischen linken Flügel sammelte, um solchen aufs neue gegen den Feind zu führen, wurde er verwundet. Er war bei allen Feldzügen gegen die Russen. Die Schlacht bei Kai wurde wider seinen Willen geliefert; die Preußen verloren sie, und er fiel als Held.

Linksfront

von Wunsch, General der Infanterie. Er trat in Dienst 1756 als Offizier bei einem Freikorps, und erhob sich zu höheren Graden durch sein Genie und seine militärischen Talente. Im kleinen Krieg waren alle seine Unternehmungen glücklich und erwarben ihm allgemeine Achtung. 1759 schlug er mit einem kleinen Korps bei Torgau die weit überlegenen Feinde.

Im nämlichen Jahre, nahe bei Düben, schlug er das Vordertreffen der Feinde. Ein gefangener General, Fahnen und Kanonen waren die Denkmäler seines Sieges. Er starb 1788.

von Saldern, Generallieutenant. In allen Feldzügen zugegen. In taktischen Kenntnissen hochberühmt. Gleichermaßen geschätzt wegen seiner Tapferkeit und seiner Biederkeit. Er zeichnete sich aus bei der Torgauer Schlacht. Starb im Jahre 1785.

von Prittwitz, General der Kavallerie. Er diente sowohl unter den Dragonern, als Husaren, und zeichnete sich aus durch seine Tapferkeit in mehreren Schlachten, wo er zugegen war. Dieses erwarb ihm die besondere Achtung des Königs, der ihm das Regiment Gensdarmes erteilte, das er noch jetzt befehligt, und sich immer schätzbarer macht durch seinen Eifer und seine Tätigkeit.

von Kleist, General der Husaren. Erwarb sich im Siebenjährigen Kriege hohen Ruhm. Geschickt in allen Gewandtheiten des kleinen Krieges, war er auch zu großen Unternehmungen sehr geeignet, deren Erfolg seine Talente dem Feinde furchtbar machten. Stets geliebt von den Truppen, die er befehligte, machte er durch seine Taten seinen Namen unsterblich. Im sechsunddreißigsten Jahre seines Alters, 1767, endigte er seine Laufbahn.

von Dieskau, Generallieutenant der Artillerie, diente von Jugend auf und erwarb sich die höchste Achtung seines Korps, welches er während des Siebenjährigen Krieges als Chef befehligte. Er war tätig, wachsam, arbeitsam. Bei allen Belagerungen zugegen. Auch in den Schlachten, bei welchen er war, leistete er wichtige Dienste. Er starb in einem hohen Alter.

von Ingersleben, Generalmajor. Von einer geprüften Tapferkeit hat er die stärksten Beweise gegeben. In der Schlacht bei Prag, 1757, wurde er mit Wunden bedeckt, deren indes keine tödlich war. In demselben Jahre aber verlor er sein Leben in der Schlacht bei Breslau, am 22. November, wo er als Held focht.

von Henkel, Generallieutenant. Graf von Henkel, Adjutant des Prinzen Heinrich von Preußen während der Feldzüge von 1757 und 1758, zeichnete sich aus in den Schlachten bei Prag und Roßbach. Im Winter 1757 und 1758 unterstützte er den General von Tauentzien beim Überfall von Horneburg. In der Schlacht bei Torgau, im Jahre 1760, an der Spitze des Regiments Prinz von Preußen, gab er neue Beweise seiner Tapferkeit.

Rückfront

von Goltz, Adjutant des Königs. Er wurde 1756 nach Preußen gesendet, um den Marschall Lehwald, welcher die Armee gegen die Russen befehligte, mit seinem Rat zu unterstützen. Ein umfassender, tiefblickender Geist, mit militärischen Kenntnissen vereint, würde seinen Namen verherrlicht haben, wenn sein alle Gefahren verachtender Mut in der Schlacht bei Jägerndorff ihn nicht dem Vaterland entrissen hätte.

von Blumenthal, Major im Regiment Prinz Heinrich. Sein heller Geist, sein rechtliches Gemüt führten ihn Hand in Hand der Vollkommenheit entgegen, als er bei Verteidigung eines Postens bei Ostritz in der Lausitz getötet wurde, am 31. September 1756.

von Reder, Chef eines Kavallerieregiments. Als Kommandeur des Kürassierregiments Schmettau durchbrach er die österreichische Infanterie, und nahm ein ganzes Regiment gefangen. Am 29. Oktober 1762, in der Schlacht bei Freiberg in Sachsen, erwarb er sich neuen Ruhm.

von Marwitz, Quartiermeister bei der Armee des Königs. Erwarb sich große Verdienste in allen Kriegen, war bei allen Schlachten zugegen und zeichnete sich aus bei mehreren Vorfällen. Er starb 1759 im sechsunddrei-ßigsten Jahre seines Alters. Vielleicht wären sein Wert und seine Verdienste vergessen, wenn dieses Denkmal sein Andenken nicht aufbewahrte.

De-Quede, Adjutant beim Prinzen von Preußen, Bruder des Königs, Major im Regiment Prinz Heinrich. Seine richtige Urteilskraft, sein fester Charakter, seine Unerschrockenheit, ließen wünschen, er möchte auf lange Zeit dem Staate nützlich werden. Aber 1757, in der Schlacht bei Prag, wurden ihm durch ein Kanonenkugel beide Füße weggeschossen. Er lebte noch einige Stunden, und unter den heftigsten Schmerzen verleugnete sich sein Heldenmut nicht, bis zum letzten Hauch.

von Platen, Adjutant des Marschalls von Schwerin. Er vereinigte alle Eigenschaften, welche Hoffnung gaben, er würde diesen großen Mann ersetzen. Er fiel ihm zur Seite am 6. Mai 1757.

So die Namen der 28, die die Wahl des Prinzen traf, eine Wahl hinsicht-lich deren dieser selbst empfand, daß sie *parteiisch* getroffen sei. Weshalb er auch der schon vorzitierten, von den »preußischen Helden« sprechen-den Widmung noch folgende Zeilen hinzufügte:

Leurs noms gravés sur le marbre
Par les mains de l'amitié,
Sont le choix d'une *estime particuliére*
Qui ne porte aucun préjudice
A tout ceux qui comme eux
Ont bien merité de la patrie
Et participent à *l'estime publique.*

Kein Präjudiz also gegen alle diejenigen, die *außerdem* noch an der »esti-me publique« teilgenommen haben. Diese Worte rücksichtsvoller Ver-wahrung sind ganz im Geiste des Prinzen Heinrich gesprochen. Er gibt seine Meinung und gibt sie zum Teil (diplomatisch genug) ausschließlich dadurch, daß er *schweigt,* aber selbst dies Schweigen erscheint ihm noch wieder zu verletzend, und er fügt ein milderndes »ohne Präjudiz« hinzu. Dies bezieht sich auf das Fehlen besonders dreier Namen: v. Winterfeldt, v. Fouqué und v. Wedell. Auf der einen Seitenfront befindet sich zwar ein »*Wedell*«, doch ist dies ein älterer General desselben Namens, der schon 1745 bei Soor fiel, nicht der Wedell, der als Liebling und Vertrauensmann des Königs abgeschickt wurde, um gegen die anrückenden Russen den Grafen Dohna im Kommando zu ersetzen, und der tags darauf, trotz all' seiner Tapferkeit, bei Kay geschlagen wurde. *Dieser* fehlt, wie vor allem, um es zu wiederholen, *Winterfeldt* * fehlt, wogegen alle diejenigen, die bei der einen oder anderen Gelegenheit von der Ungnade des Königs betrof-fen wurden, ziemlich sicher sein dürfen, an diesem Obelisken ihn Konto in Balance gebracht zu sehen. So der Herzog von Bevern, v. d. Marwitz, Oberst v. Wobersnow, Prinz *August Wilhelm* selbst. Eine jede dieser Medailloninschriften ist von Bedeutung und kann uns, so lange der »kritische Kommentar«, den der frondierende Prinz zu dem großen Geschichtsbuche seines Bruders geschrieben haben soll, ein Geheimnis bleibt, als Fingerzeig und kurzer Abriß *dessen* gelten, was in jenem »Kommentar« an Ansichten niedergelegt wurde.

Der Obelisk richtet sich in seiner Kritik in erster Reihe gegen den König, aber an manchen Stellen und *zwar gleichzeitig ausgesprochener Anerkennung unerachtet,* doch auch gegen den einen oder andern der berühmtesten Generale. So scheint ihm beispielsweise der schon damals im Volke lebende Glaube, daß »Schwerin mit der Fahne« die Prager Schlacht entschieden habe, vielleicht im Gefühl dessen was er selbst geleistet hatte, nicht angenehm gewesen zu sein, weshalb er, nachdem er die *früheren* Taten Schwerins mit großer Wärme des Ausdrucks aufgezählt hat, in ziemlich nüchterner Weise schließt: »Un drapeau à la main il fut la victime de son zéle devant Prague le 6 de Mai 1757«. Er rühmt nur den »Eifer«, weiter nichts.

Die schönsten Worte richten sich unzweifelhaft an *Zieten,* weshalb ich nicht umhin kann, sie hier noch einmal und zwar in ihrer *originalen* Fassung zu wiederholen:

> Toutes les fois qu'il combattit, il triompha.
> Son coup d'œl militaire joint
> A sa valeur héroïque
> Decidoit du succès des combats;
> Mais ce qui le distinguait encore plus
> Ce furent son intégrité, son desintéressement
> Et son mépris pour tous ceux
> Qui s'enrichissaient aux dépens des peuples opprimés.

Innigkeit und wahre Verehrung spricht aus jeder Zeile. Der alte Husar ist auch hier Sieger geblieben.

---

* Die Geschichte *Winterfeldts,* speziell mit Rücksicht auf den hier in Rede stehenden Punkt, muß noch erst geschrieben werden. So viel wird sich aber schon heute sagen lassen dürfen, daß die tiefe Abneigung, die, gemeinschaftlich mit einigen Generalen, die königlichen Prinzen gegen v. W. unterhielten, eine vollkommen berechtigte war. Aber die Schuld trifft den König, *nicht* Winterfeldt. Hätte sich der König entschließen können, diesem seinem Vertrauensmanne bei bestimmten Gelegenheiten ein *großes Kommando* zu geben, so würde Winterfeldt in dieser seiner Kommandostelle das Recht gehabt haben zu recherchieren und inspizieren, zu tadeln, zu strafen und zu verklagen. Aber ein solches höheres Kommando ward ihm nie gegeben, er kam immer nur, »um im höchsten Auftrage nachzusehen und zu berichtigen« und das mußte notwendig zu bitterster Feindschaft aller davon Betroffenen führen.

Zwischen Boberow-Wald und Huvenow-See

oder

Der Rheinsberger Hof von 1786-1802

Bis 1786 war der Aufenthalt des Prinzen Heinrich in Rheinsberg ein vielfach unterbrochener: Kriege, Reisen und diplomatische Missionen hielten ihn jahrelang fern. Erst von 1786 ab gehörte er dem »stillen Schloß am Boberow-Walde« mit einer Art von Ausschließlichkeit an.

Das beinah völlige Sichfernhalten von der Welt, das nun eintrat, war nur zu kleinerem Teile des Prinzen freie Wahl. Den Großen König, seinen Bruder, hatte er nie geliebt, aber doch respektiert, und erst nach dem Tode desselben war ein Wesen oder auch Unwesen in den Regierungskreisen eingerissen, das ihm eine Beteiligung daran (die wie Gutheißung ausgesehen hätte) zur Unmöglichkeit machte. Hierzu kam, daß man auch *andrerseits*, will also sagen auf seiten des Hofes, *ohne* ihn fertig werden zu können glaubte. Man erbat seinen Rat nicht mehr und so gab er ihn auch nicht mehr. Mit höchster Mißbilligung sah er auf den Einfluß der Rietz und ihres Anhangs. »In dieser Spelunke ist alles infame« sprach er laut vor sich hin, als er eines Tages an dem Palais der (späteren) Gräfin Lichtenau vorüberkam. Das entschied. Ein Prinz, der, bei sonst größter Zurückhaltung, über die Favoritin ein *solches* Wort äußern konnte, gehörte nicht mehr an den Hof und sprach dadurch seine eigene Verbannung aus.

Die Verstimmung des Prinzen war eine so tiefe, daß ihm Rheinsberg nicht mehr fern und abgelegen genug erschien, weshalb denn auch der Wunsch immer lebendiger in ihm wurde, seiner Tage Rest in *Frankreich* zu verbringen. Schon 1784 hatte er sich schweren Herzens von Paris getrennt und dem Herzoge von Nivernois die Worte zugerufen: »ich verlasse nun das Land, nach dem ich mich ein halbes Leben lang gesehnt habe und an das ich, während der zweiten Hälfte meines Lebens, mit so viel Liebe zurückdenken werde, daß ich fast wünschen möchte, ich hätt' es nicht gesehn.« Nach diesem Lande seiner Sehnsucht zog es ihn jetzt mit verdoppelter Kraft, aber die Götter waren seinem Vorhaben nicht hold, und es schien, daß er dem engen Kreise verbleiben sollte, dem er seit fast 40 Jahren, wenn auch mit mancher Unterbrechung, angehört hatte. 1787 machten politische Konstellationen die Übersiedlung nicht möglich, 1788 im Juni ging er *wirklich* und trat auch wegen Ankaufs eines in der Nähe von Paris gelegenen Grundbesitzes in Unterhandlungen ein, aber ehe sie zum Abschluß gelangen konnten, zogen die Wetter der Revolution immer drohender herauf, und der Prinz, der sich nach Ruhe sehnte, kehrte schweren Herzens in seine Rheinsberger Einsiedelei zurück.

Von da ab gehörte er derselben *ganz*.

Meine Aufgabe wird in folgendem darin bestehen, den Prinzen in diesem seinem Stilleben zu schildern, und mit einiger Bestimmtheit festzustellen, in welcher Art und welcher Genossenschaft er das letzte Jahrzehnt seines Lebens verbrachte.

Diese meine Aufgabe war insoweit schwierig, als gedruckte Mitteilungen aus jener Epoche so gut wie gar nicht vorliegen, aber ich genoß dafür des Vorzuges Personen zu begegnen, die jene letzten Prinz-Heinrich-Tage teils noch miterleben durften oder doch von eben diesen Tagen wie von etwas Jüngstgeschehenem hatten sprechen hören. Es bezieht sich dies namentlich auf die Mitteilungen über den Major v. Kaphengst und den Grafen und die Gräfin La Roche-Aymon.

Die Rheinsberger Kirche hat zwei Glocken aus dem Jahre 178o. Die kleinere bedeutet wenig, desto mehr die größere, darauf wir folgende Namen verzeichnet finden: Prince Frédéric *Henri* Louis de Prusse, frère du Roi. Major de Kaphengst. Baron Frédéric de Wreich. Baron Louis de Wreich. Baron de Kniphausen. Baron de Knesebeck. de Tauentzien. Alle diese waren Kavaliere des Prinzen. Rechnen wir hierzu den Bibliothekar und Vorleser des Prinzen, erst Francheville, dann Toussaint, danach die Mitglieder einer französischen Schauspielertruppe samt einer deutsch-italienischen Kapelle, schließlich aber eine Anzahl Kammerdiener, Lakaien und Leibhusaren, so haben wir alles beisammen, woraus sich 1780 der Rheinsberger Hof zusammensetzte. Die vorgenannten Kavaliere wohnten im Kavalierhause, die Lakaien und Kammerdiener im Schloß, endlich die Künstler aller Art in der Stadt zur Miete.

Einen zweiten sicheren Anhaltepunkt, ebenso zuverlässig wie die Glockeninschrift, geben uns die »dernières dispositions« des Prinzen, aus denen wir ersehen, daß um 1802 der Hofmarschall Graf Röder, der Adjutant Graf La Roche-Aymon, der Kammerrat Lebeauld und der Baurat Herr Steinert die Umgebung des Prinzen bildeten. Major v. Kaphengst, Baron Knesebeck und Tauentzien lebten noch; unter allen Umständen aber gewinnen wir, wenn wir die bestimmt verbürgten Namen von 1780 und 1802 zusammentun, einen Überblick über die Mehrzahl der Persönlichkeiten, die während der letzten zwanzig Jahre die Träger und Repräsentanten des Rheinsberger Hoflebens waren.

Über jeden der Genannten werd' ich einige Worte zu sagen, über Kaphengst und La Roche-Aymon aber mich ausführlicher zu verbreiten haben. Eh wir indes zu diesen Personalien übergehen, versuch' ich es zuvor in allgemeinen Zügen festzustellen, unter welcher Benutzung der Zeit die Rheinsberger Tage verflossen.

Der Vormittag gehörte der Arbeit, während der Nachmittag der Gesellschaft, dem Diner, der Lektüre,* dem Schauspiel und der Musik gewidmet war. Nur gelegentlich fanden Ausflüge statt und noch seltener waren Feste, für die der Prinz, in früheren Jahren, eine entschiedene Vorliebe gehegt hatte.

Wenden wir uns zunächst dem *Vormittage* zu, der *Arbeitszeit* des Prinzen. Da er (unähnlich seinem großen Bruder, mit dem er übrigens die Antipathie gegen die Jagd gemein hatte) von der *Landwirtschaft* eine niedrigste Meinung hegte, zugleich auch offen aussprach, daß das Säen und Ernten zwar sehr wichtig, aber Sache jedes Bauern sei, so nahm ihm die Verwaltung seiner Besitzungen, die er seinen Pächtern und Inspektoren überließ, nichts von seiner Zeit. Er konnte dieselbe vielmehr ungestört seinen *Studien* widmen. Unter diesen stand das Studium der Kriegswissenschaften und der schönen Literatur, soweit sie Frankreich betraf, obenan. Er las mit nie sich abschwächender Vorliebe die Werke der französischen Philosophen, schwärmte für Voltaire und schrieb selber Verse, von denen mit satirischem Anfluge bemerkt worden ist »daß sie lebhaft an die Verse seines Bruders erinnert hätten«. Übrigens wurden seine dichterischen Versuche von seinen französischen Vorlesern *entfehlert,* erst von Francheville, dann von Toussaint. Neben diesen poetischen Versuchen, war es eine sehr ausgedehnte Korrespondenz, was seine Zeit in Anspruch nahm, und neben dieser Korrespondenz wiederum die Niederschreibung seiner Memoiren. Von diesen ist wenig zur Kenntnis der Welt gelangt. Seine Kritik des Siebenjährigen Krieges, oder mit anderen Worten des *Königs* selbst, ruht, wenn sie nicht vernichtet ist, wie manche vermuten, uneröffnet und zunächst unzugänglich in unsern Archiven. Andre seiner Arbeiten haben es verschmäht unter dem Namen ihres erlauchten Verfassers in die Welt zu treten und sollen sich (wenigstens teilweis) in den militärischen Schriften wiederfinden, die zwischen 1802 und 1804 vom Grafen La Roche-Aymon, dem letzten Adjutanten des Prinzen veröffentlicht wurden. Ein besonderes Interesse, das mag schon hier eine Stelle finden, nahm er an den Kriegs- und Siegeszügen Moreaus, welchen letztren er über Bonaparte stellte, wobei freilich nicht vergessen werden darf, daß der Prinz 1802 bereits starb, also früher als die großen napoleonischen Schlachten, die so viele Staaten zertrümmerten, geschlagen wurden. Er erlebte nur Marengo noch. Seine Gegner haben nichtsdestoweniger aus dieser Vorliebe für Moreau den Schluß ziehen wollen, daß der Prinz nur ein Pedant und trotz aller seiner Korrektheit oder vielleicht auch um dieser willen, nicht imstande gewesen sei, das *wirkliche* Genie zu begreifen.

Die *Nachmittags*stunden gehörten zunächst dem Diner. Man aß zur Winterzeit im Schloß, während des Sommers aber, sooft es das Wetter erlaubte, im Freundschaftstempel oder auf der Remusinsel. Der Prinz war persönlich außerordentlich mäßig, und eine gebackene Speise wie sie sein Bruder liebte: Makkaroni, Knoblauchsaft und Parmesankäse hätt' ihn einfach getötet. Wie er die Frauen nicht liebte, so auch nicht den Wein, aber er war billig denkend genug, seinen Privatgeschmack nicht zum allgemei-

---

*»Die Bibliothek des Prinzen, schreibt Heinrich v. Bülow, war sehr ansehnlich. Er besaß auch ein Exemplar der Bibel, aber er las nur darin, wie man sich in einem Prozeß um die Akten der Gegenpartei kümmert.«

nen Gesetz zu machen und seine Küche wie sein Keller ließen niemanden darben. Die Unterhaltung, wenngleich innerhalb gewisser Formen verbleibend, wie sie die Gegenwart eines Prinzen und noch dazu eines *solchen* erheischte, war doch innerlich vollkommen frei. Von Krieg und Kriegführung wurde selten gesprochen; es schien als etwas zum Metier Gehöriges verpönt. Er war sehr eitel, und *stilvolle* Huldigungen, auch solche, die dem »siegreichen Feldherrn« galten, nahm er gern entgegen, aber er war andererseits viel zu vornehm, um das Gespräch auf seine Taten und Siege hinzulenken. Daß er Unterhaltungen der Art vermieden wünschte, sprach sich schon darin aus, daß niemand in *Dienstkleidung* (Uniform) erscheinen durfte; Hof- oder Gesellschaftskleid war Vorschrift. Das Gespräch drehte sich um Fragen der Kunst und Wissenschaft, um philosophische Kontroversen und Dinge der Politik. Über letztere sprach er mit großer Freimütigkeit, mißbilligte beispielsweise den endlich zu dem Frieden von Basel führenden Krieg Preußens gegen Frankreich und zeigte bis zuletzt gewisse Sympathien mit der Französischen Revolution. Ob diese Sympathien (so bemerkt Heinrich von Bülow) in wirklicher Vorliebe für freie Staatsverfassungen wurzelten oder nur ein Resultat der Anschauung waren, »daß *alles* Französische gut sei, auch eine französische Revolution« mag dahingestellt bleiben. In ähnlich offner Weise nahm er Partei für die Polen und dieselbe Teilung, zu deren Vollziehung er als gehorsamer Diener seines Königs am Hofe Katharinas mitgewirkt hatte, hielt er nichtsdestoweniger weder für ein Meisterstück der Politik noch für eine Handlung der Gerechtigkeit. Mit besonderer Vorliebe wurden metaphysische Sätze beleuchtet und diskutiert, und alle jene wohlbekannten Fragen auf deren Lösung die Welt seitdem verzichtet hat, wurden unter Aufwand von Geist und Gelehrsamkeit und mit Zitaten pro und contra immer wieder und wieder durchgekämpft.

Dem Diner folgte, wenn auch nicht täglich, so doch sooft wie möglich, Theater oder Konzert. über die Stücke, die zur Aufführung kamen, hab' ich nichts Bestimmtes erfahren können, aber es scheint fast als ob Voltaire, wie den Kreis der Anschauungen und Unterhaltungen, so auch die Bühne beherrscht habe. Gleicherweise wie die Namen der Stücke, sind auch die der Künstler, die darin mitwirkten, bis auf wenige verschollen; Blainville, der Liebling des Prinzen, Demoiselle Toussaint, eine Tochter oder Schwester des Vorlesers, Demoiselle Aurore, vor allem aber Suin de Boutemars, sind die einzigen, die sich durch das eine oder andere Ereignis im Gedächtnis der Stadt Rheinsberg erhalten haben.

Wir haben bis hierher den Durchschnittstag des Rheinsberger Hoflebens beschrieben; was ihn unterbrach, waren Besuche, die kamen, oder Ausflüge, die gemacht wurden. Noch seltener, wie schon hervorgehoben, waren Festlichkeiten. Aber auch dieser Ausnahmen ist Erwähnung zu tun.

Auf Besuch kamen Prinz Ferdinand, Prinzeß Amalie, vor allem Prinz Louis Ferdinand, der die besondre Freude seines Oheims und zugleich die Hoffnung desselben war. An diese fürstlichen Besuche schloß sich der

Besuch derer, die früher in dienstlichen Beziehungen zum Prinzen gestanden hatten, Namen, auf die wir weiterhin zurückkommen werden.

Die Ausflüge gingen näher und weiter. Der Winteraufenthalt in Berlin (im Prinz Heinrichschen Palais, der jetzigen Universität) ward immer mehr abgekürzt, aber die Tagesfahrten und kleinen Reisen blieben bis zuletzt. Der alte Zieten in Wustrau, Frau v. Arnstedt in Hoppenrade, Prinz Ferdinand in seinem Ruppiner Palais (bis 1787, wo es niederbrannte) wurden besucht; besonders aber galten diese Ausflüge dem Grafen Wreech auf Tamsel und dem Major v. Kaphengst auf Meseberg.

Die *Festlichkeiten,* um auch das zu wiederholen, verminderten sich im Laufe der Zeit; aber sie fanden doch wenigstens noch statt. Der Jahrestag der Freiberger Schlacht ward *alljährlich* gefeiert und am 6. Mai 1787 gab der Prinz zur Erinnerung an die *Bataille* bei Prag, allen noch lebenden Offizieren und Gemeinen des an jenem Tage von ihm geführten Regiments Itzenplitz ein glänzendes Fest. Er war zu dieser Feier doppelt berechtigt, einmal durch die Tat selbst, andererseits und in gesteigertem Maße dadurch, daß sich die Neuzeit (der Große König war seit kaum Jahresfrist tot) das Ansehn gab, solche Taten vergessen zu dürfen. Der Prinz kommandierte vor Prag den rechten Flügel und stellte sich im entscheidenden Moment an die Spitze des vorgenannten berühmten Regiments. Plötzlich stutzten die Grenadiere vor einem allzu tief scheinenden Graben, Prinz Heinrich aber warf sich ohne Zögern hinein; die Kleinheit seiner Person steigerte nur noch die Größe der Aufopferung und natürlich auch die Wirkung. Alles folgte ihm nach und schlug den Feind. Offiziere und Gemeine saßen nun dreißig Jahre später an der Festtafel ihres Führers und die begeisterten Lebehochs, die man ausbrachte, klangen laut genug, um bis ans Ohr des königlichen Neffen zu dringen. So war denn das Festmahl neben einer pietätsvollen Huldigung gegen die Heimgegangenen, vor allem auch eine berechtigte Demonstration gegen Lebende.

Gleichfalls eine Demonstration, aber ein sonnigeres, von den Strahlen der Poesie und Geschichte umleuchtetes Fest war die Einweihung (am 4. Juli 1791) des oftgenannten Obelisken. Sie war militairische Feier und *Volksfest* zugleich. Aus allen Städten und Dörfern der Grafschaft war man zu Tausenden herbeigekommen und umstand entweder das Ufer des Sees oder war von zahllosen in seiner Mitte liegenden Böten aus, Augenzeuge des Schauspiels. Das schönste Sommerwetter begünstigte das Fest. Um das Denkmal her gruppierten sich hunderte von Offizieren, alte und junge, solche, die »die große Zeit« noch miterlebt hatten oder Anverwandte jener, derer die Medailloninschriften gedachten. An die Feier der Enthüllung schloß sich dann, in den Sälen des Schlosses, ein glänzendes Bankett, bei dem der Prinz eine längere, wohlausgearbeitete Rede hielt. *Auch bei dieser Gelegenheit in französischer Sprache.* Fast scheint es, als ob er der deutschen Rede nicht mächtig gewesen sei, was als wunderbares Resultat einer Erziehung gelten mag, die nur das *Deutsche* gewollt und alles Französische verpönt hatte. Die mehrfach, unter andern auch in dem

Buche Vie privée du Prince Henri zum Druck gekommene Rede, scheint auf den ersten Blick wenig mehr zu bieten als wohlstilisierte, ziemlich zopfige Phrasen, wie sie damals üblich waren, aber bei mehr kritischer Betrachtung erkennt man bald die *politische* Seite dieses auf den ersten Blick bloß oratorischen Übungsstückes. Ich gebe hier nur eine Stelle:

»Allen Bewohnern der Städte wie des Landes, die in diesem Kriege die Waffen trugen, gebührt ein gleiches Recht an den Trophäen und Palmen des Sieges. Unter der Leitung ihrer Anführer weihten sie ihre Arme und ihr Blut ihrem Vaterlande. Sie haben es mit Mut und Kraft aufrechterhalten und verteidigt. Unsere Absicht ist, der preußischen Armee ein Zeugnis unserer Dankbarkeit darzulegen. Den Eingebungen unseres Herzens folgend, wollen wir Beweise der Hochachtung insonderheit denjenigen geben, welche wir persönlich kannten. Aber warum vermißt man *Friedrich* unter der Zahl dieser berühmten Namen? *Die von diesem Könige selbst aufgesetzte Geschichte seines Lebens, die Lobschriften auf ihn nach seinem Tode, ließen mir nichts zu sagen übrig,* wogegen große, mehr in Dunkelheit geleistete Dienste seitens dieser Lobschriften nicht der Vergessenheit entzogen wurden, vielleicht nicht entzogen werden konnten. Denn die Zeit löscht alle Eindrücke aus, und der folgenden Generation fehlen die Zeugen der Taten der vorhergehenden. Das Andenken der Begebenheiten schwindet, die Namen gehen verloren, und die Geschichte bleibt nur ein unvollkommener Entwurf, oft zusammengefügt durch *Trägheit und Schmeichelei*«.

Dies genüge. Man muß diese Rede mit demselben geschärften Auge lesen, wie die Medailloninschriften des Monuments. Auch diese Feier, wie schon hervorgehoben, war eine Demonstration. Ihr Held war Prinz *August Wilhelm,* der Vater d e s Fürsten, der, eben zum Throne gelangt, seines alten Oheims, des Rheinsberger Prinzen, entraten zu können glaubte, jenes »Sonderlings« der wohl verstanden hatte Schlachten zu schlagen, aber kein Herz hatte für Wein und Frauen.

Große Festlichkeiten sind dieser Enthüllungsfeier nicht mehr gefolgt; die Schwere des Alters fing an zu drücken, und Einsamkeit und Stille wurden erstes, wenn auch nicht ausschließliches Gebot.

*

Bis hieher bin ich bemüht gewesen, das Rheinsberger Leben aus der Epoche von 1786 bis 1802 in seinen *allgemeinen* Zügen zu schildern. Ich gehe nun zu den einzelnen Persönlichkeiten über, die während dieser Zeit die Umgebung des Prinzen bildeten, und hoffe dabei Gelegenheit zu finden, ein bisher nur in seinen Umrissen gegebenes Bild durch allerlei Details vervollständigen zu können.

Ich beginne mit nochmaliger Aufzählung der Namen. Es waren: Baron Knyphausen, Baron Knesebek, zwei Barone Wreich, (auch Wreech geschrieben), Capitain v. Tauentzien, Major v. Kaphengst, Baurat Steinert,

Kammerrat Lebeauld, Graf La Roche-Aymon und Graf Roeder. Von letzterem bin ich außerstande gewesen, irgend etwas in Erfahrung zu bringen.

(Baron Knyphausen) »Unter den dem Prinzen Heinrich am aufrichtigsten ergebenen Personen« so schreibt Thiebault in seinen Souvenirs »befanden sich auch zwei Barone Knyphausen, von denen der eine, Baron *Dodo* v. K., längere Zeit preußischer Gesandter in Paris und London gewesen war. Er führte den Beinamen der »große Knyphausen« oder »der alte«, zur Unterscheidung von einem jüngern Träger desselben illustren Namens, der le beau Knyphausen« hieß. Dieser letzte gehörte dem Rheinsberger Kreise nur auf kurze Zeit als Hofkavalier an. Er vermählte sich 1783 mit Luise Charlotte Henriette v. Kraut, geschiedenen v. Elliot, und geriet durch Vorgänge, die dieser seiner Vermählung unmittelbar voraufgingen, in eine ziemlich kühle Stellung zum Prinzen, infolgedessen er sein Amt niederlegte. Bald danach starb er, erst einige dreißig Jahre alt. – Der auf der Rheinsberger Glocke genannte v. Knyphausen ist offenbar der *ältere,* Baron *Dodo,* geb. am 5. August 1729, gest. am 31. Mai 1789, Erbherr der Herrschaft Jennelt und Visquard in *Ostfriesland.* Er war eine Art Ehrenkammerherr und gehörte dem prinzlichen Kreise mehr als Voluntair an, wie als Träger einer wirklichen Hofcharge. Neben der Unabhängigkeit seiner Stellung gab ihm sein scharfer Verstand und seine politische Bildung ein besondres Ansehen, eine politische Bildung, die bedeutend genug war, um die Aufmerksamkeit Mirabeaus zu erregen, der der »Hoffnungen« erwähnt, »die das Land an den ostfriesischen Freiherrn knüpfe«. Was ihn an den Hof des Prinzen Heinrich führte, war wohl zunächst nur die Gleichgeartetheit politischer Anschauungen. Der Prinz und er waren eins in ihrer Mißstimmung über das, was in Berlin geschah, besonders auch in ihrer Abneigung gegen den Minister Hertzberg, ein Gefühl, das beim Prinzen lediglich politische, beim Baron Knyphausen aber, der ein Stiefbruder des Grafen Hertzberg war, auch noch Interessenmotive hatte. Andere geistige Berührungspunkte zwischen dem Prinzen und dem Freiherrn mochten fehlen. Knyphausen war ein passionierter Landwirt, ein Beruf, dem, wie schon erwähnt, Prinz Heinrich nur einen allerniedrigsten Rang einräumte. Diese verschiedenen Ansichten über den Wert der Landwirtschaft, führten auch zu einer kleinen Szene, die H. v. Bülow in seinem mehrerwähnten Buche erzählt. »Knyphausen, so schreibt er, der viel von seinen ostfriesischen Rindern sprach und sich vielleicht auch von Rheinsberg aus zu ihnen hinsehen mochte, erhielt zur Strafe für diese beständigen Agrikulturgespräche, eine Weste vom Prinzen geschenkt, die mit lauter Rindern bedruckt war. Knyphausen dankte verbindlichst und trug von nun an die Weste *tagtäglich* wie im *Triumph,* bis der Prinz eine ungnädige Bemerkung machte, weil er fühlte, daß sich der Stachel gegen ihn selbst gekehrt hatte«. Baron *Dodos* v. K. politische Wirksamkeit als Gesandter Friedrichs in Paris und London lag *vor* seiner Rheinsberger Zeit. Er vermählte sich in späteren Jahren mit einer Schwester der Wreechs weshalb er auch (an der Seite seiner Gemahlin) in der Gruft zu *Tamsel* beigesetzt worden ist.

(Baron Knesebeck), geb. 1748, gest. 1828, mit seinem vollen Namen Carl

Franz Paridam Kraft von dem Knesebeck-Mylendonck, war der letzte männliche Sproß aus der Linie *Tilsen,* bei Salzwedel. Seine Mutter war eine Grumbkow, Tochter des bekannten Feldmarschalls unter Friedrich Wilhelm I., seine Großmutter aber eine Freiin von Mylendonck, durch welche, neben einem bedeutenden Grundbesitz im Geldernschen (die Herrschaft Frohnenburg) auch der Name Mylendonck in die Familie kam. Bis 1773 besaß unser *Carl Franz* Schloß Tilsen, das alte Stammgut der Knesebecks; als er in letztgenanntem Jahre jedoch die Herrschaft Frohnenburg von einem *älteren* Bruder ererbte, trat er Schloß Tilsen an einen *jüngeren* ab. So ging es bis 1793, wo der Niederrhein unter französische Herrschaft kam. Durch die Einführung neuer Gesetze verlor Knesebeck alles, und zwar derart, daß ihm von Frohnenburg nichts übrigblieb, als ein altes Schloß mit Garten und die auf dem ehemaligen Eigentume haftenden *Schulden.* So mehr als arm und besitzlos geworden, kehrte er zu seinem Bruder nach Tilsen zurück. Eine eben damals zur Hebung kommende Präbende des Domstifts Magdeburg gewährte ihm eine auskömmliche Existenz. Er hieß gewöhnlich der »Domherr«. Um diese Zeit war es wohl, daß auch seine Beziehungen zum Rheinsberger Hofe wieder aufgenommen wurden. Ganz unterbrochen waren sie nie. Nach der Schlacht bei Jena, als Magdeburg westphälisch wurde, verlor er auch seine Präbende. 1810 starb sein jüngerer Bruder, der Besitzer von Tilsen, kinderlos und das alte Stammgut der Familie, das er in jungen Jahren bereits besessen hatte, kam nun zum zweitenmal in seine Hand. Er vermachte dasselbe, mit Übergehung der Hannöversch-Wittingenschen Linie, dem Sohne seiner Schwester, die einen Carweschen Knesebeck, also einen Vetter geheiratet hatte. Dieser Sohn war der spätere Feldmarschall v. d. Knesebeck, von dem ich in dem Kapitel »Carwe« ausführlicher gesprochen habe. Mit *Carl Franz* ist der Name Mylendonck erloschen. Er blieb Kammerherr am Rheinsberger Hofe bis zum Ableben des Prinzen und wird im Testamente desselben mit folgenden Worten erwähnt: »Dem Baron v. Mylendonck- Knesebeck, der mir als Page und später als Offizier in meinem Regimente gedient, auch später noch, nachdem er den Abschied genommen, mit unwandelbarer Treue zu meiner Person gestanden hat, vermache ich eine Dose von Lapislazuli. Sie trägt einen Karneol in der Mitte und ist oben und unten mit Diamanten besetzt«. Einzelheiten aus seinem Rheinsberger Leben hab' ich nicht erfahren können.

(Die beiden Wreichs.) Baron *Friedrich* von Wreich, der ältere Bruder, war Hofmarschall am Rheinsberger Hofe, Baron *Ludwig* war Kammerherr. Beide waren Söhne jener schönen Frau v. Wreich (»un teint de lis et de rose«), die den Kronprinzen Friedrich, während seines Küstriner Aufenthalts, mit einer leidenschaftlichen Zuneigung erfüllt hatte. Baron *Friedrich,* wegen seiner Länge »der große Wreech« geheißen, starb 1785, und Tamsel ging an Baron *Ludwig,* den jüngeren Bruder über. Dieser, seit 1786 in den Grafenstand erhoben, war einer der treusten Anhänger des Prinzen und lebte mehr in Rheinsberg und Berlin, als auf seinem ererbten Gute. Der Sommer 1787 jedoch sah ihn monatelang in Tamsel, um Schloß und Park für den zugesagten Besuch des Prinzen Heinrich festlich herzurichten. Graf

Ludwig hatte lange genug in der Nähe des Prinzen gelebt, um dem Meister auf dem Gebiete der Festlichkeiten wenigstens einiges von seiner Inszenierungskunst abgelauscht zu haben, und als der Prinz im Juli genannten Jahres wirklich in Tamsel erschien, begrüßten ihn Arrangements, wie er sie selber nicht schmeichelhafter und stilvoller hätte herstellen können. Statuen und Inschriften überall, Erinnerungen an siegreiche Schlachten und Mahnungen an Personen, die seinem Herzen teuer gewesen. Halbverdeckt unterm Rasengrün schimmerte ein weißer Sandstein zum Andenken an die schöne *Lisette Tauentzien* (erste Gemahlin Tauentziens v. Wittenberg, eine geborene v. Marschall) und die eingegrabenen Worte: »Rose, elle a vécu ce que vivent les roses – l'espace du matin« weckten im Herzen des Prinzen ein wehmütiges Gefühl an die früh aus dem Rheinsberger Kreise Geschiedene. Nahe dabei waren die Büsten des Großen Kurfürsten und des Prinzen selbst nebeneinander gestellt, und französische Verse zogen Parallelen zwischen *jenem* »der ein Vater flüchtiger Franzosen ward«, und *diesem* »der die Herzen aller Franzosen unter das Gesetz seiner geistigen Macht und Schönheit zu zwingen wußte.«

Die Hauptüberraschung aber brachte der Abend.

Im Rücken von Tamsel, unmittelbar hinter dem Park, liegt eine Wald- und Hügelpartie, durch die sich ein *Hohlweg*, die Straße nach dem benachbarten Zorndorf, hinzieht. Sei es nun, daß dieser Hohlweg dem Terrain, um dessen Reproduzierung es sich handelte, wirklich ähnlich sah, oder sei es, daß man einfach nahm was man hatte, gleichviel, der Hohlweg war auf Anordnung des Grafen Ludwig überbrückt worden, um an dieser Stelle die Erstürmung des Passes von Gabel, eine der glänzendsten Waffentaten des Prinzen, noch einmal bildlich zur Darstellung zu bringen. Unten standen die Tamseler und Küstriner, Kopf an Kopf, um Zeuge des prächtigen Schauspiels zu sein, und Feuerwerk und Leuchtkugeln erhellten die Nacht, während Graf Ludwig, von einem der zur Seite liegenden Hügel aus, den Prinzen bis an den Brückeneingang führte. Unter dem Jubel des Volks überschritt dieser den »Paß«, an dessen Ausgang ihm drei Johanniterritter: Graf Dönhof, v. Schack und v. Tauentzien in rotem Kriegskleid und schwarzen Ordensmänteln entgegentraten, und auf die transparenten Worte hinwiesen:

> Henry parait! il fait se rendre!
> Vous fremissez fiers Autrichiens!
> Si vous pouviez le voir, si vous pouviez l'entendre,
> Vous béniriez le sort qui vous met dans ses mains.

Also etwa:

> Heinrich erscheint und vor seinem Begegnen
> Zitter Oestreich und unterliegt; –
> Kenntet ihr ihn, ihr würdet es segnen,
> Stolze Feinde, daß er euch besiegt.

Die Erinnerung an jenen glänzenden Abend lebt noch bis heute fort. 1795 starb Graf Ludwig Wreech, der letzte seines Geschlechts und Tamsel ging durch Erbschaft an den Grafen von Dönhoff über. Ein halbes

Jahrhundert lang hatten die Wreechs dem Rheinsberger Hofe treulich gedient und aus nicht völlig aufgeklärten Gründen ihre Lebensaufgabe darin gesetzt, den Prinzen Heinrich auf Kosten seines Bruders, des Königs – den sie geradezu haßten – zu verherrlichen.

(Bogislaw v. Tauentzien) der spätere Graf Tauentzien von Wittenberg, Sohn des berühmten Verteidigers von Breslau gehörte 15 Jahre lang dem Rheinsberger Hofe an. Er war ein ganz besonderer Liebling des Prinzen, der schon 1776 den damals erst sechzehnjährigen Fähnrich von Tauentzien zu seinem Adjutanten ernannte. Bis ganz vor kurzem noch befand sich ein trefflicher alter Stich im Rheinsberger Schloß, der die Szene darstellt, wie der Fähnrich von Tauentzien seine erste Meldung vor dem Prinzen macht. 1778, bei Ausbruch des Baierischen Erbfolgekrieges, folgte Tauentzien dem Prinzen nach Sachsen und Böhmen und kehrte mit ihm in das Rheinsberger Stilleben zurück, das nur noch durch die zweimalige Reise des Prinzen nach Paris, 1784 und 1788, auf längere Zeit unterbrochen wurde. Auf beiden Reisen begleitete Tauentzien den Prinzen, 1784 als Lieutenant, 1788 als Capitain, und gedachte noch in späteren Jahren eben dieses Aufenthalts in der französischen Hauptstadt mit besonderer Dankbarkeit und Vorliebe. Bis 1791, nachdem er kurz vorher zum Major befördert worden war, blieb er in Rheinsberg, dann aber trat er in die Suite des Königs und ward in den Grafenstand erhoben. Seine Stellung zum Prinzen wurde dadurch sehr schwieriger Natur, und nur Vermutungen lassen sich darüber äußern in welcher Art er dieser Schwierigkeiten Herr wurde. Das Mißverhältnis zwischen dem König und seinem Onkel (Prinz Heinrich) war offenkundig, und Tauentzien stand zwischen zwei Gegnern, die beide Anspruch auf seine Treue und Dankbarkeit hatten. Wir müssen indes annehmen, daß er seiner Aufgabe gewachsen war, der Prinz würde sonst schwerlich eine ganze Reihe von Erinnerungen an Tauentzien um sich geduldet und wert gehalten haben, darunter ein treffliches Ölportrait, das bis diesen Tag den Zimmern des Schlosses verblieben ist.

Major von Kaphengst

Die Rheinsberger Kirchenglocke trägt auch den Namen »Major von Kaphengst« als Inschrift. Von ihm und dem Schauplatz seines späteren Lebens werden wir ausführlicher zu sprechen haben.

Christian Ludwig von Kaphengst ward ohngefähr im Jahre 1740 auf seinem väterlichen Gute Gühlitz in der Priegnitz geboren. Wann er an den Rheinsberger Hof kam, ist nicht genau festzustellen gewesen; sehr wahrscheinlich lernte der Prinz ihn während des Siebenjährigen Krieges kennen (vielleicht als Offizier im Regimente Prinz Heinrich), fand Gefallen an seiner Jugend und Schönheit und nahm ihn nach erfolgtem Friedensschlusse mit nach Rheinsberg. Als Adjutant des Prinzen, eine Stellung, zu der ihn seine geistigen Gaben keineswegs befähigten, stieg er zum Capitain und bald danach zum Major auf und beherrschte nun den Hof und den Prinzen selbst, dessen

Gunstbezeugungen ihn übermütig machten. Der König, der in seiner Sanssouci-Einsamkeit von allem unterrichtet war, mißbilligte was in Rheinsberg vorging, und wollte dem »Verhältnis« à tout prix ein Ende machen. 1774 überbrachte deshalb ein Page des Königs (v. Wülknitz) dem Prinzen Heinrich ein königliches Geschenk von 10 000 Stück Friedrichsdor, freilich zugleich mit der Ordre »daß er den Major v. Kaphengst entlassen möge«, eine Ordre, deren *Wortlaut* sich hier der Möglichkeit der Mitteilung entzieht. Der Prinz, aller Zuneigung zu seinem Günstling unerachtet, unter dessen Ungebildetheit und Eitelkeit er gelitten haben mochte, gehorchte dem Befehle sofort und tat es um so lieber, als die Entfernung Kaphengsts dem bestehenden Verhältnis nur die Last und Peinlichkeit eines *unausgesetzten* Verkehres nahm, ohne das Verhältnis selbst absolut zu lösen. In der Tat, seitens des Prinzen wurde den 10 000 Stück Friedrichsdors seines Bruders aus eignen Mitteln noch ungefähr dieselbe Summe hinzugefügt und nunmehr unter Anzahlung von zirka 100 000 Talern ein drei Meilen von Rheinsberg gelegener Graf Wartenslebenscher *Güterkomplex,* der die Rittergüter Meseburg, Baumgarten, Schönermark und Rauschendorff umfaßte, gekauft und deren Kaufkontrakt einige Zeit darauf dem Major v. Kaphengst als Geschenk überreicht.

Kaphengst übersiedelte nunmehr nach dem am *Huvenow-See* gelegenen Schloß Meseberg; aber diese Übersiedelung, wie schon angedeutet, war so wenig gleichbedeutend mit Entfremdung, daß vielmehr umgekehrt das gute Einvernehmen zwischen Prinz und Günstling aus diesen zeitweiligen Trennungen nur neue Nahrung zog. Überhaupt, aller klar zu Tage liegenden Schwächen und Schattenseiten Kaphengsts zum Trotz, muß dem Wesen desselben ein Etwas eigen gewesen sein, das den alternden Prinzen in erklärlicher und dadurch annähernd gerechtfertigter Weise höchst sympathisch berührte. Vielleicht war es nichts weiter als Zynismus, der so leicht einen Reiz auf *die*jenigen ausübt, deren Beruf und Neigung im allgemeinen auf das geistig Verfeinerte geht. Es ist der Zauber des Kontrastes, ein Sichschadloshalten für anderweit empfundenen Zwang. Nur so vermögen wir uns die Fortdauer des Verhältnisses zwischen Prinz und Günstling zu erklären. Denn wenn v. K.s Habsucht, Wüstheit und Eitelkeit schon in Rheinsberg ihre Proben abgelegt hatten, so verschwanden diese neben *dem,* was er jetzt in Schloß Meseberg in Szene setzte. Debauchen aller Art lösten sich untereinander ab und die wahnsinnigste Verschwendungssucht griff Platz.

Schloß Meseberg war ein kostbarer Besitz, aber in den Augen des verblendeten Günstlings lange nicht kostbar genug.

Graf Wartensleben, der durch seine Frau (eine Erbtochter der dort früher angesessenen Groebens) in Besitz Mesebergs und der andern obengenannten Güter gekommen war, hatte 1739 an der Südspitze des Huvenow-Sees ein Schloß aufgeführt. Wie ein Zauberschloß liegt es auch heute noch da. Der Reisende, der hier über das benachbarte Plateau hinfährt, dessen öde Fläche nur dann und wann ein Kirchturm oder ein Birkengehölz unterbricht, ahnt nichts von der verschwiegenen Talschlucht an seiner Seite, von der steilabfallenden Tiefe mit Wald und Schloß und See.

Dieser letztere, der Huvenow-See geheißen, ist eines jener vielen Wasserbecken, die sich zwischen dem Ruppinschen und dem Mecklenburgischen hinziehen und diesem Landstriche seine Schönheit und seinen Charakter geben. Unbedingte Stille herrscht, die Bäume stehen windgeschützt und rauschen leiser als anderswo, das Geläute der oben weidenden Herde dringt nirgends bis in die Tiefe hinab, und nichts vernehmen wir als den Schnitt der Sense, die neben uns das Gras mäht, oder den Ruck, womit der Angler die Schnur aus dem Wasser zieht. An so romantischer Stelle war es, daß Graf Wartensleben sein Schloß aufführen ließ. Er tat es, wie die Sage geht, um in der Wilhelms-Straße zu Berlin *nicht* ein Gleiches tun zu müssen, denn ein königlicher Befehl war eben damals erschienen, der jedem Edelmanne von Rang und Vermögen vorschrieb, in der Wilhelmsstraße ein Palais zu bauen, falls er nicht nachweisen könne, auf seinen eigenen ländlichen Besitzungen mit Aufführung eines gleich stattlichen Baues beschäftigt zu sein. So entstand denn das »Schloß am Huvenow-See«, und die Pracht mit der es emporwuchs, übertraf noch die des gleichzeitig im Umbau begriffenen Rheinsberger Schlosses. Die die Façade bildenden Sandsteinsäulen wurden aus den sächsischen Steinbrüchen, die Marmorkamine von Schlesien her herbeigeschafft; breite mächtige Steintreppen stiegen bis in das obere Stockwerk, eichene Paneele umliefen die Zimmer, während andere bis an den Plafond hinauf boisiert waren. Kostbare Blumenstücke, wahrscheinlich von der Hand Dubuissons und bis diesen Augenblick in voller Schönheit erhalten, füllten den Raum über den Türen und eine lateinische, in einem der Kellergewölbe angebrachte Inschrift, erzählte von Müntherus dem Baumeister, »auf dessen Anordnung hier Eichen und Buchen in zahlloser Menge gefällt und die terrassenförmig zum See hinabsteigenden Parkanlagen ins Leben gerufen worden seien.« Der Bau überstieg den Reichtum des reichen Grafen, und er verbaute sich; Park und Schloß *hatten ihm eine Tonne Goldes gekostet.**

So war Schloß Meseburg, das der Günstling im Jahre 1774 bezog. Aber weit entfernt, wie schon angedeutet, an dieser Pracht ein Genüge zu finden, begann jetzt ein Leben, das sich vorgesetzt zu haben schien, hinter dem Reichsgrafen nicht zurückzubleiben und sich's abermals eine Tonne Goldes kosten zu lassen. Neubauten aller Art entstanden, aber nicht Bauten, die darauf ausgewesen wären, das Vorhandene durch Treibhäuser und Orangerien auszuschmücken, sondern Bauten, wie sie dem minder verfeinerten Geschmack und Bedürfnis des Günstlings entsprachen. Ein vollständiger Marstall ward eingerichtet, *zwanzig Luxuspferde* wurden gehalten, und auf den Atlaskissen der Sofas streckten sich die Windspiele, während eine Meute von Jagdhunden um die Mittagszeit ihr Geheul über den Hof schickte. Spiel, Streit und Aventüren füllten die Zeit, und mit untergelegten Pferden ging es in fünf Stunden nach Berlin, wohin ihn Theater und große Oper zogen, weniger die Oper als der Tanz, und weniger der Tanz als Demoiselle *Meroni,* die Tänzerin.

Der Prinz hatte Kunde von dem allem, und wenn er nicht hundertfältig

Ursache gehabt hätte den Kopf zu schütteln, so hätt ihm doch das *eine* Grund vollauf gegeben »daß an seinen Säckel und seine Großmut in nicht endenwollenden Geldverlegenheiten endlos appelliert wurde.« Schließlich mocht' er hoffen, durch eine Verheiratung des ehemaligen Lieblings die Dinge zum Bessern hin ändern zu können, und da v. K. auf diesen Plan willfährig und ohne weiteres einging (schon um durch Nachgiebigkeit einen Anspruch auf neue Forderungen zu gewinnen) kam im Jahre 1789 zu besonderer Freude des Prinzen eine Vermählung zwischen dem Major v. Kaphengst und Demoiselle Toussaint zustande. Maria Louise Therese Toussaint war die Tochter des mehrgenannten Lecteurs und Bibliothekars, und hatte bei den Aufführungen auf der Rheinsberger Bühne, wie auch sonst wohl, sich die Gunst des Prinzen in hohem Grade zu erringen gewußt. Etwa um 1780 mit einem Herrn v. Bilguer in erster Ehe vermählt,

---

* Die alte, äußerlich sehr unscheinbare Kirche zu Meseberg, ist in ihrer Art nicht minder interessant als das Schloß. Grabsteine der Groebens liegen im Kirchenschiff, und Denkmäler der verschiedensten Art, aber alle der eben genannten Familie zugehörig, zieren die Wände hinter und neben dem Altar. Rechts hängt ein großes, auch um seines künstlerischen Gehaltes willen sehr bemerkenswertes Familienbild aus dem Jahre 1588, vor dem ich vermuten möchte, daß es von einem Schüler des Lucas Cranach herrühre, wenigstens erinnert vieles an diesen Meister. Das Bild ist sehr groß, etwa zwölf bis vierzehn Fuß lang und zehn Fuß hoch und stellt Ludwig v. d. Groeben und seine Gemahlin (eine geb. Anna v. Oppen) samt ihren 17 Kindern dar, dreizehn Knaben links und vier Mädchen rechts. Einige Köpfe sind höchst ansprechend. Eltern und Kinder knieen in einer Art Kirchenhalle und über ihnen, wie Schildereien, die in dieser Halle aufgehängt wurden, befinden sich die Darstellungen des Sündenfalls und der Auferstehung.* Ein Anbau der Kirche zu Meseberg enthält das Grabgewölbe des obengenannten Grafen Hermann v. Wartensleben. Er, seine Frau und zwei Kinder sind darin beigesetzt. Graf v. W. war Oberst über ein Regiment zu Pferde und starb 1764 oder 65. Seine Erben besaßen das Gut bis 1774.

* Ein ebensolches Bild, nur in Kleinigkeiten abweichend, befindet sich in der Kirche zu *Cossenblatt*. Ich hielt dies *Cossenblatter* Bild anfänglich für eine Kopie des Meseberger, schließe mich aber nachträglich der Ansicht des mit allen einschlägigen Verhältnissen sehr vertrauten Generals von Barfus an, der mir darüber schrieb: »Ich muß meinerseits das Bild in der Kirche zu Cossenblatt nach wie vor für das Original halten. Es stellt vor: George v. *Oppen*, churbrandenburgischen Oberkämmerer, und seine Gemahlin eine geb. v. Maltitz, dazu die Kinder beider. Unter den Töchtern befand sich Katharine v. Oppen, später die Gattin Ditlofs v. Barfus auf Möglin und Reichenow, des berühmten Reiterobersten und Großvaters des Feldmarschalls Johann Albrecht v. Barfus. Eine andere Tochter vermählte sich mit Herrn v. d. *Groeben auf Meseberg*, welcher letztre das *Cossenblatter Familienbild, aus Pietät gegen seinen Schwiegervater, kopieren ließ.«

war durch den Tod des Herrn v. B. ihre Hand wieder frei geworden, und als Frau *v. Kaphengst* hielt sie nunmehr ihren Einzug in das schöne Schloß am Huvenow-See.

Die seitens des Prinzen gehegten Erwartungen besserer Wirtschaft erwiesen sich bald als eitel und irrig, und nur *die* Hoffnungen erfüllten sich, die Kaphengst *seinerseits* an diese seine Vermählung mit der ehemaligen Favoritschauspielerin geknüpft hatte. Denn *eine neue Handhabe war gewonnen, sich der Gunst des Prinzen zu versichern.* Der jagd- und spielliebende, der streit- und händelsüchtige, mit einem Worte der alte Kaphengst war schließlich in Rheinsberg unbequem geworden, der *neue* Kaphengst aber, der jetzt, wo die gefeierte Toussaint an der Spitze seines Haushalts stand, klug genug war, die Musen nach Schloß Meseberg hin zu Gast zu laden, erschien dem Prinzen in einem durchaus veränderten Lichte. Zunächst wenigstens. Die Zimmer und Säle rechts neben der großen Halle wurden als Bühne hergerichtet, Kaphengst selbst, mutmaßlich voll Hohn über die Rolle die ihm zufiel, fungierte als Directeur du théâtre, und unter dem Vollklang französischer Alexandriner vergaß der Prinz gern, wie hohen Eintrittspreis er für all diese Aufführungen zu zahlen hatte, für ein Spiel, das ein Spiel war in *jedem* Sinne. Noch jetzt markiert sich der ehemalige Bühnenraum und die kleinen Garderobenzimmer, in denen damals die Schminktöpfchen und die frivolen Bemerkungen zu Haus waren, lassen sich bis diese Stunde noch, wenn auch freilich in ebenso viele *Wandschränke* verwandelt, in dem zu hinterst gelegenen Parterrezimmer deutlich erkennen.

Auch für Abwechslung wußte der kluge Kaphengst zu sorgen, klug, seitdem die Französin die Honneurs des Hauses machte. Der Prinz, nach längerer Abwesenheit im Berliner Palais (länger als seit Jahren) kehrte mit dem Mai nach Rheinsberg zurück und traf, andern Tages schon, als Gast in Schloß Meseberg ein. Er mochte daselbst eine neuinszenierte tragédie, die Einlage eines neuen Tanzes oder Musikstücks erwartet haben, aber eine sehr andre Huldigung war diesmal für ihn vorbereitet. Am Plafond der großen Speisehalle, die zum Empfange des hohen Gastes mit Blumen und Orangerie dekoriert war, hatte die raschfertige, aber immerhin geniale Hand Bernhard Rodes ein großes Deckengemälde ausgeführt, das, im Geschmack jener Zeit, die Apotheose des Prinzen Heinrich darstellte. Zur Rechten ein Ruhmestempel, dem Genien das Bild des Prinzen entgegentragen; daneben der bekannte Götterapparat: *Minerva, zu* deren Füßen das Schwert ruht, und an einem der Opferaltäre die Inschrift: »vota grati animi«. »Nimm dies als die Darbietung eines dankbaren Herzens«. Der Prinz, dessen Eitelkeit leicht zu fangen war, sobald die Schmeichelei nicht platt-prosaisch sondern wohlstilisiert und im Gewande der Kunst an ihn herantrat, war überrascht und gerührt, und erwies sich wieder, auf Monate hin, als der Hilfebereite, von dessen Gunst und Gnade Gewinn zu ziehn, immer nur Zweck all dieser Huldigungen gewesen war. (Es entging an jenem Tage dem Auge des Prinzen, wie's auch *dem* Kaphengsts entgangen war, daß Rode, sei es aus Zufall oder aus Malice, die Inschrift: »vota grati animi« nicht geschrieben, sondern die letzte Silbe fortgelassen hatte. Kaphengst, später darauf aufmerksam gemacht, ließ auch noch das i übermalen, so daß die Inschrift jetzt lautet: vota grati an. In der Umgegend lachte man herzlich und nannt' ihn Gratian.)

Die Gunst des Prinzen, oft erschüttert und immer wieder befestigt, dauerte bis 1798. Um diese Zeit aber scheint er sie dem Günstling ein für allemal entzogen zu haben. Wenigstens müssen wir es aus dem Umstande schließen, daß sich Kaphengst in genanntem Jahre schuldenhalber genötigt sah, zwei seiner Güter: Schönermark und Rauschendorf zu verkaufen. Das Volk erzählte sich und erzählt *auch* heute noch »er habe beide in einer Nacht verspielt. « Die beiden andern Güter, Meseberg und Baumgarten, blieben ihm, wiewohl tief verschuldet, bis zu seinem Tode, der im Januar oder Februar auf *Schloß* Meseberg erfolgte.

Seine Frau starb erst im zweiten Viertel dieses Jahrhunderts.

In der Kirche zu Meseberg, wo die Grabsteine der Groebens vor dem Altar liegen, und von der Wand herab, in Frommen und in Treue, die Bildnisse Ludwigs v. d. Groeben und seiner 17 Kinder blicken, ist kein *Stein*, der an den wilden Jäger erinnerte der hier 26 Jahre lang das Land durchtobt. Seine Witwe mochte fühlen, daß das Marmorbild eines Mannes, dem alles Heilige nur Spott gewesen war, nicht in die Kirche gehöre. Seitab in einer Ecke, von einem Fetzen schwarzen Flors umwickelt (der verblaßt und staubig wie ein Stück Spinnweb aussieht) hängt der Galanteriedegen des Galans und Günstlings, und daneben ein rostiges Sporenpaar.

Die Kinder im Dorfe aber, wenn an Novemberabenden der Wind das abgefallene Laub über die Gasse fegt, fahren zusammen und murmeln ängstlich »Kaphengst kommt.«

Graf und Gräfin La Roche-Aymon

Es ward immer stiller in Rheinsberg. Von 1796 ab scheint der Kreis nur noch aus vier Personen bestanden zu haben: aus dem Hofmarschall oder Kammerherrn Grafen Roeder, aus dem Adjutanten Graf La Roche-Aymon, aus dem Kammerrat Lebeauld und aus dem Baurat Steinert. Die beiden Wreechs waren tot, Knesebeck lebte noch, tat aber keinen Dienst mehr. Kaphengst jagte, spielte, schwur und grollte, daß der Gunst des Prinzen der goldene Boden ausgeschlagen war.

Kein Wunder, daß der alternde Prinz (er war 70 geworden) von Alleinsein und Stille gelegentlich mehr besaß, als ihm lieb war, und unter dem Druck einer gewissen Vereinsamung eifrig dahin strebte, die wenigen ihm treu Verbliebenen für den Rest seiner Tage festzuhalten. Er wollte nicht unter Fremden sterben.

Baurat Steinert war ein Gegenstand seines besondern Vertrauens. Noch wenige Tage vor seinem (des Prinzen) Tode, als sie die Pyramide besuchten, in der er beigesetzt zu werden wünschte, sagte er lächelnd zu dem vielbewährten Diener: »Stellt mich so, Steinert, daß ich nach dem Schloß hinüberblicke, und sagt's auch den Leuten, *daß ich so* stehe. Das wird manchen in heilsamer Furcht halten.«

Lebeauld – Le Beauldt de Nans, wie er in andern Büchern genannt und geschrieben wird – war eigentlich Secretair des Prinzen, erfreute sich aber des Titels eines Kammerrats oder Conseiller des chambres. Zur Belohnung für langjährige Dienstleistungen, aber zugleich auch in dem Bestreben, ihn auf *die* Weise zu fesseln, empfing er seitens des Prinzen zwei der zum Amte Rheinsberg gehörigen Erbzinsgüter: Schlaborn und Warenthin, die noch geraume Zeit hindurch in Händen der Lebeauldschen Familie verblieben. Erst seit 1850 sind sie zurückgekauft und wieder königlicher Besitz.

Steinert und Lebeauld waren bewährte Diener des Prinzen, aber doch nichts weiter; der *Freund* seiner letzten Jahre war der Graf La Roche- Aymon. Bei der Geschichte dieses Mannes »die den Roman auf seinem eignen Felde schlägt« werden wir zum Schluß noch einige Zeit zu verweilen haben.

Antoine Charles Etienne Paul Graf La Roche-Aymon war 1775 geboren. 1792, siebzehn Jahr alt, verließ er mit andern Emigrés sein Vaterland und trat als Volontair in das Condésche Korps, nach einer andern Version, die sich auf Mitteilung von Personen stützt, die den Grafen noch persönlich gekannt haben, in die *neapolitanische Armee*. Gleichviel, 1794, erschien ein junger, sechs Fuß hoher Offizier von dunkelstem Kolorit und dürftigster Kleidung in Rheinsberg und gab bei »Demoiselle Aurore«, jener schon genannten Schauspielerin des prinzlichen Hoftheaters, einen Empfehlungsbrief ab. Der Brief enthielt die Bitte, den Überbringer, den jungen Grafen La Roche-Aymon, bei günstiger Gelegenheit in die Nähe des Prinzen zu bringen. Demoiselle Aurore war echte Französin, lebhaft und gutherzig, dabei Royalistin und zu Abenteuern geneigt; sie bestritt also eine passende Equipierung aus eignen Mitteln, und vor Ablauf einer Woche war der Graf in des Prinzen Dienst. Er bezog Wohnung im Kavalierhaus und übernahm den Befehl über die 40 Leibhusaren, die, wie mehrerwähnt, als eine spezielle Prinz-Heinrichsche Truppe zu Rheinsberg in Garnison lagen. Kurze Zeit darauf wurde er Adjutant des Prinzen. Schön, gewandt, liebenswürdig, ein Kavalier im besten Sinne des Worts, trat er alsbald in eine Vertrauensstellung, ja darüber hinaus in ein Herzensverhältnis zum Prinzen, wie's dieser, seit Tauentzien, nicht mehr gekannt hatte. Der Graf erschien ihm als ein Geschenk des Himmels; der Abend seines Lebens war gekommen, aber siehe da, die Sonne, bevor sie schied, lieh ihm noch einmal einen Strahl ihres beglückenden Lichts. Graf La Roche- Aymon war der *letzte* Adjutant des Prinzen.*

---

* Die Adjutanten des Prinzen Heinrich, soweit ich es in Erfahrung bringen konnte, waren seit Beginn des Siebenjährigen Krieges die folgenden: Graf Henkel (1757 und 1758); Graf Kalkreuth in der zweiten Hälfte des Krieges; *nach* dem Kriege: Kaphengst, Tauentzien, La Roche-Aymon.

Nach dem Basler Frieden, der eine halbe Versöhnung zwischen dem Prinzen Heinrich und seinem Neffen, dem Könige, herbeigeführt hatte, kam der Prinz auch wieder nach Berlin, aber freilich ohne rechte Lust und Freudigkeit und immer nur auf kürzere Zeit. Auf einer der bei dieser Gelegenheit statthabenden Festlichkeiten war es, daß der Graf La Roche- Aymon, der nunmehrige Adjutant des Prinzen, ein Fräulein von Zeuner sah und von ihrer blendenden Schönheit sofort hingerissen ward. Er seinerseits war völlig dazu angetan, nicht bloß bezaubert zu werden, sondern auch selbst wieder zu bezaubern, und als der Prinz bei beginnendem Frühling nach Rheinsberg zurückkehrte, folgten ihm Graf und Gräfin La Roche-Aymon als eben vermähltes Paar.

Caroline Amalie v. Zeuner war die Tochter eines seit 1786 als Hofmarschall und Kammerherr im Dienste der Königinmutter stehenden Herrn v. Zeuner, aus seiner Ehe mit einer Gräfin v. Neale. Fräulein v. Zeuner selbst, als der Graf La Roche-Aymon sie kennenlernte, war Hofdame bei der Prinzessin Wilhelmine. Sie war von mittlerer Figur, vom weißesten Teint, und besaß, als besondere Schönheit, eine solche Fülle blonden Haares, daß es, wenn aufgelöst, bis zu den Knien herabfiel und sie wie ein goldener Mantel umhüllte. Niemand kannte diese Schönheit besser als sie selbst, und noch in späteren Jahren wußte sie's derart einzurichten, daß ein etwa eintreffender Besuch sie womöglich im Negligée überraschen und das Haar bewundern mußte.

Wenn die Gegenwart des Grafen schon vorher ein Lichtblick an dem vereinsamten Hofe des Prinzen gewesen war, so war es *jetzt,* wo »Prinzessin Goldhaar« mit ihm zurückkehrte, wie wenn die Tage früherer Rheinsberger Herrlichkeit noch einmal anbrechen sollten. Anstelle halb pedantischer und halb equivoquer Junggesellenwirtschaft, erschienen wieder die heiteren Grazien, die dauernd immer nur da zu Hause sind, wo schöne Frauen ihren wohltätigen und gern gelittenen Zwang üben. Seit den Tagen Lisette Tauentziens hatte der Rheinsberger Hof diesen Zwang nicht mehr gekannt.

Der Freundschaftstempel mit seinen Inschriften, die die Liebe für eine Torheit erklärten, erschien nun selber als eine große Torheit, und man speiste wieder gern auf der Remusinsel im See, heitern Angedenkens aus jenen Tagen her, wo Kronprinz Friedrich, noch der »Constant« des Bayard-Ordens und nicht der Philosoph von Sanssouci gewesen war. Die Gräfin machte die Honneurs des Hauses, war Gast und Wirtin zugleich, und der Prinz, enchantiert, hing nicht nur an jeder Bewegung der schönen Frau, sondern freute sich ihrer Gegenwart überhaupt, alles an ihr bewundernd, ihre Augen, ihren Witz und selbst – ihre Kochkunst.

Ein Abenteuer trat endlich störend dazwischen und warf einen Schatten auf dies heitere Stilleben, das dem Prinzen teurer geworden war, als er sich selbst gestehen mochte. Prinz Louis Ferdinand erschien eben damals von Zeit zu Zeit in Schloß Rheinsberg, um seinem Ohcim, den er beerben sollte, seinen Respekt zu bezeugen. Im Sommer 1800 kam er häufiger als zuvor, kam und ging, ohne daß Wünsche, wie sonst wohl, laut geworden wären. Ein Geplauder im Park, ein Gastmahl auf der Remusinsel, schien *alles,* worauf sein Sinn jetzt gerichtet war. Die Gräfin saß neben ihm bei Tisch und trug einen Kranz von Teichrosen im Haar, den ihr der jugendliche Prinz auf der Fahrt zur Insel hin geflochten hatte. Sie glich darin einer Wassernixe. So kam der Abend und lautlos glitten die Kähne zurück; nur dann und wann unterbrach ein Flüstern und Lachen die tiefe Stille. Prinz und Gräfin fuhren im selben Kahn. Was heimlich versprochen wurde, wir wissen es nicht, und versuchen nur das Bild zu malen, das die nächste Stunde brachte. Vor dem Fenster der Gräfin lag ein Wiesenstreifen im Vollmondschein und aus dem Schatten heraus trat der Graf, die Hand am Degen. Ihm gegenüber, auf dem erhellten Rasen, stand der Prinz; typische Gestalten aus Nord und Süd. Am offnen Fenster aber erschien die Gräfin, bittend und beschwörend, und die Degen der beiden Gegner fuhren zurück in die Scheide. Man trennte sich mit einem kurzen »jusqu'à demain.«

Der alte Prinz legte sich ins Mittel und der Zweikampf unterblieb. Ebenso schwieg man über den Vorfall. Aber man mühte sich umsonst, ihn zu *vergessen*. Die Gräfin war das Licht gewesen, dessen klarer Helle sich jeder gefreut hatte; nun hatte das Licht, wie jedes andere, seinen Dieb gehabt, und eine leise Mißstimmung griff Platz. Der Rheinsberger Hof war niemals ein Tugendhof gewesen, war es auch *jetzt* nicht, und doch sah sich jeder ungern des *einen* Ideals beraubt, an das er geglaubt hatte. Die Gräfin blieb Mittelpunkt des Kreises bis zuletzt, aber doch mehr äußerlich, und die Blicke, die sich auf sie richteten, sahen sie mit verändertem Ausdruck an. Die letzten poetischen Momente des Prinz- Heinrich-Hofes waren hin.

Nur in den Beziehungen zwischen dem Prinzen und seinem Adjutanten änderte sich nichts. Die kritisch-militärischen Arbeiten des Grafen weckten mehr noch als früher das Interesse seines väterlichen Freundes und Wohltäters, der sich vielfach und in eingehendster Weise daran beteiligte. Dies Freundschaftsverhältnis dauerte denn auch bis zum Tode des Prinzen, welcher letztre noch wenige Monate vor seinem Hinscheiden in seinen Dernières Dispositions die Worte niederschrieb: »Ich bezeuge dem Grafen La Roche-Aymon meinen lebhaften Dank für die zarte Anhänglichkeit, die er mir all die Zeit über erwiesen hat, wo ich so glücklich war, ihn in meiner Nähe zu haben«, so wie denn auch anderweitig aus beinah jedem Paragraphen dieser Dernières Dispositions hervorgeht, daß der Graf die recht eigentlichste Vertrauensperson des Prinzen war, *der*jenige, der seinem Herzen am nächsten stand. Der Prinz hatte darin richtig gewählt. Graf La Roche-Aymon vereinigte, nach dem Zeugnis aller derer, die ihn gekannt haben, drei ritterliche Tugenden in ganz ausgezeichnetem Maße: Mut, Diensttreue und kindliche Gutherzigkeit.

Am 3. August 1802 starb der Prinz und im selben Jahre noch gelangten Graf und Gräfin La Roche-Aymon in den Besitz des Gutes Koepernitz, das eines der sechs Erbzinsgüter war, die zum Amte Rheinsberg gehörten. Ob der Prinz erst in seinem Testament oder schon bei Lebzeiten diese Schenkung machte, hab' ich nicht mit Bestimmtheit in Erfahrung bringen können. Wahrscheinlich fand ein Scheinkauf mit Hilfe dargeliehenen Geldes statt, das dann schließlich in die prinzliche Kasse zurückfloß.

Koepernitz war nun gräfliches Besitztum. Es scheint aber nicht, daß das

La Roche-Aymonsche Paar auch nur vorübergehend das Gut bezog, vielmehr eilten beide nach Berlin, um endlich wieder das zu genießen, was sie trotz aller Anhänglichkeit an den Prinzen, so lange Zeit über entbehrt hatten – das *Leben der großen Stadt.* Das Gut ward also verpachtet, und die Pachterträge sollten nunmehr ausreichen zu einem Leben in der Residenz. Aber das junge Paar erkannte bald, daß es die Rechnung ohne den Wirt gemacht habe und der Graf mußte sich schließlich noch beglückwünschen, als er 1805 dem Goekkingschen (ehemals Zietenschen) Husarenregiment als Major aggregiert wurde. Mit diesem Regiment war er bei Jena. 1805 ward er Kommandeur der schwarzen Husaren und zeichnete sich, an der Spitze derselben, durch eine glänzende Attacke bei Preußisch- Eylau aus. Napoleon, als er nach dem Kommandeur fragte, geriet in heftigen Zorn, als er einen französischen Namen hörte. 1809 wurde Graf La Roche-Aymon Oberst und bearbeitete das Exerzierreglement der Reiterei, wie er denn überhaupt, allem anderen vorauf, ein glänzender Kavallerieführer war. Seine Bücher über diesen Gegenstand sollen wertvoll und bis zu dieser Stunde kaum übertroffen sein. 1810 zum Inspekteur der leichten Truppen ernannt, machte er die Feldzüge von 1813 und 1814 auf preußischer Seite mit, wurde Generalmajor und kehrte 1814 nach dem Sturze Napoleons wieder nach *Frankreich zurück.* 1815, während der hundert Tage, ging er mit Ludwig XVIII. nach Gent, befehligte 1823 in der in Spanien einrückenden französischen Armee eine Kavalleriebrigade und wurde Generallieutenant. In den Besitz aller seiner früheren Güter wieder eingesetzt, ward er, zu nicht näher zu bestimmender Zeit, *Marquis* und Pair von Frankreich. Einige Jahre vorher (1827) hatte er auf dem Punkt gestanden, als Kriegsminister in *kaiserlich-mexikanische* Dienste zu treten. Ein Bruder des Königs Ferdinands VII. von Spanien, der Infant Don Francisco de Paulo, sollte zum *Kaiser von Mexiko* erhoben werden und das Kabinett dieses Kaisers war bereits in Paris ernannt. Es bestand aus Baron Alexander v. Talleyrand, Herzog v. Dino, Marinecapitain Gallois und Graf *La Roche-Aymon.* Man kann fast beklagen, daß sich's zerschlug; es wäre eine »Aventüre« mehr gewesen, in dem an Aventüren so reichen Leben des Grafen. Er verblieb in Paris. Kurze Zeit vor der Februarrevolution sah ihn ein alter Bekannter aus den Rheinsberger Tagen her in der Pairskammer, als er eben im Begriff stand, das Wort zu nehmen; er hatte den Grafen in 46 Jahren nicht gesehen, seit *jenem* Tage nicht, wo derselbe dem Sarge des Prinzen zur letzten Ruhestätte gefolgt war. Im Jahre darauf (1849) starb der Graf. Wir wenden uns nun zum Schlusse der *Gräfin* zu. Sie war 1819, nach der völligen Niederwerfung Napoleons, ihrem Gatten nach Paris hin gefolgt, und hatte daselbst, am Hofe Ludwigs XVIII., Huldigungen entgegengenommen, die fast dazu angetan waren, die Triumphe ihrer Jugend in den Schatten zu stellen. In der Tat, sie war noch immer eine schöne Frau, hatte sie doch das Leben allezeit leicht genommen und im Gefühl für die Freude geboren zu sein, der anklopfenden Sorge nie geöffnet. Aber wenn sie auch kein Naturell hatte für Gram und Sorge, so war sie doch empfindlich gegen Kränkungen, und diese blieben nicht aus. Sie war eitel und herrschsüchtig, und so leicht es ihr werden mochte, die leichte Moral der Hauptstadt und ihres eignen Hauses zu tragen, so schwer und unerträglich ward es ihr, die *Herrschaft im Hause mit einer Rivalin zu teilen*. Das Blatt hatte sich gewandt und die Schuld der Rheinsberger Tage wurde spät gebüßt. Die Marquise beschloß, Paris aufzugeben; ein Vorwand wurde leicht gefunden (»der Pächter habe das Gut vernachlässigt«) und 1826 zog sie still in das stille Wohnhaus von *Koepernitz* ein.

Dort hat sie noch 33 Jahre gelebt und alt und jung daselbst weiß von ihr zu erzählen. Sie war eine resolute Frau, klug, umsichtig und tätig, aber auch rechthaberisch, die, weil sie beständig Recht haben und *herrschen* wollte, zuletzt schlecht zu *regieren* verstand. Es lag ihr mehr daran, daß ihr *Wille* geschah, als daß das *Richtige* geschah, und die Schmeichler und Jasager hatten leichtes Spiel auf Kosten derer, die's wohlmeinten. Es eigneten ihr all die Schwächen alter Leute, die die Triumphe ihrer Jugend nicht vergessen können; aber was ihr bis zuletzt die Herzen vieler zugetan machte, war das, daß sie, trotz aller Schwächen und Unleidlichkeiten, im Besitz einer wirklichen Vornehmheit war und verblieb. Sie glaubte an sich. Ihre Beziehungen zum Rheinsberger Hofe wie zum Prinzen Louis und kaum minder wohl die Huldigungen, die ihr, später noch, am französischen Hofe zuteil geworden waren, gaben ihr vor der Welt ein Ansehen und Friedrich Wilhelm IV. kam nie nach Ruppin oder Rheinsberg, ohne der alten Marquise auf Koepernitz seinen Besuch zu machen. Es traf sich, daß sie, bei einem dieser Besuche, ganz wie zu Zeiten der Remusinseldiners, durch ihre Kochkunst glänzen und den König durch eine Trüffel- oder Zervelatwurst überraschen konnte. Fr. W. IV. erbat sich denn auch etwas davon für seine Potsdamer Küche (natürlich nicht vergeblich) und zum Weihnachtsabend erschien das königliche Gegengeschenk: ein Kollier aus goldenen Würstchen bestehend, die Speilerchen von Perlen, und begleitet von einem verbindlichen Schreiben mit dem Motto: »Wurst wider Wurst«. Geschenk und Gegengeschenk wiederholten sich mehrere Male, so daß sich zu dem Kollier ein Armband und zu dem Armband ein Ohrgehänge gesellte; zuletzt erschien eine Tabatière in Form einer kurzen, gedrungenen Blut- und Zungenwurst, äußerst wertvoll, oben und unten mit Rubinen besetzt. Die Freude war groß, aber es war die *letzte* dieser Art. Aus den Zeitungen ersah die Marquise bald darauf, daß einer der Hofschlächtermeister zu Potsdam, als Gegengeschenk für eine große Fest- oder Jubiläumswurst (und sogar unter Beifügung desselben Mottos: »Wurst wider Wurst«) in gleicher Weise durch eine Tabatière beglückt worden war, und die Sendungen in die königliche Küche hörten von diesem Augenblick an auf.

Ihre letzten Lebensjahre brachten ihr noch einen andern interessanten Besuch. Ein Neffe des verstorbenen Marquis hatte diesen beerbt, und nicht zufrieden mit den ihm zugefallenen *französischen* Gütern, machte *derselbe bei dem betreffenden Pariser* Gerichtshof auch noch ein Verfahren anhängig, um sich des ehemaligen Prinz-Heinrichschen Koepernitz', des Gutes seiner alten Tante, zu versichern. Anfänglich erklärten selbst die französischen

Gerichte ihr »nein«, in der zweiten und dritten Instanz aber wurde das »nein« in ein »ja« verwandelt, einfach in Berücksichtigung der Tatsache, daß der Neffe des alten legitimistischen Marquis inzwischen ein besonderer Günstling Napoleons III. geworden war. Und wirklich, der Günstling schickte Bevollmächtigte, die Koepernitz für ihn in Besitz nehmen sollten, und als sich dies, aller Vollmachten unerachtet, nicht tun lassen wollte, kam er endlich selbst. Er nahm in Rheinsberg allerbescheidentlichst einen Einspänner, umkreiste das ganze Gut, dessen Ansehn und Ausdehnung ihm wohlgefiel und fuhr dann schließlich vor dem Wohnhause der alten Tante vor. Diese empfing ihn aufs artigste, mit dem ganzen Aufwande jenes Zeremoniells, worin sie Meister war, als er aber schließlich den eigentlichen Zweck seines Kommens berührte, lachte sie ihn so herzlich aus, daß er sich, nicht ohne Verlegenheit, von der alten »ma tante« verabschiedete. Wurd auch nicht wieder gesehen. Dieser Neffe aber, der im Einspänner von Rheinsberg nach Koepernitz gefahren war, war niemand anders, als der frühere Befehlshaber der französischen Armee in Rom – General Goyon.

Die Marquise, und damit schließen wir, war eine stolze, selbstbewußte Frau. Sie repräsentierte die Vornehmheit einer nun zu Grabe getragenen Zeit, eine Vornehmheit, die von der Gesinnung unter Umständen abstrahieren und ihr Wesen in eine meisterhafte Behandlung der Formen setzen konnte. Diese Formen waren bei der Marquise von der gewinnendsten Art und ihr Auftreten entsprach dem Urteile, das ich einst über sie fällen hörte: »frei, taktvoll und originell zugleich.« Herrschen und ein großes Haus machen, waren ihre zwei Leidenschaften. Je mehr Kutschen im Hofe hielten, desto wohler wurd' ihr ums Herz, und je mehr Lichter im Hause brannten, desto hellere Funken sprühten ihr Geist und ihre gute Laune. Sparsam sonst und eine Frau, bei der die Rechnungsbücher stimmen mußten, erschrak sie dann vor keinem Opfer, ja der Gedanke berührte sie kaum, daß es ein Opfer sei. Nach Sitte der Zeit, in der sie jung gewesen, sah es um sie her aus wie in einer Arche Noäh und vom Kakadu an bis herunter zu Kanarienvogel und Eichhörnchen, fand sich in ihren Zimmern so ziemlich alles beisammen. Katzen und Hunde waren natürlich ihre Lieblinge und durften sich alles erlauben, ja, eintreffender Besuch pflegte meist in nicht geringe Verlegenheit zu geraten, wo Platz zu nehmen sei, wenn überhaupt. Aber mit dem Erscheinen der alten Marquise war sofort alles vergessen, man achtete der Unordnung nicht mehr, und was bis dahin lästig gewesen war, wurde jetzt charakteristisches Ornament. Ihre Rede riß nicht ab und wurde Rheinsberg oder gar »der Prinz« zum Gegenstande der Unterhaltung, so vergingen die Stunden wie im Fluge, ihr selbst und andern.

Ihr Tod war wie ihr Leben und hatte denselben Rokokocharakter, wie das Sofa, auf dem sie starb oder die Tabatière, die vor ihr stand. Ihre Lieblingskatze, so heißt es habe sie in die Lippe gebissen. Daran starb sie (oder doch bald darauf) im 89. Jahre, dem 18. Mai 1859.

Mit ihr wurde die letzte Repräsentantin der Prinz-Heinrich-Zeit zu Grabe getragen.

Koepernitz

Rote Dächer, die verschwiegen
Still an Wald und Wiese liegen.

Koepernitz, auf dem die Gräfin La Roche-Aymon geb. v. Zeuner ihr reich bewegtes Leben beschloß, ist ein Platz von einer nicht gerade frappanten aber doch von einer poetischen und nachhaltig wirkenden Schönheit. Man begreift eine stille Passion dafür.

Das *Herrenhaus* ist von großer Einfachheit: ein Erdgeschoß (neun Fenster Front) mit Dach und Erker. Dementsprechend ist die Einrichtung, aber durch Bilder und Erinnerungsstücke reichlich aufwiegend, was ihr an modernem Glanze fehlt. Das einladendste Zimmer des Hauses ist der Salon, der den Blick auf eine große Parkwiese hat. Hier, an einem milden Herbsttage, bei offenstehender Tür und Kaminfeuer, ist es gut sein. In eben diesem Salon befindet sich auch die Mehrzahl der historischen Wertstücke. Darunter zunächst folgende Bilder:

1. Hofmarschall *v. Zeuner,* Großvater des gegenwärtigen Besitzers.
2. Hofmarschallin v. *Zeuner,* geb. Gräfin Neale.
3. Graf *Neale,* Bruder der Hofmarschallin v. Zeuner.
4. Oberst v. *Zeuner,* Kommandeur des 4. (schlesischen) Husarenregiments; Vater des gegenwärtigen Besitzers.
5. Frau Oberst v. *Zeuner,* geb. Baronesse Oettinger. Bild aus der Zeit vor ihrer Vermählung.
6. Baronin v. *Oettinger* (Mutter der vorigen) von Tischbein gemalt.
7. Gräfin *La Roche-Aymon,* geb. v. Zeuner Tochter des Hofmarschalls, Schwester des Obersten v. Zeuner, Vorbesitzerin von Koepernitz.
8. Graf *La Roche-Aymon.*
9. Kardinal *La Roche-Aymon* (gutes Bild); Oheim des Grafen La Roche-Aymon.
10. Prinz *Louis Ferdinand* (sehr gut). – Bis zum Tode der Gräfin La Roche-Aymon befand sich noch ein *zweites* Bild des Prinzen Louis in Koepernitz, das dem Sohne des letztren, dem General v. Wildenbruch gehörte und nur »leihweise auf Lebenszeit« der Gräfin überlassen worden war. Nach dem Hinscheiden derselben erhielt es General v. W. zurück. (Ein drittes treffliches Bild des Prinzen Louis Ferdinand befindet sich in *Wustrau.)*

Außer diesen Bildern interessiert zumeist eine *Rokokokommode,* mit vergoldeten Griffen und Marmortafel. In den Fächern dieser Kommode (damals in Rheinsberg) befand sich die vom Prinzen *Heinrich* niedergeschriebene Geschichte des Siebenjährigen Krieges. Unmittelbar nach dem Tode des Prinzen erschien eine »Kommission« in Rheinsberg und nahm das Manuskript, von dessen Existenz man in Berlin Kunde hatte, mit sich, um es im Staatsarchive zu deponieren. *Diese Lesart* ist die wahrscheinlichste. Nach einer andern Version aber wäre das Manuskript verbrannt worden. Träfe dies zu, so würde der Welt eines der denkbar interessantesten Bücher verlorengegangen sein. Und doch mag es zweifelhaft erscheinen, ob ein solcher Verlust, *wenn* er überhaupt stattgefunden, zu beklagen wäre. Der Prinz – soviel war schon bei seinen Lebzeiten laut geworden – hatte strengste Kritik geübt, namentlich auch gegen seinen königlichen Bruder, und es würde die Kenntnis über diesen vielleicht mehr verwirren als aufklären, wenn wir plötzlich Urteilen begegneten, deren *Gerechtigkeit,* bei dem mit allen Vorzügen aber auch mit allen Mängeln des vorigen Jahrhunderts reich ausgestatteten Prinzen, zunächst bezweifelt werden muß.

Zu den Erinnerungsstücken von Koepernitz gehören auch die schon Seite 50 erwähnten Gegengeschenke, die Friedrich Wilhelm IV. der Gräfin machte, wenn, um die Weihnachtszeit, wieder eine Blut-, Trüffel- oder Zervelatwurstsendung von Koepernitz her in Sanssouci eingetroffen war. Der König war dabei höchst erfinderisch und schenkte (natürlich immer in Wurstform) erst ein Schuppenarmband, dann ein Schuppenkollier, dann Ohrgehänge (kleine Saucischen aus Perlen und Diamanten), dann eine Tabatière (dicke Blutwurst aus Granaten). Diese vier hab' ich gesehn. Ich weiß nicht, ob die Zahl damit erschöpft ist. Die Briefe, die diese Geschenke begleiteten, laufen von 1849 bis 54 und paraphrasieren das alte Wurstthema auf immer neue Weise.

Zum Schlusse sei noch des Koepernitzer *Friedhofes* erwähnt, der, ähnlich wie der Berliner Matthäikirchhof, an einem sanften Abhange liegt. Er hat manches Eigentümliche; beispielsweise *das,* daß das Terrain nach Familien parzelliert ist. So liegt denn zusammen, was zusammen gehört – die Angehörigen müssen ihre Toten nicht erst jahrgangweise suchen, sondern finden alles an einer und derselben Stelle.

Das Grab der Gräfin befindet sich in der Mitte des Friedhofs. Ein graues Marmorkreuz trägt die Inschrift: »Hier ruht Caroline Amalie Marie Marquise *de la Roche-Aymon,* geb. v. *Zeuner,* geb. den 7. April 1771, gest. den 18. Mai 1859. Selig sind die Todten, die in dem Herren sterben. «

Sie war so beliebt, daß sich immer noch Kränze vorfinden, die, von Zeit zu Zeit, besonders aber an den Gedächtnistagen, von alten Rheinsberger Bekannten auf ihrem Grabe niedergelegt werden.

Zernikow

»So heute Mittag die Sonne scheint,
werde ich ausreiten; kom doch am Fenster,
ich wollte dihr gerne sehn.«
Friedrich an Fredersdorff

In der Nähe von Boberow-Wald und Hubenow-See liegt noch ein anderer Güterkomplex, der durch den Aufenthalt des Kronprinzen Friedrich in Rheinsberg zu historischem Ansehn gelangt ist – ich meine die sogenannten Fredersdorffschen Güter, die Friedrich der Große, beinah unmittelbar nach seiner Thronbesteigung, seinem Kammerdiener Fredersdorff zum Geschenk machte. Ursprünglich bestand die Schenkung nicht aus jenen *vier* Besitzungen, die man jetzt wohl als »Fredersdorffsche Güter« zu bezeichnen pflegt; es war vielmehr ein *einziges* Gut nur, *Zernikow,* das der Kronprinz am 17. März 1737 von Lieutenant Claude Benjamin le Chenevix de Beville käuflich an sich bringend, nach dreijährigem Besitz unterm 26. Juni 1740 seinem Kammerdiener urkundlich vermachte. Erst nach zehn Jahren begann Fredersdorff selber sein Besitztum durch Ankauf zu erweitern: 1750 erwarb er Kelkendorf, 1753 Dagow und 1755 Burow. Dagow ist seitdem wieder aus der Reihe der Güter ausgeschieden, *Schulzendorf* aber dafür angekauft worden, so daß der Besitzstand nach wie vor aus vier Gütern besteht.

Das wenige, was man über Fredersdorff weiß, ist oft gedruckt worden, außerdem hat Friedrich Burchardt in seinem Buche »Friedrichs II. eigenhändige Briefe an seinen geheimen Kämmerer Fredersdorff« diesen Briefen auch noch eine Biographie Fredersdorffs beigegeben. Ich verweile deshalb nicht bei Aufzählung bekannter Tatsachen und Anekdoten, deren Verbürgtheit zum Teil sehr zweifelhaft ist, und beschränke mich darauf, bei jenem einzig neuen Resultat einen Augenblick stehnzubleiben, welches die seitdem erfolgte Durchsicht der Gartzer Kirchenbücher hinsichtlich der *Herstammung* Fredersdorffs ergeben hat.

Es galt bisher für zweifelhaft, ob Fredersdorff wirklich zu Gartz in Pommern (vier Meilen von Stettin) oder aber in Mitteldeutschland geboren sei, ja die meisten Stimmen neigten sich der letztern Ansicht zu und bezeichneten ihn als einen durch Werber aufgebrachten wohlhabenden Kaufmannssohn aus Franken. Diese Ansicht ist aber jetzt mit Bestimmtheit widerlegt. Im Gartzer Kirchenbuche findet sich eine Angabe, daß ein dem Stadtmusikus (musicus instrumentalis) Fredersdorff geborener Sohn am 3. Juni 1708 getauft worden sei und die Namen *Michael Gabriel* erhalten habe. Da nun der Kammerdiener Fredersdorff nach übereinstimmenden Nachrichten wirklich *Michael Gabriel* hieß, auch wirklich 1708 geboren wurde, so kann nicht gut ein längerer Zweifel in dieser Streitfrage walten. Zwar findet sich auf Fredersdorffs Bild in der Zernikower Kirche die Angabe: »geboren am 6. Juni 1708« (wonach er nicht am 3. Juni getauft sein kann), diese Angabe ist aber entweder einer jener Irrtümer, wie sie auf derartigen Bildern sehr häufig vorkommen, oder es hat sich umgekehrt bei Eintragung ins Kirchenbuch ein Fehler eingeschlichen. Vielleicht muß es heißen am 13. Juni.

Fredersdorff war 18 Jahre lang, von 1740-1758, in Besitz von Zernikow, an welche Tatsache wir die Frage knüpfen, ob er dem Dorf und seinen Bewohnern ein Segen war oder nicht? Die Beantwortung der Frage fällt durchaus zu seinen Gunsten aus. Wie er trotz Ehrgeiz und einem unverkennbaren Verlangen nach Ansehn und Reichtum, doch überwiegend eine liebenswürdige und gutgeartete Natur gewesen zu sein scheint, so erwies er sich auch als Gutsherr mild, nachsichtig, hilfebereit. Seine Bauern und Tagelöhner hatten gute Zeit. Und wie den damaligen Bewohnern, so war er dem Dorfe selbst ein Glück. Die meisten Neuerungen, soweit sie nicht bloß der Verschönerung dienen, lassen sich auf ihn zurückführen. Er fand eine vernachlässigte Sandscholle vor und hinterließ ein wohlkultiviertes Gut, dem er teils durch Anlagen aller Art, teils durch Ankauf von Wiesen und Wald das gegeben hatte, dessen es zumeist benötigt war. Die Tätigkeit, die er entwickelte, war groß. Kolonisten und Handwerker wurden herangezogen und Weberei und Strohflechterei von fleißigen Händen betrieben. Zu gleicher Zeit und mit Vorliebe nahm er sich des *Seidenbaus* an. Gärten und Wege wurden mit Maulbeerbäumen bepflanzt (schon 1747 standen deren 8000) und das Jahr darauf hatte er zum ersten Male einen Reinertrag aus der gehaspelten Seide. Kaum daß er ein Stück guten Lehmboden auf seiner Feldmark gefunden, entstand auch schon eine Ziegelei, so daß er 1746, und zwar aus selbstgebrannten Steinen, das noch jetzt existierende Wohnhaus erbauen konnte. Noch im selben Jahre führte er, ebenso wie in Spandau und Coepnick, große Brauereigebäude auf, in denen das so beliebt gewordene und nach ihm genannte »Fredersdorffer Bier« gebraut wurde. In allem erwies er sich als der gelehrige Schüler seines königlichen Herrn, und an der ganzen Art und Weise, wie er die Dinge in Angriff nahm, ließ sich erkennen, daß er den organisatorischen Plänen des Königs mit Verständnis zu folgen und sie als Vorbild zu verwerten verstand. Er mocht' es dabei, besonders was die Mittel zur Ausführung anging, leichter haben als mancher andere, da ein König, der ihm schreiben konnte: »Wenn ein Mittel in der Welt wäre, Dir in zwei Minuten zu helfen, so wollte ich es kaufen, es möchte auch so teuer sein wie es immer wolle« sehr wahrscheinlich auch bereit war, durch Geschenke und Vorschüsse aller Art zu helfen. Es scheint indessen, daß diese Hülfen immer nur innerhalb beschränkter Grenzen blieben und daß die Meliorationen erst von 1750 ab einen größeren Maßstab annahmen, wo sich Fredersdorff mit Caroline Marie Elisabeth Daum, der reichen Erbtochter des schon 1743 verstorbenen Banquier Daum vermählt hatte. Wenigstens beginnen von da ab erst jene Güterkäufe, deren ich schon oben erwähnt habe. Fredersdorff lebte mit seiner jungen Frau in einer sehr glücklichen aber kinderlosen Ehe. Daß er andauernd in Zernikow gewesen sei, ist nicht anzunehmen, doch scheint es, daß er von 1750 ab (also nach seiner Vermählung) wenigstens sooft wie möglich auf seinem Gute war und namentlich die Sommermonate gern daselbst verbrachte. Ob er seine alchymistischen Künste und Goldmacheversuche auch in ländlicher Zurückgezogenheit geübt habe, ist nicht zu ermitteln gewesen, übrigens nicht wahrscheinlich. Er starb zu Potsdam in demselben Jahre (1758), das seinem königlichen Herrn so viele schwere Verluste brachte, und seine Leiche wurde nach Zernikow übergeführt.

*

Michael Gabriel Fredersdorff war am 12. Januar 1758 gestorben. 1760 vermählte sich seine Witwe zum zweiten Male mit dem aus Pommern stammenden Geheimen Stiftsrat zu Quedlinburg Hans Freiherrn v. Labes, der, ursprünglich bürgerlich, erst später vom Kaiser in den Adelsstand erhoben worden war.

Auch Freiherr v. Labes tat viel zur Verschönerung des Guts, eine Lindenallee wurde gepflanzt, ein englischer Park angelegt, und der frühere Fasanengarten in einen Tiergarten mit Fischteichen, Wasserleitungen und Pavillons umgeschaffen. Er scheint andauernder als Fredersdorff in Zernikow gelebt zu haben und verschied daselbst am 27. Juli 1776. Frau v. Labes aber, nachdem sie durch milde Stiftungen, besonders durch Erbauung eines Hospitals segensreich gewirkt hatte, starb erst am 10. März 1810, achtzig Jahre alt, mehr denn 50 Jahre nach dem Tode ihres ersten Gatten. Aus ihrer zweiten Ehe waren ihr zwei Kinder geboren worden, ein Sohn und eine *Tochter*. Der Sohn, Geheimer Legationsrat v. Labes, vermählte sich mit einer Komtesse Görtz-Schlitz, wurde selbst in den Grafenstand erhoben und nahm, nach der Burg Schlitz, die er sich im Mecklenburgischen erbaut hatte, den Namen Graf Schlitz an.

Dieser Graf Schlitz starb 1831. Er hinterließ nur eine Tochter, die sich 1822 dem Grafen Bassewitz vermählte, welcher letztre seitdem den Namen Graf Bassewitz-Schlitz führte. Das einzige Kind dieser Ehe, eine Tochter, wurde nur elf Jahr alt; von den Eltern starb die Mutter 1855, der Vater, Graf Bassewitz-Schlitz, im Juli 1861. Beide wurden auf Hohen-Demzin, einem in der Nähe von Burg Schlitz gelegenen Familiengute beigesetzt. Schon 1855, also nach dem Tode der Gräfin, waren die Fredersdorffschen Güter, da keine direkte Nachkommenschaft da war, auf die weibliche Linie, d. h. also auf die Nachkommenschaft der *Tochter* der Frau v. Labes übergegangen.

Diese *Tochter* war seit 1777 an den Freiherrn Joachim Erdmann v. Arnim vermählt, starb aber schon 1781 infolge ihrer zweiten Entbindung, nachdem sie dem später so berühmt gewordenen *Achim v. Arnim* das Leben gegeben hatte. Sie hinterließ zwei Söhne: Carl Otto Ludwig v. Arnim, geb. am 1. August 1779 und Carl Friedrich Joachim Ludwig v. Arnim *(Achim v. Arnim)*, geb. am 26. Januar 1781.

Von diesen beiden Brüdern starb der jüngere schon am 21. Januar 1831, der ältere (gemeinhin Pitt-Arnim geheißen) ererbte die Fredersdorffschen Güter, nach dem, wie vorstehend schon hervorgehoben, im Jahre 1855 erfolgten Tode der Gräfin Bassewitz-Schlitz. Er ist sechs Jahre lang im Besitz der Güter geblieben, bis zu seinem am 9. Februar 1861 erfolgten Tode. Da er kinderlos verstarb, so waren seine Neffen und Nichten, die Kinder Achims v. Arnim und der Bettina Brentano, die nächsten Erben. Diese Kinder, drei Söhne und drei Töchter, sind jetzt die Besitzer von Zernikow.

*

Zernikow besitzt neben einer sehenswerten Kirche, in der sich, ebenso wie im Herrenhause, die Portraits von Fredersdorff, dem v. Labesschen Ehepaar und von deren Tochter, der 1781 verstorbenen Frau v. Arnim befinden, auch ein mit Geschmack und Munifizenz hergestelltes Grabgewölbe, das Frau v. Labes bald nach dem Tode ihres zweiten Gemahls errichten ließ. Es trägt an seiner Front die Inschrift: »Fredersdorff'sches Erbbegräbniß, errichtet von dessen hinterlassener Wittwe, gebornen Caroline Marie Elisabeth Daum, nachmals verehelichten v. Labes. Anno 1777.« Darunter in goldenen Buchstaben folgende verschlungene Namenszüge: MGF (Michael Gabriel Fredersdorff) und CMED (Caroline Marie Elisabeth Daum). Sofort nach der Vollendung dieses Grabgewölbes, nahm Frau v. Labes in dasselbe die sterblichen Überreste ihrer Ehegatten *Fredersdorff* und von *Labes* auf, welche sich bisher in einer Gruft unter der Kirche zu Zernikow befunden hatten.

Der mit leder überzogene und mit vergoldeten Füßen und Handhaben versehene Sarg Fredersdorffs, auf dem sich noch die *Patrontasche* befindet, die derselbe während seines Militärdienstes im Schwerinschen Regiment getragen hat, steht an der rechten Seitenwand, der Sarg des Freiherrn v. Labes unmittelbar dahinter.

Vier Jahre später gesellte sich zu diesen beiden Särgen ein dritter. Noch nicht zwanzig Jahr alt, war die mehrgenannte Freifrau Amalie Caroline v. Arnim, einzige Tochter der verwitweten Frau v. Labes, im Januar oder Februar 1781 zu Berlin gestorben und wurde von dort nach Zernikow übergeführt. Ihr Sarg, in dessen Deckel ein *kleines Fenster* befindlich ist, steht an der Hinterwand des Gewölbes, und noch jetzt liegen auf demselben Kränze und Gedichte, welche letztren von der Hand der Mutter geschrieben sind. Am 10. März 1810 entschlief Frau v. Labes selber und nahm, ihrem letzten Willen gemäß, nach Freud und Leid dieser Welt, ihren letzten Ruheplatz an der Seite derer, die ihr das Teuerste gewesen waren. Auch auf dem Deckel *ihres* überaus prachtvollen Sarges ist ein kleines Fenster angebracht, durch das man die entseelte Hülle der alten Freifrau erblickt. Auf allen vier Särgen befinden sich die Familienwappen, auf drei derselben auch Name, Geburts- und Todestag.

Über 50 Jahre vergingen, eh' ein neuer Ankömmling vor der Kirche hielt und Raum in der Familiengruft beanspruchte. Alles, was den Namen Graf Schlitz angenommen hatte, hatte sich auch im Tode noch von Zernikow, dem ursprünglichen Familiengut, geschieden und dem Graf Schlitzschen Mausoleum auf Hohen-Demzin den Vorzug gegeben. Nicht so der älteste Sohn der *Tochter* der Frau v. Labes. Am 16. Februar 1861 öffneten sich die schweren Gittertüren des Fredersdorffschen Erbbegräbnisses noch einmal und der Sarg des Oberstschenk Carl Otto Ludwigs v. Arnim wurde neben Mutter und Großmutter beigesetzt. Seine Inschrift lautet:

> Dubius non impius vixi,
> Incertus morior, non perturbatus;
> Humanum est nescire et errare.
> Ens entium miserere mei.

> In Zweifeln hab' ich gelebt, nicht unfromm,
> In Ungewißheit sterb' ich, nicht in Bangen;
> Nichtwissen und irren ist Menschenlos.
> Wesen der Wesen erbarme dich mein.

Sein jüngerer Bruder, Achim v. Arnim, ist auf dem Familiengute Wiepersdorf bei Dahme begraben. Auch Bettina (gest. 1859 zu Berlin) ruht daselbst.

Die Ruppiner Schweiz

Die Ruppiner Schweiz

Ist's norderwärts in Rheinsbergs Näh'?
Ist's süderwärts am Molchow-See?
Ist's Rottstiel tief im Grunde kühl?
Ist's Kunsterspring, ist's Boltenmühl'?

Die Schweize werden immer kleiner, und so gibt es nicht bloß mehr eine *Märkische,* sondern bereits auch eine *Ruppiner* Schweiz, der es übrigens, wenn man ein freundlich-aufmerksames Auge mitbringt, weder an Schönheit noch an unterscheidenden Zügen fehlt. Sie besitzt beides in ihrem Wasserreichtum. Während Freienwalde dieses Schmuckes beinah völlig entbehrt und Bukow, den großen See zu seinen Füßen abgerechnet, nur zwei kleine Edelsteine von allerdings reinstem Wasser aufweist, sind Fluß und See das eigentliche Lebenselement der Ruppiner Schweiz.

Der Fluß ist der *Rhin. Er* kommt von Rheinsberg (Rhinsberg) her, bildet zunächst eine ganze Reihe von Wasserbecken, und gibt erst an der Südspitze des *Molchow*-Sees seine Hügelheimat auf, um in das »Schwäbische Meer« dieser Gegenden, in den Ruppiner See einzutreten. Hier streift er, wie sein berühmter hochdeutscher Namensvetter, der *Rhein,* den Rest seiner schäumenden Jugend ab, und ruhig geworden bis zum Stillstand, windet er sich, von nun an, nur noch durch Lücher und Brücher hin, die den Namen *Linum als* Mittelpunkt haben. In Poesie geboren, fällt ihm zu guter Letzt das Los zu, den *Torfkahn* auf seinem Rücken zu tragen.

Aber wenn dieser, wie nicht bestritten werden soll, zum prosaischen Genossen seiner reiferen Jahre wird, so sind *Förstereien* und *Wassermühlen* die Gefährten seiner Jugend, und überall da, wo sein Wasser noch über ein Wehr fällt oder hochaufgeschichtete Bretterbohlen an seinen Ufern liegen, da sind auch die Stätten seiner Schönheit. Jede dieser Stätten, zwischen zwei Seen gelegen, dürfte die Hand nach dem stolzen Namen »Interlaken« ausstrecken, aber im Bewußtsein eignen Wertes verschmähen sie's mit vornehmen Anklängen zu prunken, und geben sich lieber ohne jegliche Prätension und nur auf sich selber gestellt, als *Rottstiel* und *Pfefferteich, als Boltenmühle* und *Kunsterspring.* Und wie sie selber auf alles klug verzichten, was zur Quelle lästiger Vergleiche nach außen hin werden könnte, so verzichten wir darauf, ihren Preis und Wert untereinander festzustellen. Denn wie unter schönen Schwestern die Streitfrage nie gelöst wird »wer eigentlich die schönere oder die schönste sei«, weil es heute diese ist und morgen jene, je nach der Kleidfarbe die sie tragen oder nach dem Bande das zufällig an ihrem Hute flattert, so ist auch hier die Frage nach der größeren Schönheit eine bloße Frage der Beleuchtung, der Stimmung, des zufälligen Schmuckes. Wenn heute Boltenmühle in Malven siegt, so siegt morgen Kunsterspring in roten Ebereschen, und ein helleres oder dunkleres Abendrot, ein schmaleres oder breiteres Band das der Regenbogen über die Landschaft spannt, entscheidet darüber ob Rottstiel über Pfefferteich oder Pfefferteich über Rottstiel triumphiert.

Auch die »Historie« ist leisen Fußes durch diese Gegenden hingeschritten und erzählt von Kronprinz Fritz und seiner Liebe zum schönen Försterkinde von *Binenwalde*. Von Rheinsberg aus herüberkommend, gab er im Abenddämmer das wohlbekannte Zeichen nach dem mitten im See gelegenen Forsthaus hinüber, und nicht lange so glitt ein Kahn aus dem Schilfgürtel hervor und der Stelle zu, wo der Prinz, unter den Zweigen einer überhängenden Buche, die schöne Sabine, das »Insel- und Försterkind« erwartete. Die schöne Sabine aber stand lächelnd aufrecht im Kahn, das Ruder mit raschem Schlage führend, bis im nächsten Moment das Ruder ans Land und sie selbst dem Harrenden in die Arme flog.

Aber diese Tage sind hin, und wie tiefe Sonntagsruhe liegt es in den Lüften, wenn, wie zu dieser Mittagsstunde, die nachbarliche Mühle schweigt.

*

Ausgestreckt am Hügelabhang, den Wald zu Häupten, den See zu Füßen, so träumst du hier, bis die wachsende Stille dich erschreckt. Mit angespannten Sinnen lauschest du, ob nicht doch vielleicht ein Laut zu dir herüberklinge, und endlich hörst du die Rätselmusik der Einsamkeit. Der See liegt glatt und sonnenbeschienen vor dir, aber es ruft aus ihm, die Bäume rühren sich nicht, aber es zieht durch sie hin, aus dem Walde klingt es als würden Geigen gestrichen und nun schweigt es und ein fernes fernes Läuten beginnt. Ist es Täuschung, oder ist es mehr? Ein wachsendes Bangen kommt über dich, bis plötzlich das Klappern der Mühle wieder anhebt und der schrille Ton der Säge den Mittagszauber zerreißt.

Wer will sagen, wenn er die Ruppiner Schweiz durchwandert, wo ihr Zauber am mächtigsten wirkt.

> Und fragst du doch: [»]den *vollsten* Reiz
> Wo birgt ihn die Ruppiner Schweiz?
> Ist's norderwärts in Rheinsbergs Näh'?
> Ist's süderwärts am Molchow-See?
> Ist's Rottstiel tief im Grunde kühl?
> Ist's Kunsterspring, ist's Boltenmühl?
> Ist's Boltenmühl, ist's Kunsterspring?
> Birgt Pfefferteich den Zauberring?
> Ist's Binenwalde?« – nein, o nein,
> Wohin du kommst, da wird es sein,
> An jeder Stelle gleichen Reiz
> Erschließt dir die Ruppiner Schweiz.

Am Molchow- und Zermützel-See

Abgeschieden, rings geschlossen,
Wenig kümmerliche Föhren,
Trübe flüsternde Genossen,
Die hier keinen Vogel hören.

Lenau

»An jeder Stelle gleichen Reiz
Erschließt dir die Ruppiner Schweiz«

aber doch mit der *einen* Einschränkung, daß wir uns in der Helvetia propria dieser Gegenden halten und es vermeiden von dem *westlichen* Ufer des Rhin auf das *östliche* hinüberzutreten. Tuen wir diesen verhängnisvollen Schritt dennoch, so sind wir aus unserer eigentlichen Schweiz heraus und wandeln nur noch an ihrer Peripherie hin. Mit andern Worten: das östliche Rhinufer hat keinen andern Reiz mehr als *den,* welchen es seinem Gegenüber, dem westlichen Ufer entnimmt.

Aber *Ausnahmen* auch hier, und unter diesen Ausnahmen in erster Reihe das alte Dorf *Molchow,* das wir, über eine Schmalung des gleichnamigen Sees hinweg, in diesem Augenblick erreichen. Eingesponnen in Gärten und Laub liegt es da, die Studentenblume blüht, der Kürbis hängt am Gezweig, und der Hahn begrüßt uns vom Zaun her und kräht in den lachenden Morgen hinein. Alles hell und licht, im rechten Gegensatze zu *Molchow,* das mit seinem finster anklingenden Namen an alle Schrecken des Schillerschen Tauchers mahnt.

Alles hell und licht, ausgenommen ein rondellartiger Grasplatz inmitten des Dorfes. Auf ihm wird begraben, mehr in Unkraut als in Blumen hinein, und aus der Mitte dieses Platzes wächst ein Turm auf, unheimlich und grotesk, als hab' ihn ein Schilderhaus mit einer alten Windmühle gezeugt. Von beiden etwas. Und unheimlich wie der Turm, so auch die alte *Glocke,* die in ihm hängt. Ave Maria gratia plena steht an dem obern Rande, die Glocke selbst aber ist geborsten und ihre Inschrift war ihr kein Talisman. Zweihundert Jahre, da fanden sie die Molchower auf einer halb heidegewordenen, halb waldbestandenen Feldmark zwischen zwei Bäumen aufgehängt. Es war die Glocke von Eggersdorf, eines Dorfes das im Dreißigjährigen Kriege, wie hundert andere, wüst geworden war und es seitdem auch geblieben ist. Die Molchower aber erbarmten sich des Eindlings und bauten ihm diesen Glockenturm. Eine Leiter führt hinauf, die glücklicherweise von denen, die dort oben regelmäßig wohnen, entbehrt werden kann, denn es sind nur Dohlen an dieser Stelle zu Haus. Immer wenn die geborstene Glocke gezogen wird, fliegen sie scharenweis auf und einzelne von ihnen, – wenn es wahr ist, was man sich von Raben und Krähen erzählt, – mögen die Glocke noch von ihren Eggersdorfer Tagen her kennen und nun Betrachtungen anstellen zwischen damals und heut. – Über *Molchow* hinaus (aber wie dieses am Ostufer des Rhins und seiner Seenkette) liegt auch *Zermützel.*

Ihm fahren wir jetzt zu. Bevor wir's indes erreichen, streifen wir erst noch die »Stendenitz«, ein altes Waldrevier, das noch unter Kurfürst George Wilhelm ohne menschliche Wohnungen und nur der Schauplatz großer Wildschweinsjagden war. Als aber unter dem Großen Könige die Parole »nur Menschen« aufkam und die Verwirklichung dieses Grundsatzes eine Masseneinwanderung schuf, die vielleicht selbst die Kolonisationszeit unter Albrecht dem Bären in den Schatten stellte, beschloß man maßgebenden Orts auch auf eben dieser »Stendenitz« vier Büdner anzusetzen oder mit andern Worten eines jener Kolonistenetablissements ins Leben zu rufen, wie sie damals zu hunderten aus der Erde sprossen.

Die Kärglichkeit unserer märkischen Scholle kann nicht leicht irgendwo besser studiert werden, als an dieser Stelle. Hundert Jahr Arbeit sind gewesen wie ein Tag, und eine Ziege, ein Kirschbaum und ein Streifen Roggenland, über das der alte Beherrscher dieser Gegenden, der Strandhafer, immer wieder Lust zeigt, als Sieger herzufallen, diese drei sind nach wie vor der einzige Reichtum dieser Ansiedlung. Und wenn noch ein Zweifel daran wäre, so würd' ihn die Begräbnisstätte lösen, die zu diesem Etablissement Stendenitz gehört. Da wo die Bäume hart an den See treten, ist ein quadratisches Eckstück aus dem Walde herausgeschnitten und von vier tiefen Furchen umzogen worden. Auf diesem Eck- und Waldstück wird nun begraben, und umherstehende Krüppelkiefern tuen ihren Zypressen- und Trauertannendienst. In hundert Jahren stirbt sich was zusammen, auch da wo die Lebendigen nur vier Büdnerfamilien sind, und so drängen sich denn die Gräber hier, eingefallene Hügel, von denen die meisten schon wieder zu bloßen Moosplätzen mit ein paar verspätet blühenden Erdbeeren geworden sind. Nur zwei Grabtafeln ragen auf, schräg gedrückt vom Westwind, und nicht ohne Müh entziffern wir das Folgende:

»Hier ruht in Gott der Schneidergesell Andreas Laudon, Kanonier von der 3. Garde-Compani der Attollerie-Bregarde, gest. 3. April 1836«. Und ihm zur Seite der Namen eines siebzehnjährigen Mädchens, und darunter:

> Vielgeliebte, weinet nicht,
> Seht mir nach und lebt in Segen,
> Gott ist euer Trost und Licht, –
> Ich habe mich zur Ruh geleget.

Wohl auf manchem Begräbnisplatze hab' ich gestanden, aber auf keinem, der mich tiefer erschüttert hätte. Welche Mischung von groteskem Humor und erschütternder Poesie. Schneidergeselle Laudon, Kanonier, und daneben:

> Gott ist euer Trost und Licht,
> Ich habe mich zur Ruh geleget.

Zur Ruhe *hier!* – Die Bahre, die diesem Begräbnisplatze dient, hing an dem abgebrochenen Ast einer alten Kiefer, und Baum und Bahre waren gleichmäßig mit Flechten überdeckt; dazu gurgelte das Wasser im Röhricht und über uns in den Kronen ging der Wind.

Alles Klage. – Nur zwischen den Bäumen leuchtete das ewige Blau.

Zwischen Zermützel- und Tornow-See

Mein Bier und Wein ist frisch und klar,
Mein Töchterlein liegt auf der Totenbahr.
Uhland

Bald hinter der »Stendenitz« liegt Dorf und See Zermützel.

Der auf der Höhe laufende Weg schlängelt sich in einiger Entfernung am Ufer hin und berührt dabei mehrere Hügel und Vorsprünge, die die verschiedensten Bezeichnungen führen. Einer heißt der »Totenberg« und macht seinem Namen Ehre, trotzdem er seine Gruselwirkung mit den einfachsten Mitteln erzielt. Ackerfurchen überall und nur den »Totenberg« umkreisen sie wie Parallelen eine gefürchtete Festung. Eine dieser Linien, vielleicht von einem dörfischen Freigeist gezogen, rührt schon an den Zauberkreis, aber auch nur um plötzlich wieder abzubrechen. Eine alte Kiefer hält Wacht, und so weit ihre Nadeln fallen, ist verbotener Grund. Schädel liegt da an Schädel, so heißt es. Natürlich aus der Schwedenzeit. Wo das Dunkel beginnt, fangen Torstenson und Wrangel an.

Vom »Totenberg« sind nur noch wenig hundert Schritt bis zu Dorf Zermützel und seinem See. Wir fahren aber an beiden vorüber und halten uns nordwärts auf eine *dritte* Wasserfläche zu, die den Namen führt: der *Tornow-See.*

Da wo der Weg den See trifft, trifft er auch ein von Birken und Obstbäumen überschattetes Haus, das jetzt still und glücklich da liegt, als streck' ihm der segenspendende Herbst seine vollste Hand entgegen.

Aber ich entsinne mich eines anderen Tages hier.

Im Januar war's. Alles was einen Pelz und eine Büchse hatte, war auf den Beinen, und seit Tagesgrauen knallte es im Wald und an den drei Rhinseen hin: am Tornow-, Molchow- und Zermützel-See. Zu zehn Uhr war hier, unter diesem Dache, das Frühstück angesagt, und keiner fehlte. Da waren die Förster und Oberförster: Berger von Alt- Ruppin, Conrad von Rottstiel, Kuse von Pfefferteich, dazu der Grafschaftsadel mitsamt den Offizieren der Garnison, und nicht zum letzten die städtischen Nimrods, die nie genug haben an Billard und Kegelspiel und denen nur wohl ist, wenn sie zu Füßen eines Sechzehnenders schlafen.

Das Frühstück war kalte Küche; desto heißer aber war der Grog. Über dem Herdfeuer hing ein Kessel, brodelnd und dampfend, und die Büdnersleute gingen auf und ab, um über all wo man's begehrte, mit ihrem kochenden Wasser auszuhelfen. Der Mischung besserer Teil aber floß aus den eigenen Flaschen. Und siehe da, Pelze, Grog und Tabak schufen alsbald eine wunderlich dicke Luft, eine Wolke, darauf die Göttin der Jagdanekdote saß und orakelte. Nein, *nicht* orakelte, – ihren klassischen Aussprüchen fehlte jedes Dunkel.

Aber sonderbar, die Büdnersleute waren heute so still und ernst, und pflegten doch sonst bei jeder Derbheit, die laut wurde, mit einzustimmen.

Endlich trat ich an die Alte heran und fragte leise: »wo ist Hannah?« Erst schüttelte sie den Kopf, aber sich besinnend, nahm sie mich rasch bei der Hand und führte mich über den Flur weg in eine Kammer, die gerade hinter dem Zimmer gelegen war, in dem die Jäger ihren Imbiß nahmen. Einen Augenblick sah ich nichts, empfing doch die Kammer all ihr Licht von einer kaum zwei Hand breiten Öffnung her, durch die der Schnee, vom Winde getrieben, eben in kleinen Flocken hineinstiebte. Die Frau, während ich mich noch zurechtzufinden suchte, war inzwischen an ein Strohlager dicht unterm Fenster getreten, und schlug ein Laken zurück, das über das Stroh hin ausgebreitet war. Da lag Hannah, die Augen geschlossen, in keinem andern Schmuck, als dem ihres langen Haares. Dann deckte die Alte das Laken wieder über und schlich aus der Kammer, und ließ mich allein. Und der Schnee trieb immer heftiger durch das Fenster und schüttete vor der Zeit einen Hügel über der Toten auf.

In zehn Minuten war alles wie verändert. Einer hatte geplaudert. »Warum hielt er nicht den Mund?« »Ich fahre nach Haus«. »Ich auch.« So ging es hin und her. Die meisten aber nahmen's leicht oder gaben sich doch das Ansehn davon, und eine Stunde später knallten die Büchsen wieder an allen drei Seen hin. Aber das Bild Hannahs stand zwischen dem Schuß und seinem Ziel und kein Hirsch wurde mehr getroffen. Oberförster Berger stieß mit dem Fuß an den Stecher, und die Kugel pfiff ihm am Ohr hin, während das Feuer seinen Bart versengte.

Es war eine »wehvolle Jagd« wie's in alten Balladen heißt.

Die Menzer Forst und der große Stechlin

Die Sonne war geneigt im Untergang
Nur leise strich der Wind, kein Vogel sang,
Da stieg ich ab, mein Roß am Quell zu tränken,
Mich in den Blick der Wildnis zu versenken.
Vermildernd schien das helle Abendrot
Auf dieses Waldes sagenvolle Stätte.

In der Nordostecke der Grafschaft liegt die Menzer Forst, 24 000 Morgen groß (in ihr der sagenumwobene »Große Stechlin«) und in dieser verlorenen Grafschaftsecke lebt die Ruppiner Schweiz noch einmal wieder auf. Hier waltet ein ganz eigenartiges Leben: der Pflug ruht und ebenso der Spaten der den Torf gräbt; nur das Fischernetz und die Angel sind an dieser Stelle zu Haus und die Büchse, die tagaus tagein durch den Wald knallt. Hundert Jahre haben hier wenig oder nichts geändert, alles blieb, wie's die Tage des Großen Königs sahn und nur eines wechselte: der Schmuggler fehlt, der hier sonst ins Mecklenburgische hinüber sein Wesen trieb und seinen Krieg führte. Denn die Menzer Forst setzt sich noch jenseits der Grenze fort und ein von abgefallenem Laube halb überdeckter Graben ist alles, was die Territorien scheidet.

Um die Mitte des vorigen Jahrhunderts ward in der Kriegs- und Domänenkammer die Frage rege: *was machen wir mit diesem Forst?* Hochstämmig ragten die Kiefern auf; aber der Ertrag, den diese herrlichen Holz- und Wildbestände gaben, war so gering, daß er kaum die Kosten der Unterhaltung und Verwaltung deckte. Hirsch und Wildschwein in Fülle; doch auf Meilen in der Runde kein Haus und keine Küche, dem mit dem einen oder andern gedient gewesen wäre. »Was tun mit diesem Forst?« so hieß es wieder. Kohlenmeiler und Teeröfen wurden angelegt, aber Teer und Kohle hatten keinen Preis. Die nächste, nachhaltige Hülfe schien endlich die Herrichtung von *Glashütten* bieten zu sollen, und in der Tat es entstanden ihrer verschiedene zu Dagow, Globsow und Stechlin; ein Feuerschein lag bei Nacht und eine Rauchsäule bei Tag über dem Walde; vergeblich; auch der Glashüttenbetrieb vermochte nichts und der Wald bracht es nur spärlich auf seine Kosten.

Da zuletzt erging Anfrage von der Kammer her an die Menzer Oberförsterei: wie lange die Forst aushalten werde wenn Berlin aus ihm zu brennen und zu heizen anfange? worauf die Oberförsterei mit Stolz antwortete: *»Die Menzer Forst hält alles aus«.* Das war ein schönes Wort, aber doch schöner, als sich mit der Wirklichkeit vertrug. Und das sollte bald erkannt werden. Die betreffende Forstinspektion wurde beim Wort genommen, und siehe da, ehe dreißig Jahre um waren, war die ganze Menzer Forst durch die Berliner Schornsteine geflogen. Was Teeröfen und Glashütten in alle Ewigkeit hinein nicht vermocht hätten, das hatte die Konsumationskraft einer großen Stadt in weniger als einem Menschenalter geleistet. Ja, Hilfe war gekommen, die Menzer Forst *hatte* rentiert; aber freilich die Hilfe war gekommen nach Art einer Sturzwelle, die, während sie das aufgefahrene Schiff wieder flottmacht, es zugleich auch zerschellt. Abermals mußte Wandel geschafft werden, diesmal nach der entgegengesetzten Seite hin, und das berühmte, wenn auch unverbürgte Wort, das König Friedrich einst in delikatester Situation an Schmettau richtete, dasselbe Wort richtete jetzt die Königliche Verwaltung der Forsten und Domänen an den Oberförster von Groß-Menz: »*hör' Er auf*«. Und man hörte auf. Der Hauptstadt wurde durch dieses »Halt« übrigens nichts entzogen, denn die Linumer Torfperiode war inzwischen angebrochen, die Menzer Forst aber stieg auf der tabula rasa ihres alten Grund und Bodens *neu* empor: Eichen, Birken, Kienen in buntem Gemisch, und die Bestände, wie sie jetzt sich präsentieren, sind das Kind jener Schonzeit und Stillstandsepoche, die dem 30 Jahre lang geführten »guerre à outrance« auf dem Fuße folgte.

Er zählt jetzt gerade hundert Jahr, dieser prächtige Wald, der ein Leben für sich führt, ein halbes Dutzend Wasserbecken mit grünem Arm umschließt und über Altes und Neues, über Teeröfen und Forsthäuser, über Glashütten und Fabriken nach wie vor seine Herrschaft übt. In ihn hinein wolle mich jetzt der Leser begleiten.

Es ist noch Platz auf dem Pürschwagen (vorne der Kutscher und der Herr) und ein Kissen und eine Decke harren des neuen Gastes. Die Zeit für die Decke wird kommen, die Zeit für das Kissen aber ist schon da, denn über Stubben und Wurzeln fort geht es bereits weglos und holterdiepolter in den Wald hinein. Die jungen Zweige fegen uns die Augen aus; jetzt Moorgrund, jetzt raschelndes Laub; jetzt über den Graben und jetzt über niedergestürzte Bäume hin, deren schon angefaultes Holz unter dem Drucke der Räder zerbricht und in Moderstaub aufwirbelt. Entzückendes Steeple chase; das Gefühl der Fährlichkeit geht in der Wonne des Hindernisnehmens unter.

So still der Wald, und doch erzählt er auf Schritt und Tritt, freilich mehr Ernstes als Heiteres. Wo der Pascher ein Jahrhundert lang zu Hause war, wo Förster und Wildschütz ihre nicht endende Fehde führen, wo der Sturm die Bäume bricht und die tiefen Waldseen, die sich von uralter Zeit her einen Hang nach Menschenopfern bewahrt haben, ihre Polypenarme phantastisch ausstrecken, da sind immer »Geschichten« zu Haus. Tabellen wären hier anzufertigen mit drei Rubriken nur: erschlagen, erschossen, ertrunken.

Eben haben wir eine Stelle passiert, die solche »Geschichte« hat und noch von neustem Datum dazu. Hier, wo das Unterholz sich durch die Waldrinne zieht, gleich links neben der Weißbuche, da lag er, da fanden sie ihn, den Kopf nach der Tiefe zu, den einen Fuß im Gestrüpp verwickelt und neben ihm die Büchse. Der grüne Aufschlag des einen Ärmels war rot und man sah deutlich, er war mit der Rechten nach der Brust gefahren. Wessen Kugel hatte ihn getroffen? Einen Augenblick schien es, als sei man dem Geheimnis auf der Spur: in Herz oder Lunge des Toten hatte man das Kugelpflaster gefunden und an eben diesem Pflaster acht scharfmarkierte, schwarze Strichelchen, die's dem Kundigen verrieten, daß die Kugel aus einer Büchse mit acht Rillen gekommen war. Und solcher Büchsen gab es am Rande der Menzer Forst hin nicht allzu viele. So wies man denn mit

Fingern auf den und den. Aber die Sache kam zu früh in Kurs, und als an den verdächtigsten Stellen gesucht wurde, waren die achtrilligen Büchsen verschwunden. Ein groß Begräbnis gab es, groß wie die Teilnahme, aber das Geheimnis seines Todes hat der Tote mit ins Grab genommen.

So ging das Geplauder, als plötzlich, zwischen den Stämmen hin, eine weite Wasserfläche sichtbar wurde, darauf hell und blendend fast die späte Nachmittagssonne flimmerte. »Das ist der Stechlin« hieß es. Und im nächsten Augenblicke sprangen wir ab und schritten auf ihn zu.

Da lag er vor uns, der buchtenreiche See, geheimnisvoll, einem Stummen gleich, den es zu sprechen drängt. Aber die ungelöste Zunge weigert ihm den Dienst und was er sagen will, bleibt ungesagt.

Und nun setzten wir uns an den Rand eines Vorsprungs und horchten auf die Stille. Die blieb, wie sie war: kein Boot, kein Vogel; auch kein Gewölk. Nur Grün und Blau und Sonne.

»Wie still er da liegt, der Stechlin« hob unser Führer und Gastfreund an, »aber die Leute hier herum wissen von ihm zu erzählen. Er ist einer von den Vornehmen, die große Beziehungen unterhalten. Als das Lissaboner Erdbeben war, waren hier Strudel und Trichter und stäubende Wasserhosen tanzten zwischen den Ufern hin. Er geht 400 Fuß tief und an mehr als einer Stelle findet das Senkblei keinen Grund. Und Launen hat er und man muß ihn ausstudieren wie eine Frau. Dies kann er leiden und jenes nicht, und mitunter liegt das, was ihm schmeichelt und das, was ihn ärgert, keine Handbreit auseinander. Die Fischer, selbstverständlich, kennen ihn am besten. *Hier* dürfen sie das Netz ziehen und an seiner Oberfläche bleibt alles klar und heiter, aber zehn Schritte weiter will er's nicht haben, aus bloßem Eigensinn, und sein Antlitz runzelt und verdunkelt sich und ein Murren klingt herauf. Dann ist es Zeit ihn zu meiden und das Ufer aufzusuchen. Ist aber ein Waghals im Boot, der's ertrotzen will, so gibts ein Unglück, und der Hahn steigt herauf, rot und zornig, der Hahn, der unten auf dem Grunde des Stechlin sitzt und schlägt den See mit seinen Flügeln, bis er schäumt und wogt, und greift das Boot an und kreischt und kräht, daß es die ganze Menzer Forst durchhallt von Dagow bis Roofen und bis Alt-Globsow hin.«

Die Sonne war mittlerweile tiefer hinabgestiegen und berührte schon die Wipfel des Waldes. Uns eine Mahnung zur Eile. Der Erdwall, auf dem wir gesessen und geplaudert hatten, lag nach Norden hin, aber ehe zehn Minuten um waren, hatten wir die große Biegung gemacht und fuhren wieder an der entgegengesetzten südlichen Seite.

Das Revier, das uns hier aufnahm, war das Revier der *Glashütten,* die wie Squatteransiedlungen am Waldsaume lagen. Hütte neben Hütte; sonst nichts sichtbar als der Rauch, der über die Dächer zog. Nur bei der Globsower Glashütte, die (hart an einer Buchtung des Großen Stechlin gelegen) einen weitverzweigten Handel treibt mit Retorten und Glaskolben, nur *hier* herrschte Leben, am meisten in der schattigen Allee, die, von den Wohn- und Arbeitshütten her, zur Ladestelle hinunterführte. Hier spielten Kinder Krieg und fochten ihre Fehde mit Kastanien aus, die zahlreich in halbaufgeplatzten Schalen unter den Bäumen lagen. Die einen retirierten eben auf den See zu und suchten Deckung hinter den großen Salzsäureballons, die hier dichtgereiht am Ufer des Stechlin hin standen, aber der Feind gab seinen Angriff nicht auf, und die Kastanien fielen hageldicht auf die gläserne Mauer nieder.

Tausend Schritte weiter südwärts, da wo sich ein paar Wege kreuzen und das ansteigende Terrain einen Überblick über eine Lichtung und ein inmitten derselben gelegenes Wasserbecken gestattete, fiel uns eine parkartige, von alten Eichen überragte Einfriedigung auf, an deren Front wir, als wir hielten und abgestiegen waren, die Worte »*Metas Ruh*« lasen und leicht erkannten, daß wir uns hier auf dem Friedhofe der Glashüttenaristokratie dieser Gegenden befinden müßten. Aber »Metas Ruh« (soviel leuchtete kaum weniger ein) konnte nicht wohl die Bezeichnung für diesen Begräbnisplatz überhaupt, sondern nur der Name für jenen seltsamen Bau sein, der sich inmitten dieses Eichenkampes erhob. Hohlwegartig, die Seitenwände gemauert, lief in leiser Schrägung ein absteigender Gang auf eine Gittertüre zu, hinter der wir leidlich bequem in das Dunkel einer rundgewölbten Gruft blicken konnten. Drei, vier Särge waren sichtbar. Über diesen Tatbestand hinaus aber schien unsere Neugier nicht befriedigt werden zu sollen.

Wir hatten uns auch bereits darin ergeben, als ein Alter, den wir von Dagow her des Weges kommen sahen, unsere Hoffnung neu belebte. »*Der* wird es wissen.« Und jetzt war er dicht heran.

Guten Tag, Papa.

»Goden Dag ook.«

Was bedeutet dies »Metas Ruh«? Wer ist Meta?

» Meta wihr sien' ihrste Fru. «

Die Sache schien sich hiernach nicht allzu rasch entwickeln zu sollen, weshalb wir uns setzten und den Alten einluden auch Platz zu nehmen. Er blieb aber stehen und erzählte.

»Meta, as ick Se all seggt hebb', wihr sien ihrste Fru. Un as se nu starven deih, doa wihr he ganz van een und bugte ehr disse Gruft. Awers, as dat so geit, int dritte Joar, doa hädd he wedder ne Fru, un noch dato een', de he sien besten Frünn wegnoamen hädd. Na, he leevde joa so wiet janz goat mit ehr, man blot dat he keen Roh nich hädd un *nich sloapen künn,* un de Lüd' hier herümmer (he wihr dunn in Strelitz) de seggten: ›dat wihr man bloot, wiel sien' *ihrste* Fru nicht richtig begroaben wihr. De Doden, de möten in de Ihrd, seggten se, un nich in so'n Keller.‹

Und wer war es denn? Wie hieß er?

»Dat weet ick nich. Awers *dat* weet ick, dat he eens Dags hier ankoamen un to sien Verwann'n seggen deih: ›Kinnings, wi wüll'n dat Dings nu inriten und hunnert Fuhren Ihrd upschüdden.‹ Awers dat wullen joa nu siene Verwann'n nich. ›Dat kannste nich dohn‹ seggten se ›wi hebben joa nu ook all en poar von uns, mit in. Un denn, wat wühren de Lüd seggen, wenn du dien eegen *Metas Ruh* wedder inriten deist?‹«

Und was wurde? – »Nu se seggte joa vöihrst wieder nix un woahr man bloot noch so veer or fiew Doag hier rümmer; awers as nu sülwigen Harwst wedder een in de Gruft rinn süll, doa wihr joa Metà nich mihr in. Un nu frögten se so lang, bis et rutkäm. Een von de Globsower Glashüttenlüd', de all' Nacht um Klock een up Arbeit güng, de wihr niglig west un hädd öwern Tuhn kuckt, un doa hädd he joa siehn, dat een een' Sark uttrecken un dat Sark inn' Graff insetten deih, dat he all vörher moakt hädd. Und nu seggen's, dat is he west. Ick weet et nich. Awers dat heww ick immer hührt, dat he *von dunn an sloapen künn.*«

Wir dankten dem Alten und weiter ging es in den bereits dunkelnden Forst hinein. Willkommen waren uns jetzt die lichten Stellen, wo gerodet war, oder aber auf graugelben Sandstrecken nichts andres wuchs, als niederes, aus dem Samen windverschlagener Kienäpfel aufgeschossenes Buschwerk. Eine solche Heidestrecke lag eben wieder hinter uns, als wir in die namengebende Metropole dieser Gegenden, in *Groß-Menz,* einfuhren. Es fielen Worte wie Burgwall, Ritter Menz, hohles Gemäuer, unterirdischer Gang, alles verlockendste Klänge also, die mich sechs Stunden früher in den Zirkel dieses Dorfs wie in einen Zauberkreis gebannt haben würden. Aber bei dem schon herrschenden Zwielicht siegten allerlei kritische Bedenken, und statt den Forderungen wissenschaftlicher Neugier nachzugeben, ging es in wachsender Hast über den beinah städtisch angelegten Dorfplatz hinweg und an einer lindenumstandenen Oberförsterei vorüber, in die mit jedem Augenblicke reizloser werdende Landschaft hinein.

Nicht nur Groß-Menz lag hinter uns, auch die Groß-Menzer *Forst.*

Immer kühler wurd' es; wir wickelten uns in unsre Plaids und niemand sprach mehr. Die prustenden Pferde warfen den Schaum nach hinten, und Acker, Sand und Schonung, – immer schattenhafter kamen und schwanden sie. Jetzt ein Steindamm, jetzt lange Pappelreihen, und nun auch jener wärmere Luftstrom, der uns die Nähe menschlicher Wohnungen bedeutete. Noch eine Biegung, zwischen den Bäumen hindurch schimmerte Licht und – unser Wagen hielt.

Eine halbe Stunde später, und der hohe Kamin sah uns im Halbzirkel um seine Flamme versammelt. Die Scheite, echte Kinder der Menzer Forst, brannten hoch auf, auf uns hernieder aber sahen die Ahnen des weitverzweigten Hauses: die Neales, die Oettinger und La Roche-Aymon, und zwischen ihnen das leuchtende Bild des »Saalfelder Prinzen.«

Die Rede ging von alter und neuer Zeit. Märchenhaft verschwamm uns Jüngsterlebtes mit Längstvergangenem und während wir eben noch über den Rheinsberger See hinglitten und das Gekicher schöner Frauen zu hören glaubten, weitete sich plötzlich das stille Wasserbecken und bildete Strudel und Trichter, und der Hahn, der unten auf dem Grunde des Großen Stechlin sitzt, stieg herauf und krähte seinen roten Kamm schüttelnd über den See hin.

Mitternacht war heran, die Scheite verglimmten und nur ein Flackerschein spielte noch um die Bilder. Es war als lächelten sie.

An Rhin und Dosse

Das Wustrauer Luch

Es schien das Abendrot
Auf diese sumpfgewordne Urwaldstätte,
Wo ungestört das Leben mit dem Tod
Jahrtausendlang gekämpfet um die Wette.
Lenau

Der Rhin, dessen Bekanntschaft wir in einem voraufgehenden Kapitel machten, nimmt auf der ersten Hälfte seines Weges seine Richtung von Nord nach Süd, bis er, nach Passierung des großen Ruppiner Sees, beinah plötzlich seinen Lauf ändert, und rechtwinklig weiter fließend, ziemlich genau die Südgrenze der Grafschaft zieht. Auf dieser zweiten Hälfte seines Laufs, Richtung von Ost nach West, gedenken wir ihn in diesem und den nächsten Kapiteln zu begleiten, dabei weniger ihm selbst als seinen Dörfern unsre Aufmerksamkeit schenkend.

Das erste unter diesen Dörfern ist Wustrau, das wir bereits kennen. *Nicht* aber kennen wir das gleichnamige Luch, das der Rhin hier, unmittelbar nach seinem Austritt aus dem See, auf Meilen hin bildet, und diesem »Wustrauer Luch« gilt nunmehr unsre heutige Wandrung.

Wir beginnen sie vom Zentrum des Fehrbelliner Schlachtfeldes, von dem hochgelegenen *Hakenberger Kirchhofe* aus, und steigen, nach einem vorgängigen Überblick über die Torf- und Wiesenlandschaft, an die Rhinufer nieder. Kahnfahrten werden uns aushelfen, wo Wasser und Sumpf jede Fußwanderung zur Unmöglichkeit machen. Unser nächstes Ziel aber ist eine zwischen den Dörfern Wustrau und Langen gelegene »Faktorei«, deren rotes Dach hell in der Sonne blitzt.

*

Es war ein heißer Tag und der blaue Himmel begann bereits kleine grauweiße Wölkchen zu zeigen, die nur verschwanden, um an anderer Stelle wiederzukehren. Auf einem schmalen Damme, der wenig mehr als die Breite einer Wagenspur haben mochte, schritten wir hin. Alles mahnt hier an Torf. Ein feiner, schnupftabakfarbener Staub durchdrang die Luft und selbst die Sträucher, die zwischen den Gräben und Torfpyramiden standen, sahen braun aus, als hätten sie sich gehorsamst in die Farben ihrer Herrschaft gekleidet. Das ganze machte den Eindruck eines plötzlich ans Licht geförderten Bergwerks, und ehe zehn Minuten um waren, sahen wir aus wie die Veteranen einer Knappschaft.

Wir mochten eine halbe Stunde gewandert sein, als wir bei der vorgenannten »Faktorei« mit dem roten Dache ankamen. Ich weiß nicht, ob diese Etablissements, deren wohl zehn oder zwölf im Wustrauer und Linumschen Luche sein mögen, wirklich den Namen »Faktorei« führen oder ob sie sich noch immer mit der alten Bezeichnung *Torfhütte* behelfen müssen. jedenfalls *sind es* Faktoreien, und drückt dieses Wort am besten die Beschaffenheit einer solchen Luchkolonie aus.

Die Faktorei, vor der wir uns jetzt befanden, lag wie auf einer Insel, die durch drei oder vier hier zusammentreffende Kanäle gebildet wurde. Sie bestand aus einem Wohnhaus, aus sich herumgruppierenden Stall- und Wirtschaftsgebäuden und endlich aus einer Reihe von Strohhütten, die sich, etwa 20 an der Zahl, an dem Hauptgraben entlangzogen. Nach flüchtiger Begrüßung des Obermanns schritten wir zunächst diesen *Hütten zu.*

Sie bilden, nebst hundert ähnlichen Behausungen, die sich hier und überall im Luche vorfinden, die temporären Wohnplätze für jene Tausende von Arbeitern, die zur Sommerzeit die Höhendörfer der Umgegend verlassen, um auf etwa vier Monate hin ins Luch hinabzusteigen und dort beim Torfstechen ein hohes Tagelohn zu verdienen. Die Dörfer, aus denen sie kommen, liegen viel zu weit vom Luch entfernt, als daß es den Arbeitern möglich wäre, nach der Müh' und Hitze des Tages auch noch heimzuwandern, und so ist es denn Sitte geworden, zeitweilige Luchhäuser aufzubauen, eigentümliche Sommerwohnungen, in denen die Arbeiter die Torfsaison verbringen.

An diese Wohnungen, soviel deren dieser *einen* Kolonie zugehören, treten wir jetzt heran.

Die Hütten stehen, behufs Lüftung, auf und gestatten uns einen Einblick. Es sind große, vielleicht 30 Fuß lange Strohdächer von verhältnismäßiger Höhe. An der Giebelseite, wo die Dachluke hingehören würde, befindet sich die Eingangstür, und gegenüber, am andern Ende der Hütte, gewahren wir ein offen stehendes Fensterchen. Zwischen Tür und Fensterchen läuft ein schmaler, tennenartiger Gang, der etwa dem gemeinschaftlichen Flur eines Hauses entspricht. An diesen Flur grenzen von jeder Seite her vier Wohnungen, d. h. vier niedrige, kaum einen Fuß hohe Hürden oder Einfriedungen, die mit Stroh bestreut sind und als Schlaf- und Wohnplätze für die Torfarbeiter dienen. Wie viele Personen in solcher Hürde Platz finden, vermag ich nicht bestimmt zu sagen, jedenfalls aber genug, um auch bei Nachtzeit ein Offenstehen von Tür und Fenster als ein dringendes Gebot erscheinen zu lassen. Es war Mittag und wir fanden fünf, sechs Leute vor, die sich ausruhten oder ihr Mittagsmahl verzehrten. Ein Gespräch ergab das Folgende. Die Arbeit ist schwer und ungesund, aber einträglich, besonders für geübte Wochenarbeiter, die mittels ihrer Geschicklichkeit das Akkordquantum überschreiten und ihre Arbeitsüberschüsse bezahlt bekommen. Drei Arbeiter bilden immer eine Einheit, und als das täglich von ihnen zu liefernde Durchschnittsquantum gelten 13 000 Stück Torf. Leisten sie *das,* so haben sie einen mittleren Tagelohn verdient, der aber immer noch beträchtlich über das hinausgeht, was für Feldarbeit in den Dörfern bezahlt zu werden pflegt. Gute Arbeiter indes (immer jene drei als Einheit gerechnet) bringen es bis zu 20 000 Stück, was bei zehn Arbeitsstunden etwa zwei Sekunden für die Gewinnung eines Stückes Torf ergibt. Über diese Produzierung sei noch ein Wort gesagt. Man hat es eine Zeitlang mit Maschinen versucht, ist aber längst zur Handarbeit, als zu dem Rascheren und Einträglicheren zurückgekommen. Das Verfahren ist außerordentlich einfach. Drei Personen und drei verschiedene Instrumente sind nötig: ein Schneideeisen, ein Grabscheit und eine Gabel. Das Schneideeisen ist die Hauptsache. Es gleicht einem Grabscheit, das aber zwei rechtwinklich stehende Flügel hat, so daß man beim Eindrücken desselben drei Schnitte a tempo macht. Die Arbeiter stehen nun an einem langen, glatt und steil abfallenden Torfgraben, und zwar zwei *in* ihm, der dritte *auf* ihm. Dieser dritte drückt von oben her das Schneideisen oder Torfmesser in den Grabenrand ein und schneidet dadurch ein fix und fertiges Torfstück heraus, das nur noch nach unten zu festhaftet. In demselben Augenblick, wo er das Eisen wieder hebt, um es dicht daneben in den Boden zu drücken, sticht einer der im Graben stehenden Leute mit dem Grabscheit das Stück Torf los und präsentiert es, wie ein vom Teller gelöstes Stück Kuchen, dem dritten. Dieser spießt es sofort mit einer großen Gabel auf und legt es beiseite, so daß sich binnen kurzem die bekannte Torfpyramide aufbaut.

Wir schritten nun zu dem eigentlichen *Faktoreigebäude* zurück. Dasselbe teilt sich in zwei Hälften, in ein Büreau und eine Art Bauernwirtschaft. An der Spitze des Comtoirs steht ein Geschäftsführer, ein Vertrauensmann der »Torflords«, der die Wochenlöhne zu zahlen und das Kaufmännische des Betriebes zu leiten hat. Er ist nur ein, Sommergast hier, ebenso wie der Arbeiter, und kehrt, wenn der Herbst kommt, für die Wintermonate nach Linum oder Fehrbellin zurück. Nicht so der Obermann, der Torfmeier, dem das Gehöft gehört. Er ist hier zu Haus, jahraus, jahrein, und nimmt seine Chancen, je nachdem sie fallen, gut oder schlecht. Der Novembersturm deckt ihm vielleicht das Dach ab, der Winter schneit ihn ein, der Frühling bringt ihm Wasser statt Blumen und macht die »Faktorei« zu einer Insel im See, aber was auch kommen mag, der Obermann trägt es in Geduld und freut sich auf den Sommer, wie sich die Kinder auf Weihnachten freuen. Dabei liebt er das Luch. Er spricht von Weizenfeldern, wie wir von Italien sprechen und bewundert sie pflichtschuldigst als etwas Hohes und Großes, aber sein Herz hängt nur am Luch und an der weiten, grünen Ebene, auf der, wie ein Lagerplatz, den die Unterirdischen verlassen haben, der Torf in schwarzen Kegeln steht.

Der Obermann hieß uns zum zweiten Male willkommen und rief jetzt seine Frau, die uns freundlich-verlegen die Hand schüttelte. Beide zeigten jene lederfarbene Magerkeit, die mir schon früher in Sumpfgegenden, namentlich auch bei den Bewohnern des Spreewaldes, aufgefallen war. Die blanke, straffe Haut sah aus, als wäre sie über das Gesicht *gespannt*. Die Frau ging wieder, um in der Küche nach dem Rechten zu sehen, und ließ uns Zeit, das Zimmer zu mustern, in dem wir uns befanden. Es war, wie märkische Bauernstuben zu sein pflegen: zwei Silhouetten von Mann und Frau unter gemeinschaftlichem Glas und Rahmen, zwei preußische

Prinzen daneben und ein roter Husar darunter. Die Katze, mit krummem Rücken, strich an allen vier Tischbeinen vorbei, der flachsköpfige Sohn verbarg seine Verlegenheit hinter dem Kachelofen, und die Wanduhr, auf deren großem Zifferblatt Amor und Psyche vertraulich nebeneinander lehnten, unterbrach einzig und allein die langen Pausen der Unterhaltung. Denn der Obermann war kein Sprecher.

Endlich trat die Magd ein, um den Tisch zu decken. Sie öffnete die kleinen Fenster und zugleich mit der Sonne drangen Hahnenschrei und Gegacker ins Zimmer: war doch der Hühnerhof draußen seit lange daran gewöhnt, ein dankbares Hoch auszubringen, sobald das rote Halstuch der Köchin an Tür oder Fenster sichtbar wurde. Nun kam auch der Flachskopf aus seinem Versteck hervor und stellte Stühle, während eine Flasche Wein aus unserem Reisesack die Vorbereitungen vollendete. Das Mahl selbst war ganz im Charakter des Luchs: erst Perlhuhneier, dann wilde Enten und schließlich ein Kuchen aus Heidemehl, dessen Buchweizen auf einer Sandstelle des Luches gewachsen war. Wir ließen den Obermann leben und wünschten ihm guten Torf und gute Kinder. Aber kein Glück ist vollkommen: als wir um ein Glas Wasser baten, brachte man uns ein Glas Milch; das Luch steckt zu tief im Wasser, um Trinkwasser haben zu können.

Bald nach Tisch nahmen wir Abschied und stiegen in ein bereitliegendes Boot, um nunmehr unsere Wasserreise durch das Herz des Luches hin anzutreten. Der Himmel, der bis dahin zwischen schwarz und blau gekämpft hatte, wie einer der schwankt ob er lachen oder weinen soll, hatte sich mittlerweile völlig umdunkelt und versprach unserer *Wasserfahrt* einen allgemeineren und strikteren Charakter zu geben, als uns lieb sein konnte. Dennoch verbot sich ein Abwarten, und unter Hut- und Mützenschwenken ging es hinaus. Es war eine *Vorspannreise*, kein Ruderschlag fiel ins Wasser, keine Bootsmannskunst wurde geübt, Ruderer und Steuermann waren durch einen graukittligen, hochstifligen Torfarbeiter vertreten, der ein Riemenzeug um den Leib trug und mittels eines am Mast befestigten Strickes uns rasch und sicher die Wasserstraße hinaufzog. Gemeinhin war er links von uns und trabte den grasbewachsenen, niedrigen Damm entlang, immer aber wenn wir in einen nach rechts hin abzweigenden Graben einbiegen mußten, ließ er das Boot links auflaufen, sprang hinein, setzte sich als sein eigener Fährmann über und trat dann am andern Ufer die Weiterreise an. Eine andere Unterbrechung machten die Brücken. Dieselben sind sehr zahlreich im Luch, wie sich's bei 71 Meilen Kanalverbindung annehmen läßt, und dabei von einfachster aber zweckentsprechendster Konstruktion. Ein dicker mächtiger Baumstamm unterhält die Verbindung zwischen den Ufern und würde wirklich, ohne weitere Zutat, die ganze Überbrückung ausmachen, wenn nicht die vielen mit Mast und Segel herankommenden Torfkähne es nötig machten, den im Wege liegenden Brückenbalken unter Umständen auch ohne sonderliche Mühe beseitigen zu können. Zu diesem Behufe ruhen die Balken auf einer Art Drehscheibe, und die Kraft zweier Hände reicht völlig aus, den Brückenbaum nach rechts oder links hin aus dem Wege zu schaffen.

Die zahllosen Wasserarme, die das Grün durchschneiden, geben der Landschaft viel von dem Charakter des Spreewalds und erinnern uns mehr denn einmal an das Kanalnetz, das die fruchtbaren Landstriche zwischen Lehde und Leipe durchzieht. Aber bei aller Ähnlichkeit unterscheiden sich beide Sumpfgegenden doch auch wieder. Der Spreewald ist bunter, reicher, schöner. In seiner Grundanlage dem Luch allerdings nahe verwandt, hat das *Leben* doch überall Besitz von ihm genommen und heitere Bilder in seinen einfach grünen Teppich eingewoben. Dörfer tauchten auf, allerlei Blumen ranken sich um Haus und Hütte, hundert Kähne gleiten den Fluß entlang, und weidende Herden und singende Menschen unterbrechen die Stille, die auf der Landschaft liegt. Nicht so im Luch. Der einfach grüne Grund des Teppichs ist noch ganz er selbst geblieben, das Leben geht nur zu Gast hier, und der Mensch, ein paar Torfhütten und ihre Bewohner abgerechnet, stieg in eben diesen Moorgrund nur hinab, um ihn auszunutzen, nicht um auf ihm zu leben. Einsamkeit ist der Charakter des Luchs. Nur vom Horizont her, fast wie Wolkengebilde, blicken die Höhendörfer in die grüne Öde hinein, Gräben, Gras und Torf dehnen sich endlos, und nichts Lebendes wird hörbar, als die Pelotons der von rechts und links her ins Wasser springenden Frösche oder das Kreischen der wilden Gänse, die über das Luch hinziehen. Von Zeit zu Zeit sperrt ein Torfkahn den Weg und weicht endlich mürrisch zur Seite. Kein Schiffer wird dabei sichtbar, eine rätselhafte Hand lenkt das Steuer, und wir fahren mit stillem Grauen an dem häßlichen alten Schuppentier vorüber als wär' es ein Ichthyosaurus, ein alter Beherrscher dieses Luchs, der sich noch besönne, ob er der neuen Zeit und dem Menschen das Feld räumen solle oder nicht.

So hatten wir etwa die Mitte dieser Torfterritorien erreicht, und die nach Süden zu gelegenen Kirchtürme waren uns aus dem Gesicht entschwunden, während die nördlichen noch auf sich warten ließen. Da brach das Gewitter los, das seit drei Stunden um das Luch herum seine Kreise gezogen und geschwankt hatte, ob es auf der Höhe bleiben oder in die Niederungen hinabsteigen sollte. Diese Luchgewitter erfreuen sich eines allerbesten Rufs; wenn sie kommen, kommen sie gut und ein solches Wetter entlud sich jetzt über uns. Kein Haus, kein Baum in Näh' oder Ferne; so war es denn das Beste, die Reise fortzusetzen, als läge Sonnenschein rings um uns her. Der Regen fiel in Strömen, unser eingeschirrter Torfarbeiter tat sein Bestes und trabte gegen Wind und Wetter an. Der Boden ward immer glitschiger und mehr denn einmal sank er in die Knie; aber rasch war er wieder auf und unverdrossen ging es weiter. Wir saßen derweilen schweigsam da, bemaßen das Wasser im Boot, das von Minute zu Minute stieg, und blickten nicht ohne Neid auf den vor uns hertrabenden Graukittel, der, in der Lust des Kampfs, Gefahr und Not einigermaßen vergessen konnte, während *wir* in der Lage von Reservetruppen waren, die Gewehr bei Fuß stehen müssen, während die Kugeln von allen Seiten her einschlagen. Jeder hat solche Situationen durchgemacht und kennt die fast gemütliche Resignation, die schließlich über einen kommt. Mit dem Momente, wo man die letzte trockne Stelle naß werden fühlt, fühlt man auch, daß der Himmel seinen letzten Pfeil verschossen hat und daß es nur besser werden kann, nicht schlimmer. Lächelnd saßen wir jetzt da, nichts vor uns als den grau-grünen, mit Regen und Horizont in eins verschwimmenden Luchstreifen, und sahen auf den Tropfentanz um uns her, als stünden wir am Fenster und freuten uns der Wasserblasen auf einem Teich oder Tümpel.

Endlich aber hielten wir. Wir hatten den ersehnten Nordrand erreicht, und die Sonne, die, sich durchkämpfend, eben ihren Friedensbogen über das Luch warf, vergoldete den Turm des Dorfes *Langen vor* uns und zeigte uns den Weg. In wenigen Minuten hatten wir das Wirtshaus erreicht, bestellten, in fast beschwörendem Ton, »einen allerbesten Kaffee« und baten um die Erlaubnis, am Feuer Platz nehmen und unsere Garderobe stückweise trocknen zu dürfen. Und wirklich traten wir gleich danach in die große Küche mit Herd und dem Hängekessel ein. Der Rauchfang war mit allerlei kupfernem Geschirr, die roten Wände mit Fliegen bedeckt, und die jetzt brennend über dem Hause stehende Sonne drückte von Zeit zu Zeit den Rauch in die Küche hinab. Eine braune, weitbäuchige Kanne paradierte bereits auf dem Herd, und eine behäbige Alte, die (eine große Kaffeemühle zwischen den Knien) bis dahin mit wunderbarem Ernste die Kurbel gedreht hatte, stand jetzt von ihrem Schemel auf, um das braune Pulver in den Trichter zu schütten. Ebenso war die Magd mit dem Hängekessel zur Hand, und im nächsten Augenblicke zischte das Wasser und trieb die Schaumblasen hoch über den Rand. Wir aber standen umher und sogen begierig den aromatischen Duft ein. Alles Frösteln war vorüber, und die Tasse mitsamt dem Herdfeuer vor uns, auf einem alten Binsenstuhl uns wiegend, plauderten wir vom *Luch, als* wären wir über den Kansaß-River oder eine Prairie »far in the West« gefahren.

Walchow

Ach, ich kenne dich noch, als hätt' ich dich gestern verlassen,
Kenne das hangende Pfarrhaus noch, das Gärtchen, die Laube
Schräg mit Latten benagelt.

Schmidt von Werneuchen

Man sieht sich leicht an Wald und Feldern satt,
Wie anders tragen uns die Geistesfreuden
Von Buch zu Buch, von Blatt zu Blatt.

Faust

Von *Langen,* das wir nach einer Fahrt durchs Wustrausche Luch am Schluß unsres vorigen Kapitels glücklich erreichten, ist nur noch eine Viertelmeile bis *Walchow.*

Walchow ist Mittelpunkt des Rhinluches. In den Zeiten, die der Reformation vorausgingen und ihr unmittelbar folgten, war es ein adliges Gut, das den Wuthenows und Zietens gehörte. So bis 1638, wo die Kaiserlichen unter Gallas dieses Dorf, wie so viele andere des Ruppinschen Landes, in einen Aschenhaufen verwandelten. Nach dem Kriege verkauften die genannten beiden Familien ihre Anteile, die nun zunächst 1680 mit holländischen, 1699 mit pfälzischen Kolonisten besetzt wurden. Ein Jahrhundert später begann das Prosperieren. Jetzt ist Walchow reich oder doch wohlhabend.

Einen Beweis für ländliche Wohlhabenheit bietet der Kirchhof, und zwar in der Regel mehr als die Erscheinung der *Dörfer selbst.* Die neue Scheune kann gebaut worden sein, weil es nötig war, oder die alte niederbrannte, das Kirchhofsdenkmal aber ist, recht eigentlich ein Gegenstand des Luxus. Die Menschen müssen *sehr* pietätvoll, *sehr* eitel, oder aber *sehr* wohlhabend sein, wenn sie mit dem geliebten Toten einen Teil ihres Besitzes teilen sollen. In Walchow hat der Dorfschulze seinem fünfzehnjährigen Sohne ein Monument errichtet, wie's dem Begräbnisplatz eines adeligen Hauses zur Zierde gereichen würde. In Front einer Tempelfaçade (der Giebel von dorischen Säulen getragen) steht auf hohem Postament ein Engel des Friedens; Zypressen und Blumenbeete ringsum. An der Wand des Tempels aber erblicken wir eine Bronzetafel mit folgender Inschrift:

»Hier ruhet in Gott
Erdmann Friedrich *Hölsche,*
Das letzte Kind seiner tief gebeugten Eltern.

Die Sorge für Dich war die frohe Arbeit unserer Tage. Die Freude an Dir unser gemeinsames Glück, und unsere Hoffnung sah in Dir des nahenden Alters Stütze. Du liebes Kind, nun gründen wir Deiner Asche diese Wohnung. Mögest Du sanft darinnen ruhn, mögen auch wir Trost empfangen an dieser Stätte und den Frieden auf Erden. «

Die eigentliche Sehenswürdigkeit Walchows ist aber doch seine Pfarre. Hier wohnt Superintendent Kirchner, ein Sechziger, rüstig im Leben, im Amt und in der Wissenschaft. Fest und freundlich, gekleidet in den langen Rock des lutherischen Geistlichen, das angegraute Haar gescheitelt und in zwei Wellen über die Schläfe fallend, erinnerte mich sein Auftreten an das jener dänischen Pfarrherren, deren mir, während des vierundsechziger Krieges, so viele, von der Koldinger Bucht an bis hinauf an den Limfjord, bekannt geworden waren. »Wie Grundvig« war der erste Eindruck, den ich empfing, und dieser Eindruck blieb auch. In der Tat, eine frappante Ähnlichkeit zwischen dem nordischen und dem märkischen Manne: Strenggläubigkeit, nationale Begeisterung, Einkehr bei der Urzeit des eigenen Volkes, Hang das Dunkel zu lichten, Vorliebe für Hypothesen und zuletzt Identifizierung damit. Grundvig dabei mehr die *Sagen*überbleibsel einfangend die wie Sommerfäden von Heide zu Heide ziehen, Kirchner die Heide selbst durchforschend bis sie Gräber und Urnen und in beiden ihre Geheimnisse herausgibt; der eine *Dichter*, der andere *Archäolog*; jener im Studium alter Lieder aus der geistigen Welt eine sachliche, dieser im Studium alter Waffen, Münzen etc. aus der sachlichen Welt eine geistige konstruierend. Und wirklich, Superintendent Kirchner ist nicht bloß ein Sammler nach Art so vieler seiner Amtsbrüder, die nur im Vorhofe der Wissenschaft, speziell der Altertumskunde wohnen; er gelangt viel mehr zu *Schlüssen* aus dem Gesammelten, und *hier* liegt der Unterschied zwischen Wissenschaftlichkeit und Liebhaberei. Die Mappen, die Schubfächer, die Glaskästen sind ihm nicht Zweck, sondern nur Mittel zum Zweck, und der historische Sinn (samt jenem Bedürfnis zu *Resultaten* zu kommen) erwies sich siegreich in ihm über die bloße Kuriositätenkrämerei. Denn auch die schönste bronzene Streitaxt, die zierlichste Feuersteinlanzenspitze, sie haben nur Anekdotenwert, wenn sie nicht den Wunsch anregen, den Charakter und das Wesen einer Epoche daraus kennenzulernen. Ob richtig, ist zunächst gleichgiltig. Der Weg zur Wahrheit ist mit Irrtümern gepflastert.

Ein Studierzimmer von mäßiger Ausdehnung, in das wir jetzt eingetreten, ist, wie Bibliothek, so auch Naturaliencabinet und Museum für nordische Altertümer. Es wurde mir vergönnt, in den Schätzen dieser nicht zahlreichen aber sehr ausgezeichneten Kollektion eine Stunde lang schwelgen zu können, wobei sich mir der alte Satz bewahrheitete, daß Anfänger und Laien in *kleinen* Sammlungen am meisten zu lernen imstande sind. Museumsmassenschätze staunt man an und geht mit dem trostlosen Gefühl daran vorüber »dieser 10 000 Dinge doch niemals Herr werden zu können«; wo hingegen nur hundert Dinge zu uns sprechen, lächelt uns von Anfang an die Möglichkeit eines Sieges. Und dieser Sieg wird uns *sicher,* wenn ein Kundiger abermals auszuscheiden und den verbleibenden Rest durch begleitende kleine Vorträge mehr und mehr zu veranschaulichen versteht. Es heißt dann immer aufs neue: »Du wirst dabei in einer Stunde mehr gewinnen, als in des Jahres Einerlei.« Und still dankbar klangen in meinem Herzen diese Worte nach.

Unter den Schätzen, die mir gezeigt wurden, waren folgende: 1. ein Tierkopf von Bronze (wahrscheinlich Ornament an dem Wagen eines Opferpriesters); 2. ein Sandalensporn von Bronze, gefunden bei Frankfurt a. O.; 3. ein goldener Fingerring, blank, gefunden in der Priegnitz; 4. ein goldener Halsring, blank, fünf Zoll im Lichten, gefunden bei Walchow auf einer Torfwiese des vorgenannten Schulzen Hölsche (seltenes Exemplar; Goldwert 42 Taler; leider bald nach dem Funde von einem »Untersucher« zerbrochen); 5. ein römischer Dukaten aus dem fünften Jahrhundert mit dem Bilde des Kaisers Zeno, im Sande der Uckermark gefunden; 6. eine Spindel von Bein; sie lag neben einem sieben Fuß langen Gerippe zwischen drei Eichenbohlen. *(Spinnwörtel* findet man oft, Spindeln selbst aber sehr selten.) Neben diesen Prachtstücken interessierte mich noch eine nicht geringe Zahl von Armringen, Broschen, Kelten, Paalstäben etc., die zwar in sich selbst keinen außergewöhnlichen Wert darstellten, diesen Mangel aber durch das Interesse, das der Fundort einflößte, mehr als ausglichen. Alle diese Gegenstände nämlich, einige vierzig, waren bei Templin in einem ausgetrockneten Wasserloche, elf Fuß tief, und zwar unter fünf horizontal liegenden Eichen, gefunden worden. Einerseits die verhältnismäßig große Zahl, andererseits der Umstand, daß sie bunt durcheinander gewürfelt an einer und derselben Stelle lagen, gibt ein Rätsel auf. Von einem Begräbnisplatze kann keine Rede sein. Superintendent Kirchner nimmt an, es sei hier ein römischer Händler mit seinem Karren voll Bronzeschmuck verunglückt.

Diese Hypothese führt mich auf die schriftstellerische Tätigkeit Kirchners. Sie geht in erster Reihe nach der märkischhistorischen Seite hin, und hat in der Familiengeschichte der Arnims, sowie namentlich auch in dem großen vierbändigen Werke: »Die Kurfürstinnen und Königinnen von Brandenburg und Preußen« allgemein Anerkanntes geleistet. Was an *dieser* Stelle jedoch und zwar weit über jene historischen Arbeiten hinaus, Erwähnung verdient – Erwähnung *deshalb,* weil es vielleicht bestimmt ist dermaleinst epochemachend aufzutreten – das ist Kirchners vor etwa zwanzig Jahren erschienenes Buch: »*Thors Donnerkeil* und die steinernen Opfergeräte des nordgermanischen Heidentums.« Der Titel fügt hinzu: »zur Rechtfertigung der Volksüberlieferung gegen neuere Ansichten. «

Kirchner geht in diesem seinem Buche davon aus, daß die berühmte, zuerst von Nilsson in Stockholm aufgestellte, demnächst aber nicht bloß in Skandinavien sondern in der gesamten wissenschaftlichen Welt akzeptierte Drei-Zeitalter-Einteilung (Stein-, Bronze- und Eisenepoche) das mindeste zu sagen sehr anfechtbar sei. Worin er mit Ledebur übereinstimmt, der ebenfalls ausgesprochen hat »daß das häufige Vorkommen von Steingerätschaften in gleichzeitig auch mit bronzenen und eisernen Gerätschaften ausgestatteten Gräbern unverkennbar auf die Mißlichkeit dieser Drei-Zeitalter-Einteilung hindeute.« Kirchner sucht in weiterem nachzuweisen, daß der Gebrauch der Steinwerkzeuge, nachdem diese durch Bronze und Eisen längst abgelöst gewesen seien, im germanischen *Kultus* noch lange fortbestanden habe »etwa wie jetzt der Akt der Beschneidung seitens der Juden immer noch mit einem Steinmesser vollzogen werde«. Dieser Vergleich ist geistvoll und dient seinem Zwecke vorzüglich. Wie weit er zugleich das Richtige trifft, entzieht sich meinem Urteile, denn es würde gewagt sein in dieser überaus schwierigen Frage vom Laienstandpunkt aus Partei nehmen zu wollen. Nur ein unbestimmtes Gefühl, das ich schon vor Jahren bei meinem ersten Besuche des nordischen Museums in Kopenhagen hatte, mag auch heute wieder seinen Ausdruck finden. Es richtete sich ebenfalls gegen das vorerwähnte Dreiteilungsprinzip. Ich sagte mir: alle diese kostbaren und kunstgerechten Bronzegegenstände können doch unmöglich als die Hervorbringungen eines barbarischen, in Künsten unerfahrenen Volkes angesehen werden, müssen vielmehr von den Küsten des Mittelmeeres oder von Gallien oder aber von den angrenzenden römischen Kolonien her, in die germanischen Länder importiert worden sein. Ist dem aber so, sind es *wirklich* Importartikel, stehen sie mithin zu dem Kulturleben des sich ihrer bedienenden Volkes in keiner andern als einer rein äußerlichen und zufälligen Beziehung, so können sie kein eigentliches Einteilungsmotiv bilden und lassen es unstatthaft erscheinen, auf *sie* hin von einem Bronzezeitalter zu sprechen, dem ein Steinzeitalter vorausging und ein Eisenzeitalter folgte. Solche Rubrizierungen haben nur *dann* einen Sinn, wenn die Dinge, nach denen die Wissenschaft ihren Scheidungsprozeß veranstaltet, auf dem betreffenden Boden auch wirklich ge*wachsen* und Ausdruck eines bestimmten höheren oder niederen Kulturgrades sind.

Und so wie damals, steh' ich auch *heute* noch zu dieser Frage, weil ich nach wie vor (wie auch Kirchner) alle diese kunstvolleren Gold- und Bronzegegenstände als Importartikel ansehe.* Hat aber umgekehrt die skandinavische Forschung recht, die diese Bronzen als reguläre Schöpfungen der damaligen germanischen Kultur anzusehen scheint, so würde

---

* *Kirchner* hebt auf S. 30 seines obengenannten Buches hervor, daß ein Teil dieser Bronzen sehr wahrscheinlich von Künstlern und Handwerksmeistern herrühre, die, ursprünglich griechisch oder römisch, sich in Deutschland niedergelassen hatten. Dies hat viel für sich. Dergleichen geschah zu allen Zeiten, in alten und neuen. Anfang des vorigen Jahrhunderts kam Antoine Pesne von Paris nach Potsdam und begann die Schlösser mit ausgezeichneten Bildern zu füllen. Nichtsdestoweniger würd' es grundfalsch sein, den Kunst und Kulturgrad des damaligen Preußens nach Pesne bemessen zu wollen. Alles was er schuf, war, trotz der leiblichen Anwesenheit des Meisters in unsrem Lande, doch immer nur eine *importierte* Kunst. Unserer wirklichen Kunststufe entsprach damals Leygrebe, der Riesengrenadiere und Jagdhunde malte.

sich danach das Dreiteilungsprinzip als allerdings in größerem oder geringerem Maße gerechtfertigt herausstellen, aber doch zugleich auch bewiesen sein, daß wir uns das Sueven- und Semnonentum des dritten bis fünften Jahrhunderts abweichend von den Schilderungen des Tacitus und unseren darauf erwachsenen Anschauungen vorzustellen hätten. Die Germanen würden danach allermindestens ein Halbkulturvolk und in ihrer späteren Epoche mit einem künstlerischen Können ausgerüstet gewesen sein, das auch *heute* noch von Durchschnittsleistungen unseres deutschen Kunsthandwerkes *nicht* überflügelt wird.

Das letzte Schubfach war zugeschoben, die Brakteaten und römischen Münzen hatten wieder Ruh' und das Familienzimmer nahm uns auf zu Mahl und Geplauder. Über nah und fern ging es hin, in immer munterer werdender Rede, denn ich befand mich in einem »gereisten Hause« darin nun die gemeinschaftlichen Erinnerungen an Skandinavien und Schottland, an die Belte, den Sund und den Caledonischen Canal frisch aufblühten. Das Boot glitt weiter über den Loch Lomond hin, Abbotsford und Melrose-Abbey stiegen wieder vor uns auf und im Gleichtakt zitierten wir aus Scotts herrlicher Dichtung: »If thou wouldst view fair Melrose aright« etc.

Meine von Jugend auf gehegte Vorliebe für diese stillen, geisblattumrankten Pfarrhäuser, deren Giebel auf den Kirchhof sieht, – ich fühlte sie wieder lebendig werden und empfand deutlicher als je zuvor die *geistige* Bedeutung dieser Stätten. In der Tat, das Pfarrhaus ist nach *dieser* Seite hin dem Herrenhause weit überlegen, dessen Ansehen hinschwindet, seitdem der alten Familien immer weniger und der zu »Gutsbesitzer« emporsteigenden ländlichen und städtischen Parvenus immer mehr werden. Und noch ein anderes kommt hinzu. Der Adel, so weit er ums Dasein ringt, vermag kein Beispiel mehr zugeben oder wenigstens kein gutes, soweit er aber im Vollbesitz seines alten Könnens verblieben ist, entzieht er sich zu sehr erheblichem Teile der Dorfschaft und tritt aus dem engeren Zirkel in den weiter gezogenen des staatlichen Lebens ein.

Das Pfarrhaus aber bleibt *daheim,* wartet seines Gartens und okuliert den Kulturzweig auf den immer noch wilden Stamm.

Daß ich hier ein *Ideal* schildere, weiß ich. Aber es verwirklicht sich jezuweilen und an vielen hundert Stellen wird ihm wenigstens nachgestrebt.

Protzen

Im Westen schwimmt ein falber Strich,
Der Abendstern entzündet sich,
Schwer haucht der Dunst vom nahen Moore;
Schlaftrunkne Schwäne streifen sacht
An Wasserbinsen und am Rohre.

*

» So hab' ich dieses Schloß erbaut,
Ihm mein Erworb'nes anvertraut,
Zu der Geschlechter Nutz und Walten;
Ein neuer Stamm sprießt aus dem alten,
Gott segne ihn, Gott mach' ihn groß. «

Annette Droste-Hülshoff

Westlich, in unmittelbarer Nähe von Walchow, liegt Protzen ein wohlha-
bendes Luch- und Torfdorf wie jenes. Es war immer, soweit die Nachrichten reichen, ein adliges Gut. Im vierzehnten und fünfzehnten und auch
noch zu Beginn des sechzehnten Jahrhunderts saß hier eine Familie, die
sich einfach nach ihrem Wohnsitz nannte, also eine Familie v. *Protzen.*
Eine der drei Kirchenglocken (die größte) geht bis in jene Zeit zurück. Sie
rührt noch aus der Zeit Albrecht Achills her und trägt die Inschrift: Jhesu
Criste rex gloriae veni cum pace samt der Jahreszahl 1476. Hat also schon
zur katholischen Zeit die Gemeinde zur Kirche gerufen.

Den Protzens folgten um etwa 1522 die *Gadows,* die das Dorf 130 Jahre
lang, von den ersten Tagen der Reformation an bis zum Schluß des
Dreißigjährigen Krieges, in ihrem Besitz hatten. Auch aus diesem Abschnitt existieren keine Überlieferungen. Aber wie von den Protzens her
die älteste Glocke, so datiert von den Gadows her der älteste *Abend-*
mahlskelch der Kirche. Er ist vergoldet, von schöner Form, und zeigt,
außer den drei Fischen des Gadowschen Wappens, die Jahreszahl 1584.
In der Mitte, um den Handgriff herum, stehen einzeln die Buchstaben
J-E-S-U-S.

Die Familie Quast in Protzen (1652-1752)

Um 1652 waren die Gadows, wahrscheinlich infolge des Kriegselends,
derart verschuldet, daß sie Protzen nicht mehr halten konnten. Sie verkauften es um die genannte Zeit an ihren Gutsnachbar Otto v. *Quast,* der
nach diesem Kaufe sein väterliches Gut *Garz* aufgab und nach Protzen
hinüberzog.

Der Grund zu diesem Gutsankaufe seitens der Quaste lag in einem starken Familiengefühl. *Albrecht Christoph v. Quast,* von dem das folgende
Kapitel ausführlicher handeln wird, hatte, wie so viele von denen die »lie-

ber Hammer als Amboß« sein wollten, im Laufe des Dreißigjährigen Krieges ein Vermögen erworben und gedachte dasselbe zu Güterkäufen in *Mähren* zu verwenden. Seine von alter Zeit her im Ruppinschen ansässige Familie wünschte jedoch den einflußreichen Mann, der um 1652 der berühmteste Träger ihres Namens war, im Lande zu behalten, und so wurde *Garz,* das älteste Quastsche Familiengut, seitens seines Vetters Otto an den Generalfeldwachtmeister und Eroberer der Insel Fühnen *Albrecht Christoph v. Q.* abgetreten. *Otto* v. Quast aber kaufte nunmehr, wie schon hervorgehoben, anstelle des alten Familiengutes das nahegelegene Protzen und freute sich der Sonne, die von Garz aus herüberschien.

Die Quaste verblieben von jener Zeit an durch vier Generationen im Besitze von Protzen.

1682 mußte der alte Turm abgetragen und ein neuer errichtet werden. Der damalige Besitzer von Protzen war Alexander Ludolf, ältester Sohn des vorerwähnten *Otto* v. Quast. Er unterzog sich der Renovierung und ließ gleichzeitig ein Schriftstück anfertigen, das in dem Turmknopf aufbewahrt wurde. Dieser Turmknopf saß hundertelf Jahre lang unter Wind und Wetter fest, und was die Welt bis zu jenem Zeitpunkt über Protzen und die hundertjährige Herrschaft der Protzener Quaste wußte, war gleich Null. Da kam 1793 ein Sturm, warf den Turmknopf in die Dorfstraße hinunter und brachte dadurch das urkundliche Schriftstück von 1682 ans Licht. Es umfaßte nur vier Seiten, gab aber über die früheren Besitzverhältnisse des Dorfes genügendes Material an die Hand. Auch anderweitige Notizen waren mit eingeflochten. So hieß es beispielsweise über den *Turmbau:* »Weil die Mauer an einer Ecke bis auf die Turmtür von Grund aus zerfallen war, ließen wir Michael Dietzel aus Schleiz im Voigtlande kommen; den Turmbau selbst aber übertrugen wir einem berühmten Zimmermann und Turmbauer, dem Meister Hans Kraatzen aus Seegefeld bei Spandau, einem Untertanen des Herrn v. Ribbeck.« Dann an anderer Stelle: »Als die oberste Fahnschwelle aufgebracht werden sollte, wurde der sechzig Jahr alte Kirchenvorsteher Balzer Schleuß, ein frommer, ehrlicher Mann, aus einer ›unglücklichen Unvorsichtigkeit‹ erschlagen, welcher indes »da er ein Unglück bei diesem Turmrichten befürchtet und sich den Tag zuvor mit Gott versöhnet und das hochwürdige Abendmahl andächtig genossen hatte, *ohne Zweifel* wohlselig gestorben ist.«

Alexander Ludolf, der auch Güter an der Ostseite des Ruppinschen Sees in seinen Besitz brachte, ist der Gründer der noch blühenden Radenslebener Linie. Sein schönes Portrait, gute niederländische Schule, befindet sich im Herrenhause zu Radensleben. Er war zweimal verheiratet, erst mit einer v. Katte, dann mit einer v. Grävenitz, und hatte zehn Kinder aus diesen beiden Ehen. Er scheint damals durch Besitz, Charakter und Familienverbindungen eine der angesehensten Persönlichkeiten der Grafschaft und der Churmark überhaupt gewesen zu sein. Das Ansehen, das der Generalfeldwachtmeister *Albrecht Christoph* v. Quast unmittelbar vor ihm genoß, ging wenigstens partiell auf ihn über.

Die Familie Kleist in Protzen (1752-1826)

Im Jahre 1752 ging Protzen (das damals einem erst wenige Jahre zuvor in den Besitz des Guts gekommenen Albrecht Friedrich v. Quast gehörig war) in die Hände des Generallieutenants v. Kleist über. Die Kleiste besaßen es dann vierundsiebzig Jahre, wovon ein erheblicher Teil, mindestens einundzwanzig, auf zwei Witwenherrschaften fällt. Lassen wir diese Übergangszeiten außer Betracht, oder richtiger legen wir das jedesmalige Witweninterregnum dem voraufgegangenen eigentlichen Herrscher zu, so folgen sich nachstehende drei Kleiste im Besitze von Protzen: Generallieutenant *Franz Ulrich* v. Kleist, einschließlich Witwenherrschaft von 1752-1770; Fähnrich *Gustav* v. Kleist, einschließlich Witwenherrschaft von 1770-1803; *Louis* v. Kleist, später Generallieutenant, von 1803-1826.

Protzen von 1752-1770

Generallieutenant v. Kleist, so scheint es, begann damit, Park und Herrenhaus standesgemäß herzurichten. Letzteres zeigt über der Eingangstür noch das Doppelwappen der Kleist und Lepel, welcher letztern Familie die Gemahlin des Generallieutenants angehörte. Die Anwesenheit des Generals auf seinem Gute war aber immer nur eine kurze; der Dienst hielt ihn fern. Welche Truppen er kommandierte, ist aus den Aufzeichnungen, die ich benutzen konnte, nicht ersichtlich. 1756 rückte er mit in Sachsen und Böhmen ein und erlag am 13. Januar 1757 seinen in der Schlacht bei Lowositz erhaltenen Wunden. Das Protzener Kirchenbuch schreibt Logoschütz. Aber selbstverständlich kann nur Lowositz gemeint sein.

Nun begann die Herrschaft der verwitweten Frau Generalin. In die Zeit ihrer Regentschaft, also bevor der minorenne Sohn eintrat, fällt das große Ereignis Protzens während des vorigen Jahrhunderts: der Tod eines preußischen Prinzen im dortigen Herrenhause.

Über diesen Tod berichtet der alte Pastor Schinkel im Protzener Kirchenbuche wie folgt: »den 16. Mai 1767 traf S. K. H. Prinz Friedrich *Heinrich* Karl von Preußen auf dem Marsche von Kyritz nach Berlin mit seinem Regimente hier ein. Er nahm bei unserer Frau Generallieutenant v. Kleist Quartier, in der Hoffnung, nach hier zugebrachter Nacht, am anderen Morgen weiterzurücken. Es zeigten sich jedoch die Pocken, so daß S. K. H. sich genötigt sahen hier zu bleiben. Geschickte Doctorens* wandten alle Mittel an, diesen teuren und liebenswürdigen Prinzen zu retten, Gott verhängte es aber anders, so daß, nachdem die weißen Frieseln dazu

---

* Die »Doctors« die hier tätig waren, waren drei an der Zahl: zunächst Dr. Feldmann aus Ruppin, dann Cothenius, der Leibarzt des Königs, schließlich Geh. Rat Dr. Mutzel aus Berlin.

schlugen, dieser allerliebste Prinz den 26. Mai acht Uhr abends seinen Geist aufgeben mußte. Ein trauriges Andenken, so die späten Zeiten nicht vergessen werden. Den 28. Mai elf Uhr abends wurde die hohe Leiche durch Offiziere unter Leuchtung vieler Lichter in das hiesige Gewölbe gesetzt und am 7. Juni, als am ersten Pfingsttage, von hier aus nach Berlin gebracht. Dieser hochselige Prinz war am 30. November 1747 geboren, also kaum neunzehn Jahre fünf Monate alt geworden.«

Ich lasse dieser schlichten Kirchenbuchaufzeichnung noch einige Notizen folgen.

Prinz *Heinrich,* damals gemeinhin – zum Unterschiede von seinem berühmten Oheim in Rheinsberg – der *junge* Prinz, Heinrich genannt, war der Sohn des 1758 zu Oranienburg verstorbenen Prinzen August Wilhelm von Preußen. Er war also Neffe Friedrichs des Großen, wie zugleich jüngerer Bruder des späteren Königs Friedrich Wilhelms II. Friedrich der Große bezeigte ihm von dem Augenblick an, wo die Kriegsaffairen hinter ihm lagen, ein ganz besonderes Wohlwollen. Dies war ebensosehr in den allgemeinen Verhältnissen, wie in den Eigenschaften des jungen Prinzen begründet. Dieser erschien von ungewöhnlicher Beanlagung, war klug, voll noblen Denkens und hohen Strebens, dabei gütig und von reinem Wandel; was indessen den König in all' seinen Beziehungen zu diesem Prinzen eine ganz ungewöhnliche Herzlichkeit zeigen ließ, war wohl der Umstand, daß er sich dem verstorbenen Vater des Prinzen gegenüber, dem er viel Herzeleid gemacht hatte, bis zu einem gewissen Grade verschuldet fühlte, eine Schuld, die er abtragen wollte, und an den *ältern* Bruder (den spätern König F. W. II.) der ihm aus verschiedenen Gründen nicht recht zusagte, nicht abtragen *konnte.*

Prinz Heinrich hatte 1762 den lebhaften Wunsch geäußert, dem Könige bei Wiederbeginn der Kriegsoperationen sich anschließen zu dürfen. Friedrich lehnte jedoch ab, da der junge Prinz erst 14 Jahr alt war. Erst nach erfolgtem Friedensschluß wurd er von Magdeburg, wo er garnisonierte, nach Potsdam gezogen und trat als Hauptmann in das Bataillon Garde. Er gehörte nunmehr einige Jahre lang zu den regelmäßigen Mittagsgästen des Königs und begleitete diesen auf seinen Inspektionsreisen durch die Provinzen. 1767 im April übersiedelte der Prinz nach Kyritz, um nunmehr die Führung des hier stehenden Kürassierregiments oder auch nur eines Teils desselben zu übernehmen. Dies Kürassierregiment waren die berühmten »gelben Reiter«, deren *Chef* der Prinz bereits seit 1758 war.

Der Übernahme des Kommandos folgte, wenige Wochen später, jene Katastrophe, die ich, nach den Aufzeichnungen des Protzener Kirchenbuches, vorstehend mitgeteilt habe.

Rittmeister v. Wödtke brachte die Trauerkunde dem Könige. Dieser war in seltenem Grade bewegt. Einer der höheren Offiziere sprach dem Könige Trost zu und bat ihn, sich zu beruhigen. »Er hat recht«, antwortete Friedrich, »aber Er fühlt nicht den Schmerz, der mir durch diesen Verlust verursacht wird.« – »Ja, Ew. Majestät, ich fühle ihn; es war einer der hoffnungsvollsten Prinzen.« Der König schüttelte den Kopf und sagte »Er hat den Schmerz auf der Zunge, *ich* hab ihn *hier.*« Und dabei legte er die Hand aufs Herz. Eine ähnlich tiefe Teilnahme verraten seine Briefe. An seinen Bruder Heinrich in Rheinsberg schrieb er: »Ich liebte dieses Kind wie mein eigenes« und an Tauentzien meldete er in der Nachschrift zu einer dienstlichen Ordre »Mein lieber Hendrich ist todt.«

Kehren wir, nach diesem biographischen Exkurs, nach *Protzen* zurück. Die Geschwister des Prinzen übersandten der verwitweten Generalin v. Kleist wertvolle Zeichen der Dankbarkeit und das Ereignis selbst wurde seitens dieser letztern durch zwei bildliche Darstellungen im Sterbezimmer lokalisiert. Ein Loyalitätsakt, der mir, nach der Huldigungsseite hin, etwas zu weit zu gehen und die Schönheitslinie zu überschreiten scheint. Ob die Gemälde noch existieren, hab ich nicht erfahren können; aber das Giebelzimmer, in dem der junge Prinz verstarb, heißt noch immer das »Prinzenzimmer«.

Protzen von 1770-1803

Um 1770 ging Protzen (aus der Hand der verwitweten Generalin) an ihren Sohn Gustav v. Kleist über. Da das Gut seit 1757 bereits auf einen Herrn harrte, dessen Majorennität eben nur abzuwarten war, so hatte dieser letztere nicht Zeit, es auf der militärischen Rangleiter zu einer seinem Namen angemessenen Stufe zu bringen. Er schied als *Fähnrich aus* dem Regiment Prinz Ferdinand (in Ruppin), in dem er bis dahin gestanden hatte.

Da er selber fühlen mochte, daß dies wenig sei, so war er bestrebt, einigermaßen nachzuhelfen, und erwarb sich ein Johanniterkreuz. Er hieß nun nicht länger Fähnrich v. Kleist, sondern *Johanniter* v. Kleist, und unter diesem Namen, der in dieser eigentümlichen Verwendung wohl nur einmal vorkommen dürfte, hat er vierundzwanzig Jahre lang seine Regierung von Protzen geführt.

Unser »Johanniter-Kleist« war ein braver Mann, dem im Kirchenbuche die »Aufrechthaltung guter Ordnung« eigens nachgerühmt wird. Er muß diesen Ruhm, aufs allgemeine hin angesehen, um so mehr verdient haben, als er im besonderen mit seinem Geistlichen, dem Prediger Friedrich Arnold Dietrich *Sachse,* in einer beständigen Fehde lebte.

Über die damaligen Beziehungen zwischen Patron und Pfarrer ein kurzes Wort.

Friedrich Arnold Dietrich *Sachse,* aus Soest in Westfalen gebürtig, war, wie es scheint, ein echter Westfälinger, groß, stark, ein tapferes Herz, aber auch rücksichtlos wie sooft die »tapferen Herzen«, besonders wenn sie von der roten Erde stammen. Vor allem war er ein Original.

Die Bekanntschaft zwischen Kleist und Sachse machte sich bei Tisch im Herrenhause zu Lentzke, wo damals Baron de la Motte Fouqué lebte, der *Sohn* des berühmten Generals und der *Vater* des berühmten Dichters. In diesem Hause fungierte Sachse als Präzeptor. Als das Dessert aufgetragen wurde, fragte Fouqué seinen Gast (von Kleist), »wie es mit der Pfarre in Protzen stehe, und ob er die Vakanz schon wieder besetzt habe?« – »Seit einer halben Stunde *hab'* ich sie besetzt«, antwortete dieser. – »Mit wem?« – »Mit dem hier sitzenden Kandidaten Sachse.« Es scheint danach, daß die bedeutende Persönlichkeit des letztern ihres Eindrucks auf v. Kleist nicht verfehlt hatte.

Sachse übersiedelte nun, und mochte sich anfangs seinem Patron gegenüber, der ihn, in so schmeichelhafter Weise, in die Protzener Pfarre eingesetzt hatte, zu Dankbarkeit verpflichtet fühlen. Aber Dankbarkeit dauert nicht lang, am wenigsten wenn die Interessen in Krieg geraten. Sachse glaubte sich benachteiligt, und so entstand ein Prozeß, der im Herrenhause so böses Blut machte, daß Kleist, als um eben diese Zeit ein Spritzenhaus errichtet werden mußte, dasselbe so aufführen ließ, daß der Bau wie ein Schirm zwischen ihm und der Pfarre stand. Er wollte die Pfarre nicht mehr sehen.

Sachse überlebte seinen Patron um viele Jahre, stand im allgemeinen, wie fast immer imponierende Persönlichkeiten, auf gutem Fuß mit der Gemeinde, war ihr Orakel, ihr Rater und Helfer, und vereinigte, neben einzelnen Schwächen, alle Tugenden des alten Rationalisten in sich. Das Protzener Kirchensiegel bewahrt sein Andenken. Die Inschrift desselben rührt allerpersönlichst von ihm her und lautet: »Natur und Vernunft«. Damit ist alles gesagt.

Protzen von 1803-1826

Der Johanniter-Kleist starb schon 1794. Wieder trat eine Witwenherrschaft ein, die wenigstens bis 1803, vielleicht auch noch um einige Jahre länger dauerte: dann ging das Gut, aber durch *Kauf,* an einen Neffen oder Vetter des Johanniter-Kleist über, und zwar an den damaligen Rittmeister oder Major *Louis* von Kleist, Sohn des sogenannten Magdeburg-Kleist, welcher letztere 1806 durch Übergabe dieser Festung an den Feind soviel Unheil für das Land und zugleich soviel Bitteres und Schmerzliches für die Familie heraufbeschwor. Ich verweile hierbei nicht, nur *das* mag gesagt sein, daß mir diejenigen nicht ganz Unrecht zu haben scheinen, die der damaligen militairischen Oberleitung – seitens deren ein kranker, beinah' achtzigjähriger Mann mit der Verteidigung der wichtigsten Festung des Landes betraut wurde – die größere Hälfte der Schuld zuzuschieben geneigt sind.

Louis von Kleist litt in seinem Herzen schwer unter der Verschuldung des Vaters. Er selbst war eine hervorragend entschlossene Persönlichkeit, groß, schön, ein brillanter Reiter, und zeichnete sich während der Befreiungskriege bei den verschiedensten Gelegenheiten aus. Er blieb Soldat auch nach dem Feldzug, und traf immer nur besuchsweis' in Protzen ein. 1815 war er Oberst, 1831 stand er in Neiße, wahrscheinlich als Kommandeur einer Division. Bei seinem Hinscheiden war er Generallieutenant.

Als Beweis für seine Energie erzählen sich die Protzener, daß er sein seitens der Ärzte schlecht kuriertes Bein (er hatte sich beim Sturz mit dem Pferde den Oberschenkel gebrochen) durch einen »Wunderdoktor« aus der Fehrbelliner Gegend neu brechen und dann wieder heilen ließ. Die Prozedur glückte vollkommen. Er hatte seitdem eine geringe Meinung von der Kunst der rite promovierten Doktoren, der er bei jeder Gelegenheit Ausdruck gab.

Schon 1826, also fünf, sechs Jahre vor dem Tode v. Kleists, war Protzen durch Kauf an den Freiherrn von Drieberg übergegangen.

Kammerherr von Drieberg in Protzen von 1826-1852

Kammerherr von Drieberg, vielen meiner Leser aus den vierziger Jahren her als »Luftdrucks-Drieberg« bekannt, war um 1790 geboren. Sein Vater, seinerzeit Rittmeister im Regiment Gardes du Corps, besaß das zwei Meilen von Protzen gelegene Gut Cantow.

Der junge Drieberg wuchs wild auf. Die Gründe für diese Vernachlässigung seiner ersten Erziehung gehören nicht hierher. Erst von seinem vierzehnten Jahr an änderte sich's, und was bis dahin versäumt worden war, wurde nun nachgeholt. Hauslehrer und Sprachmeister mußten ihr Bestes tun. Besonders wurde die Musik gepflegt, für die v. Drieberg ebensoviel Liebe wie Beanlagung zeigte. Diese Beanlagung war so groß, daß eine Zeitlang die Absicht herrschte, ihn Musik studieren zu lassen. Er wurde zu diesem Behufe nach Frankreich geschickt, und war Schüler des Konservatoriums, als 1814 die Verbündeten in Paris einrückten.

Bald darauf kehrte v. D. nach Deutschland zurück, um in Berlin seine Studien fortzusetzen. Diese Studien umfaßten die mannigfachsten Gebiete. Außer der Musik waren es die Naturwissenschaften, besonders physikalische Untersuchungen, die ihn schon damals interessierten. In den zwanziger Jahren verheiratete er sich mit einem Fräulein von Normann und kaufte bald danach Protzen, dessen Hebung er sich nunmehr angelegen sein ließ. Ob er immer die rechten Mittel wählte, stehe dahin. Frau v. Drieberg, die ihn dabei unterstützte, stellte beispielsweise den Satz auf »daß knappe Fütterung das beste Mittel sei, von den Kühen einen starken Milchertrag zu erzielen.« Dies alles war übrigens aufrichtig gemeint, und hatte keineswegs in einem Ökonomisierungshange seinen eigentlichen Grund. Es war einfach originelle Theorie, wie die vom »Luftdruck«, die der Herr Gemahl gleichzeitig mit souveräner Eifer verfocht.

Der landwirtschaftliche Betrieb war anfechtbar, desto mehr bewährte sich v. Drieberg in seinen Parkanlagen. Seine Talente lagen eben mehr nach der Seite des Ästhetischen als des Praktischen hin. Der Protzener Park war damals einer der schönsten im Kreise, dreißig Morgen groß, mit den prachtvollsten Bäumen bestanden, dazwischen Blumenbeete, Wasser- und Rasenflächen.

Außer der Pflege des Parks widmete sich Drieberg nach wie vor der Musik und – der Gesellschaft.

Das Protzener Herrenhaus galt als der gastlichsten eines. Mit fast allen Familien der Nachbarschaft wurde Verkehr unterhalten, vorzugsweise mit dem Landrat von Zieten in Wustrau, mit der Majorin von Zieten in Wildberg und mit der Familie von Winterfeldt in Metzelthin. Auch aus Berlin kamen Freunde herüber, besonders wenn »Aufführungen« den Mittelpunkt der Festlichkeit bildeten. Das Künstlerische, namentlich das *Musikalische,* wurd indessen zu sehr betont, und zwar nicht bloß im gesellschaftlichen Kreise, sondern auch im Leben. Wie mir Häuser bekannt geworden sind, in denen jeder, der nicht einen Band lyrischer Gedichte herausgegeben hatte, nicht eigentlich für voll angesehen wurde, so stand es auch im Driebergschen Hause hinsichtlich der Musik. Ein vom Klavierspiel reingebliebener Pfarrbewerber wurde befragt: »ob er auch musikalisch sei?« worauf er, in richtiger Erkenntnis, daß er nun *doch* verspielt habe, piquiert antwortete »er habe sich um die Prediger- und nicht um die Kantorstelle beworben. «

Neben Park und Musik gehörte die Zeit den Wissenschaften. v. Drieberg hatte ganz den Typus des Gelehrten, des Büchermenschen. Seine Kleidung war die schlichteste von der Welt; nicht auf Stoff und Schnitt kam es ihm an, sondern lediglich auf Bequemlichkeit. Er konnte sich deshalb von alten Röcken nicht trennen. Als seine Tochter einen derselben an einen Tagelöhner verschenkt hatte, bat er ihn sich wieder aus und zahlte dafür.

Seine Studien, wie schon erwähnt, gingen meist nach der naturwissenschaftlichen Seite hin. Er war ein Düftelgenie aus der Klasse der Perpetuum-Mobile-Erfinder und konstruierte sich eine Flugmaschine, mit der zu fliegen er glücklicherweise nicht in Verlegenheit kam. Er begnügte sich damit, sie »berechnet« und gezeichnet zu haben, und gab den Bau als zu kostspielig wieder auf.

Seinen Hauptruhm zog er Anfang oder Mitte der vierziger Jahre, aus seinem großen Zeitungskrieg in der »Luftdrucksfrage«. Die Leute von Fach zuckten die Achseln und mochten in der Tat aus jedem Satze Driebergs erkennen, daß es diesem an allem wissenschaftlichem Anrecht gebräche, in die Diskussion einer solchen Frage einzutreten, die Laienwelt aber, die bekanntermaßen einen natürlichen Zug zur Winkeladvokatur und eine Vorliebe für die Franktireurs der Wissenschaft hat, stand günstiger zu ihm und freute sich offenbar, in der Partie »Drieberg gegen Newton« für unsern Protzner Kammerherrn, wenn auch nur ganz im stillen eintreten zu können. Der Kern der Sache war, daß v. D. den Luftdruck *bestritt* und seinerseits aufstellte, »das Quecksilber werde nicht durch eine Luftsäule von bestimmtem Gewicht emporgedrückt, sondern *hänge* vielmehr an dem luftleeren Raum der Barometerröhre, ziemlich genau so wie ein Eisenstab an einem Magnete hänge«. Diese Aufstellung besaß etwas Blendendes, und zwar um so mehr als jeder luftleere Raum in der Tat eine gewisse Zug- und Saugekraft ausübt. Aber nur der Laie konnte flüchtig dadurch bestochen werden. Nach mehrmonatlichem Streit erstarb die Fehde; niemand spricht mehr davon und nur der Beiname »Luftdrucks-Drieberg« ist in der Erinnerung derer geblieben, die jene Zeit noch miterlebt haben.

Was seine kirchlichen Anschauungen angeht, so hielten sie die Höhe seiner Flugmaschine und entsprachen genau der Inschrift des vorerwähnten Protzener Kirchensiegels: *Natur* und *Vernunft*.

1852 vermählte v. Drieberg seine einzige Tochter Valesca (vier andere waren vorher gestorben) an den Rittmeister von Oppen, der damals bei den Gardes du Corps in Charlottenburg stand. v. Drieberg entschloß sich deshalb, Protzen zu verkaufen. Es wurde seinem Herzen nicht leicht, aber die Liebe zu seinem Kinde siegte schließlich über die Liebe zu seinem Park. Und so übersiedelte er denn. In den fünfziger Jahren starb er und ruht auf dem Charlottenburger Kirchhofe.

Was den Drieberg-Tagen in Protzen folgt, ist von geringerem Interesse.

Das nächste Kapitel mag uns deshalb nach Garz, dem alten Besitze der *Quastschen* Familie, führen.

Garz

Und setzet ihr nicht das Leben ein,
Nie wird euch das Leben gewonnen sein.
Schiller
Und lachend goß er mit eigner Hand
Voll Wein den Stiefel bis an den Rand.
Pfarrius

Garz, Vichel, Rohrlack, wie schon an andrer Stelle hervorgehoben, sind zur Zeit Quastsche Güter im *Westen* des Ruppiner Sees. Schon seit 1419 (urkundlich nachweisbar, wahrscheinlich aber schon um vieles früher) saßen die Quaste oder Quäste auf *Garz.* Am Schluß des 16. Jahrhunderts erblicken wir sie, neben Garz, auch auf Küdow, Carwe, Berlitt, und abermals hundert Jahre später auf Protzen.

Der Dreißigjährige Krieg, der so vieles in unserm Lande niederwarf, hob die Quäste (vgl. die Kapitel Radensleben und Protzen) auf eine Höhe des Ansehens, wie sie damals nur alle diejenigen Familien errangen, die statt das Kriegsroß stillergeben über sich hinwegschreiten zu lassen, lieber eben dies Kriegsroß bestiegen und mit dem Degen in der Hand ihr Glück versuchten. So legten die Sparrs, die Pfuels, die Barfus, die Goertzkes das Fundament zu ihrem, inzwischen freilich mehr oder weniger wieder verschwundenen Reichtume. Mit ihnen auch die *Quäste.* Derjenige dieses Namens, der seine Familie zuerst glänzend in die Geschichte des Landes einführte, war der schon S. 83 erwähnte *Albrecht Christoph von Quast.* Einer Betrachtung seines Lebens wenden wir uns jetzt zu.

Albrecht Christoph von Quast

Albrecht Christoph von Quast ward am 10. Mai 1613 auf dem Rohrschen Gute Leddin geboren. Seine Mutter war eine geborne v. Rohr (gestorben 1667) aus Leddin.

Über seine Jugend ist wenig bekannt geworden, doch existieren Aufzeichnungen, wahrscheinlich einer Leichenpredigt entnommen, die, trotz einzelner Unklarheiten und Widersprüche, den Stempel der Echtheit tragen. Danach starb der Vater früh, und Albrecht Christoph wurde studierenshalber auf Schulen geschickt, höchstwahrscheinlich auf die benachbarte Ruppiner Schule. Der entsprechende Hang scheint indessen nichts weniger als groß in ihm gewesen zu sein, der Anblick der schwedischen Regimenter, die gerade damals in Stadt und Land Ruppin Quartiere bezogen, warf alle Studienpläne rasch über den Haufen. Albrecht Christoph trat 17 Jahr alt, als Musketier in das Kingsche Infanterieregiment und tat seinen ersten Wachtdienst auf dem *Fehrbelliner Damm,* kaum eine Meile von Garz entfernt. Dies war im August 1630.*

1631 war unser Albrecht Christoph bei den Truppen, die die Elbe passierten, zeichnete sich am 17. September bei Breitenfeld, am 6. November des folgenden Jahres bei Lützen und endlich am 26. Juni 1633 bei Hameln aus und trat nach dieser letzteren Affaire, darin das Kingsche Regiment fast völlig vernichtet worden war, von den Musketieren zu den Dragonern über. (Dragoner, wie bekannt, waren in jener Zeit ein Mittelding von Fußtruppe und Reiterei.)

Das Kriegshandwerk sagte unserm Quast zu, nur nicht die *Waffenart*. Musketier und Dragoner – beides war nicht das Rechte, und als er um eben diese Zeit vernahm, daß der später so berühmt gewordene Hans Christoph v. Königsmark, sein märkischer Landsmann, als Oberstwachtmeister in das Sperreutersche *Reiter*regiment eingetreten sei, hielt er sich zu diesem und empfing eine Korporalschaft. Das Kommando dieser Truppe kam alsbald an Königsmark selbst. Sperreuter übte Verrat und gedachte das ganze Regiment zu den Kaiserlichen überzuführen; in der Tat folgten ihm einzelne Abteilungen. Die vornehmsten Compagnien aber, und zwar unter Führung Königsmarks, weigerten sich, dem Befehle Sperreuters zu gehorchen und blieben ihrer Fahne treu. Unter diesen war auch Quast. Feldmarschall Bannier, um jene Zeit Generalissimus der Armee, glaubte diese Treue auszeichnen zu müssen; Königsmark wurde Oberst und erhielt Befehl aus den treu gebliebenen Compagnien ein neues Regiment zu bilden. In dieses neue, nunmehr Königsmarksche Regiment trat Albrecht Christoph als Quartiermeister ein. Binnen Jahresfrist war er Cornet und Lieutenant.

Sein Mut und seine Gewandtheit fingen an ihm in der Armee einen Namen zu machen. Als General Stahlhantsch, der in der glänzenden Schlacht bei Wittstock das schwedische Zentrum kommandierte, 1639 eine »fliegende Armee« nach Schlesien führen sollte, erbat er sich unsren Quast für diese Expedition, der nun als Rittmeister in das Stahlhantsche

---

* Diese Jahreszahl ist wahrscheinlich die richtige. Zwar wird im allgemeinen das Erscheinen der Schweden (die am 15. Juli 1630 auf dem Ruden in Pommern gelandet waren) in der Kur- und Mittelmark erst in den Sommer 1631, also ein Jahr *später* gesetzt, die Spezialgeschichte der Grafschaft Ruppin spricht aber mit aller Bestimmtheit »von *2000* Mann schwedischer Kavallerie, die sich, nebst einem ansehnlichen Korps Infanterie, *im August 1630* des Ruppiner Landes bemächtigt hätten.« In voller Übereinstimmung damit fügen die handschriftlichen Notizen über unsern Albrecht Christoph hinzu, »daß sich die schwedischen Truppen während der Wintermonate wieder nach Pommern hin zurückzogen.« Das Widersprechende der Angaben erklärt sich vielleicht so, daß Ruppin und Uckermark damals noch eine Art Grenzlandcharakter hatten und nicht voll und ganz als zur eigentlichen Mark gehörig angesehen wurden. Namentlich Ruppin war noch mehr oder weniger ein Land für sich.

Korps eintrat. Mit diesem Korps, das inzwischen seinen Führer gewechselt hatte (General Goldstein erhielt es) nahm unser Quast am 24. Februar 1645 an der siegreichen Schlacht bei Jancowitz teil. Eine Folge dieser Schlacht, einer der glänzendsten Siege Torstensons, war die Umstellung von Brünn, die Kaiserlichen wurden eingeschlossen und Quast war mit unter den Belagerungstruppen. Bei einem Ausfall, den insonderheit unser Albrecht Christoph mit großer Bravour zurückschlug, wurd er am Bein verwundet. Seine erste Verwundung nach vierzehnjähriger Kriegsfahrt, von der berichtet wird.

Die Belagerung erwies sich als fruchtlos (General de Souches führte in glänzender Weise die Verteidigung) und Torstenson ging mit seiner Armee nach Böhmen zurück. Hier gab er Befehl, den wichtigen Punkt Kornneuburg zu befestigen und zu besetzen, und Oberst Copey mit tausend Musketieren wurde dazu ausersehen. Da es indessen rätlich schien, auch Kavallerie in den Ort zu legen, außerdem aber dem Oberbefehlshaber die Beförderung unseres Quast am Herzen lag, so erhielt der letztere Ordre, eine kombinierte Reitercompagnie zu bilden, und zwar durch Auswahl von je zwei Mann aus jeder Schwadron der Armee. Da die Armee hundert Reitercompagnieen hatte, so ergab dies eine Stärke von 200 Mann. Die Wahl der Offiziere wurd in Quasts Hand gelegt. Mit diesem Reiterkorps rückte derselbe nun, inzwischen zum Obristlieutenant ernannt, in Kornneuburg ein, um gemeinschaftlich mit Oberst Copey die Verteidigung zu leiten.

Der Feind ließ auch nicht lang auf sich warten. Mit derselben Bravour, mit der Quast im Jahre zuvor die Ausfälle der Belagerten zurückgewiesen hatte, schlug er jetzt seinerseits die rasch sich wiederholenden Attacken der Belagerer ab. Freilich nicht auf die Dauer. Die Besatzung war zu schwach, um dem übermächtigen Gegner lange den Besitz des Ortes streitig machen zu können und Kornneuburg fiel. Bei dem Sturm, der der Übergabe vorherging, wurde Quast zum zweiten Male und diesmal in schmerzhafter und gefährlicher Weise verwundet. Eine Kugel traf seinen Fuß und ging ihm durch Sohle, Blatt und Ferse. Die Heilung zog sich hin und eine Lähmung des Fußes blieb ihm bis zuletzt.

Diese tapfre Verteidigung, für die Pfalzgraf *Karl Gustav* (der spätere König) der inzwischen das Kommando übernommen, unseren Quast zum Obersten aufsteigen ließ, war die letzte größere Aktion, an der dieser während des Dreißigjährigen Krieges teilnahm. Achtzehn Jahr lang hatte er mitgestritten und unwandelbar (wie Königsmark, der sein besonderes Vorbild gewesen zu sein scheint) auf schwedischer Seite gestanden. Der siebzehnjährige Musketier im Regiment King war mit 35 Jahren Reiteroberst und Chef eines Regiments. Von 1648 an stand er mit demselben im Münsterschen, aber schon zwei Jahre später erfolgte die Auflösung der Armee. Quast nahm den Abschied.

Er nahm den Abschied, aber keineswegs von der Absicht geleitet *ein für allemal* aus dem schwedischen Dienste zu scheiden. Wir schließen dies daraus, daß er sich, bald nach Auflösung seines Regiments, nach Schweden begab, um sich der Königin Christine vorzustellen. Von dieser mit Auszeichnung empfangen (sie ließ ihm ihr mit Diamanten besetztes an einer güldenen Kette zu tragendes Bildnis überreichen) muß es auf den ersten Blick überraschen, daß er die Anerbietungen, die ihm gleichzeitig gemacht wurden, ablehnte, und nach verhältnismäßig kurzem Aufenthalt in Stockholm in die märkische Heimat zurückkehrte. Wir treffen aber wohl das Richtige, wenn wir annehmen, daß er sich bald überzeugte, wie drüben am schwedischen Hofe eine Gegenpartei mächtig zu werden begann, die das aus dem Kriege verbliebene deutsche Element nach Möglichkeit beseitigen und die einflußreichen Stellungen innerhalb der Armee, wieder ausschließlich mit Nationalschweden besetzen wollte. Gleichviel indes, welche Motive maßgebend waren, unser Albrecht Christoph erschien wieder in seiner heimischen Grafschaft Ruppin, wo ihm sein Vetter *Otto v. Quast* die Quastschen Güter Garz und Küdow käuflich abtrat, »damit er seinen in Kriegsläuften erworbenen Reichtum nicht zum Ankauf im *Auslande* verwende«. Sein Eintritt in die *kurfürstliche* Armee geschah nicht unmittelbar.

Dieser erfolgte nicht vor 1655. In diesem Jahre, kurz also vor Ausbruch des Krieges mit Polen, erhielt Quast ein Reiterregiment, dem er bis 1658, wie die biographischen Notizen mit großer Ruhe melden, »zur Zufriedenheit der Kurfürsten vorstand«. Diese nüchterne Bemerkung deutet am wenigsten darauf hin, daß Quast all' die Zeit über im Felde war und mit seinem Regiment an der berühmten dreitägigen Schlacht von Warschau teilnahm.* Daß er sich während dieser Schlacht, oder während des polnischen Feldzuges überhaupt, vor andern Reiterführern ausgezeichnet habe, wird freilich nirgends erwähnt.

Die *Gelegenheit zu solcher Auszeichnung bot erst der nächste Feldzug,* der nicht demselben Gegner, den Polen, sondern umgekehrt dem bisherigen Verbündeten, den Schweden, galt. Zur Beleuchtung der Situation nur wenige Worte. Brandenburg war durch den Vertrag von Labian (1656) allerdings »für ewige Zeit« an Schweden gekettet, die Fortschritte dieses damals auf seiner Höhe stehenden Staates aber erweckten ihm überall in

---

* Die Reiterregimenter, die in dieser Schlacht brandenburgischerseits mitfochten, waren folgende: 1) die Trabantengarde unter Oberstlieutenant Wilmersdorf, 2) Leibregiment unter dem Obersten von Canitz, 3) Regiment des Feldmarschalls Grafen Waldeck, 4) Fürst von Croys Regiment, 5) Regiment des Generals Derfflinger, 6) Regiment des Oberst v. Pfuel, 7) Regiment des Generals von Kannenberg, 8) Regiment des Generalmajors v. Goertzke, 9) Regiment des Oberst v. Sparr, 10) Regiment des Oberst Goseff, 11) Oberst Wallenrodts Regiment und 12) Regiment des *Oberst v. Quast.* Jedes Regiment war sechs Compagnieen zu 110 Pferde stark.

Europa so viele Neider und so mächtige Feinde, daß es der Kurfürst als durch die »Staatsraison« geboten erachtete, Schweden aufzugeben, um nicht *mit ihm* oder was wahrscheinlicher war statt *seiner* zugrunde zu gehn. Die Staatsraison präponderierte damals in allen solchen Fragen. Eine große antischwedische Liga, ein Fünf-Mächte-Bund kam zustande, der darauf aus war, den ehrgeizigen Plänen des Schwedenkönigs *Karl Gustav* (der die Gustav-Adolf-Idee eines großen »baltischen Reiches« verwirklichen wollte) ein Ziel zu setzen. Jeder einzelne Staat verfolgte dabei seine Sonderinteressen. Die fünf verbündeten Mächte waren: Oestreich, Polen, Dänemark, Holland, Brandenburg. Der Kriegsschauplatz war ein doppelter: ein östlicher (Preußen und Polen) und ein westlicher (Pommern und Holstein). Nur das holsteinsche Kriegstheater interessiert uns an dieser Stelle.

Karl Gustav, im Vertrauen auf sein Geschick und seine Armee, die damals als die kriegstüchtigste in Europa galt, wartete die Vereinigung so vieler Gegner nicht erst ab, sondern ging rasch zum Angriff über, vielleicht in der Hoffnung sie einzeln zu schlagen. Der Anfang sprach auch dafür, daß es ihm glücken werde. Von der Unterelbe her in Holstein und Schleswig eindringend, besetzte er Alsen und Jütland und ging dann in dem bitterkalten Winter von 1657 auf 58 über die gefrornen Belte. So bracht er Fühnen und Seeland in seine Gewalt. Der Dänenkönig hatte nichts mehr als seine Hauptstadt. Auch diese (das sei vorweg bemerkt) hoffte Karl Gustav in folgendem Winter durch Überrumpelung in seine Gewalt zu bringen. Er ließ einzelne seiner besten Regimenter weiße Hemden über die Uniformen ziehen, um auf der weißen Schneefläche weniger bemerkt zu werden, und ging nun zum Sturme gegen die Festungswerke vor. Die Dänen aber waren wachsam, und wie ein alter Geschichtsschreiber sagt »die weißen Hemden wurden manchem zum Leichenhemd«.

Das war im Winter von 1658 auf 59. Aber schon im Sommer vorher waren die Truppen des »Fünf-Mächte-Bundes« in die Cimbrische Halbinsel eingerückt und hatten die Schweden die nur 6000 Mann stark waren, vor sich hergejagt. An der Spitze der »Alliierten« stand der Kurfürst selbst.* Rendsburg und Schloß Gottorp wurden besetzt, Alsen und Fride-

---

* Kurfürst Friedrich Wilhelm, damals 38 Jahre alt, hatte 16 000 Mann Brandenburger bei Wittstock zusammengezogen; – von der Artillerie 38 Geschütze. Die einzelnen Abteilungen des Heeres wurden von Otto Christoph v. Sparr, Derfflinger, Hans Jürge v. Anhalt-Dessau (Vater des alten Dessauers), Joachim Rüdiger v. d. Goltze, Georg Adam v. Pfuel und Albrecht Christoph v. Quast befehligt. Aus welchen Regimentern diese Truppen bestanden, läßt sich leider nicht mit Bestimmtheit sagen. Es gab überhaupt damals keine Regimenter in unserem Sinne. Es gab Festungsgarnisonen; aus diesen Garnisonen wurden einzelne Compagnieen genommen, andre Compagnieen aus andren Garni-

ricia dem Feinde wieder entrissen. Die Schweden hatten nur noch Fühnen und Seeland inne. So kam der Winter.

Vielleicht hatte sich der Kurfürst der Hoffnung hingegeben, die Belte würden *wieder* zufrieren wie im vorigen Jahr, wo der Winter, wie wir gesehen haben, dem siegreich vordringenden Karl Gustav die Brücke zu den Inseln hinüber baute. Aber die Belte blieben offen, und die Verbündeten sahen sich gezwungen, in Schleswig und Jütland Winterquartiere zu beziehn.

Erst mit dem beginnenden Frühjahr (1659) wurde der Kampf wieder aufgenommen. Es galt nach wie vor die *Eroberung der Inseln,* zunächst Fühnens, das inzwischen von seiten der Schweden in den besten Verteidigungszustand gesetzt worden war. Die holländische Flotte, auf deren Dienst man bei Passierung des kleinen Belts gerechnet hatte, erwies sich indessen als saumselig, so saumselig, daß dem Führer der Flotte von seiten der Alliierten Schuld gegeben ward, »er hab auf die schwedischen Fahrzeuge nur blinde Schüsse abfeuern lassen«. Politische Rücksichten, der alten Eifersucht gegen die dänische Seemacht zu geschweigen, schrieben der holländischen Flotte eine solche laue Haltung vor.

Unter so schwierigen Verhältnissen mußte man nach und nach und gleichsam ratenweise zu gewinnen suchen, was sich auf *einen* Schlag nicht erreichen ließ. Man nahm also zunächst die kleine, zwischen Jütland und Fühnen gelegene Insel Fanö, und schickte sich nunmehr erst an, von diesem vorgeschobenen Posten aus das eigentliche Streitobjekt (Fühnen) zu erobern. Drei Angriffe wurden versucht, aber sie scheiterten alle drei. An der dritten Attacke, die die ernsthafteste war, nahmen einzelne Schiffe teil, die schwedische Flotte jedoch, inzwischen verstärkt, vernichtete die Fahrzeuge der Alliierten, welche letzteren nicht nur unter schwerem Verluste nach Fridericia zurückkehrten, sondern auch Fanö wieder aufgeben mußten.

Diese Niederlagen wurden endlich Ursach eines großen Erfolges.

Der Kurfürst hatte mißmutig den Kriegsschauplatz in Jütland verlassen, um nach Pommern zu eilen, von wo aus eine andere Abteilung des schwedischen Heeres in die Mark einzufallen drohte. Nur vier Reiterregimenter und einige Compagnieen Fußvolk waren brandenburgischerseits in Jütland geblieben. Diese standen unter der Führung unsers *Albrecht Chri-*

---

sonen hinzugetan, und auf diese Weise Regimenter gebildet, die nun den Namen ihres jeweiligen Führers annahmen. So konnt' es kommen, daß *dieselben* zwei Compagnieen, die in einem Jahre im Regiment Quast oder Pfuel gefochten hatten, im nächsten Jahre zum Regiment Dessau oder Dohna gehörten. – Zu den 16 000 Brandenburgern stießen 11 000 Kaiserliche unter Montecuculi und 5 000 Polen unter General Zarnecki, die sich aber schließlich als bloße Plünderbande erwiesen. Im ganzen 32 000 Mann. Dänische Abteilungen erschienen erst im Laufe des Krieges.

stoph von Quast, während den Gesamtoberbefehl über die in Jütland stehenden Alliierten der dänische Feldmarschall v. Eberstein führte. Die Holländer, die sich, wie schon hervorgehoben, bis dahin abgeneigt gezeigt hatten, zu besondrem Nutz und Frommen Dänemarks die Kastanien aus dem Feuer zu holen erkannten endlich, daß etwas Entscheidendes geschehen müsse, wenn nicht der Zweck des ganzen Krieges: Brechung der Übermacht Schwedens, als gescheitert betrachtet werden solle. Nebenher mochte der Unmut des Kurfürsten das seinige dazu beitragen, daß energischere Entschlüsse im Haag die Oberhand gewannen. So erschien denn *Admiral de Ruyter* in der Ostsee. Im Hafen zu Kiel wurd eine ziemlich bedeutende dänischholländische Streitmacht – die hier im Rücken des eigentlichen Kriegsschauplatzes unter Feldmarschall von Schack zusammengezogen worden war – eingeschifft und durch den Großen Belt geführt, um im Norden Fühnens gelandet zu werden. Gleichzeitig aber sollte das in Jütland stehengebliebene verbündete Heer einen *vierten* Versuch zur Überschreitung des Kleinen Beltes machen. Beide Unternehmungen glückten: Feldmarschall Schack landete in Kjertemünde, Feldmarschall Eberstein bei Middelfahrt. In Odense vereinigten sich beide Heerkörper, die nun, etwa 16 000 Mann stark, gegen den Pfalzgrafen v. Sulzbach, der die Schweden führte, vorrückten.

Dieser hatte zunächst gehofft, die heranrückenden Armeen der Alliierten einzeln angreifen zu können; als sich dies aber als unmöglich erwies, nahm er feste Stellung vor der Festung Nyborg.

Die vom Pfalzgrafen gewählte Position war geschickt genug: in Front ein Graben, der, durch ein mooriges Terrain gezogen, an einzelnen Stellen mit Wasser gefüllt, an andern schmaleren aber *derart* verschüttet war, daß sich ein Übergang ermöglichte selbst für Kavallerie. Diese leicht zu verteidigenden Übergänge dienten dem schwedischen General als Ausfallbrükken. Den rechten Flügel kommandierte der Pfalzgraf selbst, den linken Generallieutenant *Horn;* im Zentrum stand der erfahrene General Steenbock mit 14 Compagnieen Fußvolk und fünf Geschützen vor seiner Front. Reserven, weil es an Mannschaften fehlte, hatte die schwedische Aufstellung beinahe gar nicht.

Dies war die Position, gegen welche die Verbündeten am Morgen des 24. November anrückten. Das Zentrum (holländische Infanterie unter den Obersten Killegray, Alowa und Meteren) führte Feldmarschall Schack, den linken Flügel Eberstein, *den rechten unser Albrecht Christoph von Quast.* Das zweite Treffen bestand ausschließlich aus den *dänischen* Regimentern Trampe, Rantzau, Ahlefeldt, Brockhausen, Güldenleu. Die alliierte Armee war zahlreicher als die schwedische, die schwedische aber, kriegsgewohnter, hatte zudem noch den Vorteil ein Ganzes zu bilden, während die Alliierten aus ganz widerstrebenden Nationalitäten zusammengesetzt waren. Im Kommando scheint auf beiden Seiten keine rechte Einigkeit geherrscht zu haben, jedenfalls handelten die Generale der Alliierten zumeist auf eigene Hand.

Der linke Flügel der letztren eröffnete das Gefecht. Hier standen (wenn ein alter Schlachtenatlas* den wir zu Rate ziehen, das Richtige angibt) unter Führung des dänischen Feldmarschalls v. Eberstein die brandenburgischen Reiterregimenter Quast, Kannenberg, Gröben und ein Dragonerregiment. Ihr Angriff scheiterte an der Ungunst des Terrains. Sie wurden geworfen. *Der rechte Flügel teilte das Schicksal des linken.* Hier, wie wir wissen, kommandierte Quast in Person und führte zunächst die kaiserlichen Regimenter Matthias und Graf Caraffa, ferner das dänische Regiment v. der Natt und die polnische Brigade Przimsky ins Feuer. Aber auch sie konnten nichts ausrichten. In diesem kritischen Momente, wo die Reiterei, die zum Teil in das Moor einsank, ersichtlich den Dienst versagte, rückte v. Quast mit einer Abteilung Infanterie (Pikenträger) gegen den Pfalzgrafen vor und *dieser Angriff* entschied. Quast *erhielt zwei Kugeln in den Leib,* ließ sich aber, als er infolge so schwerer Verwundung nicht mehr reiten noch gehen konnte, auf die Schultern seiner Pikeniere heben und durchbrach so den feindlichen linken Flügel. Dies gab gleichzeitig das Zeichen zum Vorrücken der holländischen Brigaden im Zentrum, die bis

---

* Dieser Schlachtenatlas (kein gedrucktes, sondern ein mit Wasserfarben und Frakturschrift sauber ausgeführtes Werk) führt den Titel: »Ein Buch aller der führnehmsten Bataillen und Campementen, so in *diesem** Säculo* und zwar von 1620 bis 1693 von Jahren zu Jahren seind gehalten worden.« Das 39. Blatt enthält die Aufstellung beider Armeen in der Schlacht bei Nyborg. Halte ich alles zusammen, was ich in Pufendorf, Orlich und in zwei Aufsätzen von Professor Dr. Stuhr (Allgemeines Archiv für die Geschichtskunde des Preußischen Staats. Berlin. Mittler 1831) und von Hofrat L. Schneider (Soldatenfreund. Septemberheft 1864) gelesen habe, so komm ich immer wieder zu der Ansicht, daß der alte Schlachtenatlas wahrscheinlich mehr recht hat als irgendeine andre Beschreibung. Unter den verschiedenen Punkten, worin derselbe von den Angaben der Historiker abweicht, ist der *eine* für uns von Belang, wonach Generalmajor v. Quast – wie oben im Text des näheren angeführt werden wird – auf dem rechten Flügel keine brandenburgischen, sondern kaiserliche Reiterregimenter, Dänen und Polen unter seinem Kommando hatte. Der Atlas gibt die Namen der Regimenter genau an und dies Vertrautsein mit den Details spricht dafür, daß der Verfasser überhaupt Bescheid wußte.

* Das »*so in diesem Säculo*« scheint darauf hinzudeuten, daß der Atlas noch vor 1700 angefertigt wurde. Dem entspricht auch das Gesamtansehen. Das interessante Werk ist jetzt Eigentum des Geh. Rat v. *Quast* auf Radensleben. Er empfing es im März 1864 als ein Andenken von dem mittlerweile verstorbenen Obristlieutenant *Kindt,* einem Schleswig-Holsteiner. Dieser hatte es auf einer Auktion erstanden und vermutete, daß es von einem General Wolf (seinerzeit in dänischem Dienst) verfaßt bez. gezeichnet worden sei.

dahin untätig dem Kampfe zugesehen hatten. Und jetzt griff auch die Reiterei wieder ein und warf den Feind über den Haufen. Der Rückzug der Schweden wurde bald eilige Flucht. Ihr Führer, der Pfalzgraf, entkam auf einem Fischerboote mitten durch die holländische Flotte, nach Korsoer auf Seeland, wo er dem harrenden Schwedenkönige die Nachricht von der verlorenen Schlacht brachte. Nyborg, das General v. Horn zu halten versuchte, fiel schon am andern Tag; er und das ganze schwedische Korps wurden kriegsgefangen.

Unser Quast hatte den entscheidenden Schlag getan, darüber sind *alle* Berichte so ziemlich einig, und nur darin weichen sie voneinander ab, mit welchen Regimentern er den feindlichen linken Flügel durchbrach. Es scheinen unter allen Umständen *keine* Brandenburger gewesen zu sein, denn die Truppen die brandenburgischerseits an der Affaire teilnahmen, waren zugestandenermaßen *Reiterregimenter*, die, gleichviel an welchem Flügel sie gestanden haben mögen, das Schicksal der kaiserlichen Reiterei teilten und nirgends die feindliche Schlachtreihe zu durchbrechen vermochten. *Quast gab allerdings den Ausschlag,* aber an der Spitze *dänischer Pikeniere,* die seinem Flügel zunächst in Reserve standen. (Nach einem andern Bericht hätten die holländischen Brigaden des Zentrums die schon halb verlorene Schlacht wieder zum Stehen gebracht. *Dann* erst hätte Quast mit dem wieder gesammelten rechten Flügel den letzten Schlag getan. Auch diese Lesart hat manches für sich.) Der Sieg von Nyborg war entscheidend. Die Nachricht von der totalen Niederlage seines Heeres soll den schwerkranken Schwedenkönig so erschüttert haben, daß er infolge davon starb, ein Todesfall, der bald danach zum Frieden von Oliva und durch eben diesen Frieden zur endgültigen Oberhoheit Brandenburgs über das Herzogtum Preußen führte. Die Alliierten, nachdem sie zwei Jahre lang die Cimbrische Halbinsel besetzt gehalten hatten, räumten nunmehr das Land. In Hamburg schon wurden die Regimenter entlassen, und auch Quast (übrigens im Dienste des Kurfürsten verbleibend) ging auf seine Güter.

Über die letzten Lebensjahre des Generals wissen wir wenig. Er scheint dieselben, zunächst wenigstens, in ländlicher Zurückgezogenheit und im Kreise seiner Familie zugebracht zu haben. Die niedergebrannten Dörfer wurden aufgebaut, die wüsten Felder neu bestellt, die geplünderten Kirchen erhielten Altarleuchter, Glocken und Kelche. 1661 verheiratete er sich zum *zweiten* Male mit Elisabeth Dorothea v. Goerne, und drei Jahre später (1664) zum *dritten* Male *mit* Ilse Catharine v. *Rössing,* einer verwitweten v. Planitz. Diese dritte Gemahlin überlebte ihn. 1667 betraute ihn der Kurfürst aufs neue mit Errichtung eines Regiments und ernannte ihn beinah gleichzeitig zum Gouverneur der Feste Spandau. Hier starb er 56 Jahre alt am 7. Mai 1669 und ward in der dortigen St. Nikolai-Kirche beigesetzt. Erst in neuester Zeit erfolgte die Überführung nach dem alten Stammgute Garz. In der Gruft der Kirche daselbst steht seitdem ein mächtiger, mit Basrelieformamenten und den Wappen der Ahnen reich ausgestatteter Zinnsarg, der die Inschrift trägt: Der Hochedelgeborne Herr, Herr Albrecht Christoph v. Quast, churfürstlich brandenburgischer Geheimer Kriegsrath, Generalfeldwachtmeister der Cavallerie, Oberster zu Roß und zu Fuß, Gouverneur und Oberhauptmann der Veste und Stadt Spandau, zu Garz, Damme, Vichel, Rohrlack und Wutzetz Erbherr, geboren am 10. Mai 1613 gestorben auf der Veste Spandau am 7. Mai 1669. Wartet der fröhlichen Auferstehung zum ewigen Leben.*

Dies ist es, was wir imstande gewesen sind, über das Leben *Albert Christophs v. Quast* zusammenzutragen. Es ist alles ziemlich äußerlicher Natur, äußerlich folgen die Taten aufeinander, äußerlich sehen wir ihn steigen von Stufe zu Stufe. Tradition und Sage, die von Derfflinger und Sparr so mannigfach erzählen, haben sich unsres »Siegers von Nyborg« *nicht* bemächtigt; es fehlen alle Züge, die uns eine tiefere Teilnahme an seinem Lebensgange einzuflößen vermöchten. Und doch war dieser Sieg, den wir vorwiegend *ihm* verdanken, von einer nach mehr als *einer* Seite hin entscheidenden Bedeutsamkeit. Durch denselben erlangte Brandenburg, wie wir gesehen haben, die volle Souverainetät über Preußen und somit die *Basis* für die Königskrone, während für Dänemark aus eben diesem Kriege sein Königsgesetz hervorging. Zudem war unser Albrecht Christoph der erste, der die brandenburgischen Waffen, vor zweihundert Jahren schon, auf eine der dänischen Inseln hinübertrug. –

Die Ehren der Düppelstürmer von heute sind freilich reicher ausgefallen als die der Nyborg-Sieger von damals, aber, je heller die Gegenwart strahlt, je mehr geziemt es sich in Dankbarkeit derer zu gedenken, die ruhmvoll voranschritten. Unter ihnen in vorderster Reihe – Albrecht Christoph v. Quast.

*

Aus der Gruft, darin wir eben die Inschrift am Zinnsarge Albrecht Christophs entziffert haben, treten wir wieder ins Freie, atmen auf in Luft und Licht, und schreiten dem Herrenhause zu. Der kühle, mit Marmorfliesen

---

* Neben dem mächtigen Zinnsarge des Generalfeldwachtmeisters steht ein etwas kleinerer, im übrigen mit ziemlich denselben Emblemen reich verzierter Kupfersarg, in dem Otto Gottfried v. *Quast*, ein Neffe des Generals, begraben liegt. Er fiel bei *Fehrbellin*. Die Inschrift des Sarges lautet: »Hier ruhet der hochedelgeborne Herr, Herr Otto Gottfried v. Quast, churfürstlich brandenburgischer, unter des Herrn General Lüdekens Regiment bestallter Adjutant, auf Garz und Küdow Erbherr, geb. Anno 1656 am 23. März; in dem mit der schwedischen Armee bei Fehrbellin am 18. Juni 1675 gehaltenen Treffen tödtlich verwundet und am 22. ejusd. allhier in Spandau selig verstorben.« (Auch *dieser* Sarg ward ursprünglich in der Nikolai-Kirche zu Spandau beigesetzt. Daher das »allhier in Spandau«.)

gedeckte Raum, heimelt uns bei der drückenden Hitze doppelt an, und doch ist es nicht diese kühle, fliesengedeckte Halle was uns hierherführte, sondern umgekehrt der sonnenbeschienene Vorflur im ersten Stock, wo wir einem seltsamen Erinnerungsstück begegnen, das eine sehr sehr *andre* Zeit als die Zeit unseres Albrecht Christoph vor uns heraufbeschwört. Hier, an einem breiten Fensterpfeiler, an demselben Platz etwa, wo sonst eine Flora oder Pomona oder irgendein andres Stück griechischer Mythologie zu stehen pflegt, erhebt sich statuenhaft und auf niedrigem Postament ein *Riesenstiefel,* mit einem neun Zoll langen Sporn daran und einer anderthalb Zoll dicken Sohle. Das Ganze ein Kunstwerk in seiner Art, und trotz seines riesigen Umfanges von einer gewissen Eleganz der Erscheinung. Dieser Stiefel hat seine Geschichte.

Wer kennt nicht das Regiment Gensdarmes? Und wer hätte nicht gehört von der Verschwendungslust und Tollkühnheit seiner Offiziere, von ihrem Mut und Übermut!

Unter den jungen Offizieren eben dieses Regimentes war denn auch Wolf Ludwig Friedrich v. Quast, wegen seiner tollkühnen Streiche kurzweg der »tolle Quast« genannt. Eines Tages (wahrscheinlich im Jahre 1794) ging er mit Lieutenant v. Jürgaß, dem spätern ausgezeichneten Kavalleriegeneral unter York, über die Weidendammer-Brücke, als ihnen, einige Häuser weiter, ein riesiger Sporn auffiel, der im Schaufenster eines Eisenladens hing. Es ward ausgemacht, daß derjenige, der zuerst in Arrest käme, das wunderliche Ding kaufen solle. Jürgaß war der erste der dieses Vorzugs genoß und kaufte den Sporn, aber freilich nicht ohne beim Kauf ein neues Abkommen getroffen zu haben: »der *nächste* der in Arrest kommt, läßt einen *Stiefel* dazu machen«. Dieser nächste war nun selbstverständlich Quast und schon eine Woche danach wurde der etwa sechs Fuß hohe Riesenstiefel unter allen möglichen Formalitäten in die Kaserne getragen. Da stand er nun, der Koloß, und der Sporn ward ihm angeschnallt. Aber der Übermut, einmal wachgeworden, sehnte sich nach *mehr* und so beschloß man denn einstimmig, dem Stiefel zu Ehren ein Fest zu geben, bei dem der Stiefel selbst als Bowle fungieren sollte. Gesagt, getan. Das Fest verlief unter dem Jubel aller Beteiligten, aber doch andererseits auch so, daß folgenden Tages Ordre kam, auf den Stiefel zu fahnden. So leichten Kaufs indes dachten die jungen Offiziere weder sich noch ihren Stiefel fangen zu lassen und als die diesem letzteren geltende Stubenrevision ihren Anfang nahm, war der große Stiefel schon mit Extrapost auf dem Wege nach *Garz.* Aber auch hier war seines Bleibens nicht lange. Das Versteck war verraten worden, und eine Reiterpatrouille hatte striktesten Befehl erhalten, den »Stiefel der Gensdarmes« es koste was es wolle, zur Stelle zu schaffen. Was tun in dieser Lage?

Das erste war, eben dieser Patrouille, die schon drei Meilen Vorsprung hatte, diesen Vorsprung wieder abzugewinnen. Es sattelten also befreundete Kameraden, überholten im Fluge das ziemlich ruhig seines Weges trottende Piquet und führten den gefährdeten Liebling von Garz nach

Gantzer hinüber, wo derselbe nunmehr, in einem abgelegensten Scheunenwinkel, unter hochaufgeschichteten Strohmassen versteckt wurde.

Daselbst stand er über ein Menschenalter. Das Regiment Gensdarmes war längst tot und die Jürgasse längst ausgestorben, da erbat sich der jetzige Besitzer von Garz, Rittmeister v. Quast, den Stiefel von Gantzer her zurück »da dieser, wenn irgendwohin, am ehesten nach dem ehemaligen Gute des ›tollen Quast‹ gehöre.« Gern wurd ihm gewillfahrt und blank aufgeputzt steht er seitdem auf dem Flur des Garzer Herrnhauses, ein charakteristisches Überbleibsel aus den Tagen des »Regiments Gensdarmes«.

Wolf Quast, wie so viele Militairs jener mit Unrecht in Bausch und Bogen verurteilten Zeit, war übrigens keineswegs ein bloßer »Junker Übermut« der nur mit Sporn und Degen über die Straße zu rasseln und gelegentlich in einem Riesenstiefel eine Bowle zu brauen verstand, er war vielmehr umgekehrt ein Mann von hervorragenden Gaben, der die Pflege »nobler Passionen« mit Bildung, Belesenheit und künstlerischem Sinn sehr wohl zu vereinigen wußte. Soldat mit Leib und Seele, war er darauf aus, dem Dienst eine ideale, fast eine wissenschaftliche Seite abzugewinnen und legte seine Reitererfahrungen in einem Buche nieder, das, wie Fachleute versichern, in allen erheblichen Punkten auch bis heute noch unübertroffen geblieben ist. Seine künstlerischen Neigungen führten ihn nach dem Süden, wo er 1804 erst in Rom und dann in Paris mit *Schinkel* zusammentraf. Dieser schrieb im Dezember genannten Jahres an den Geh. Rat v. Prittwitz: »Herr v. Quast, mit dem ich schon in Rom *schöne Genüsse teilte* und den ich hier in Paris wiederfinde, verspricht mir die Ausrichtung meiner Empfehlungen etc.« Das alles deutet auf mehr, als auf bloße Tollheiten und Fähnrichstreiche.

Das Ende Wolf v. Quasts war beklagenswert. Der brillante Reiter starb infolge eines Sturzes mit dem Pferde. Freilich war Mangel an Geschicklichkeit nicht die Ursach. In der Wilhelmstraße, dicht am Platz, war das Pflaster behufs einer Röhrenlegung aufgenommen und bei Einbruch der Dunkelheit für die vorschriftsmäßige Einzäunung nicht Sorge getragen worden. Quasts Pferd stürzte an dieser Stelle. Er selbst fiel so unglücklich, daß er bald danach im Radziwillschen Palais, wohin man ihn brachte, starb, am 2. Mai 1812.

Sein Eichensarg, ohne besonderen Schmuck, steht in der Familiengruft zu Garz. Er war am 13. Februar 1769 geboren.

Das Dosse-Bruch

*»Ihr habt mir nichts zu danken,
Denn davor bin ich da.«*
H. v. Blomberg

Eine halbe Meile westwärts von Garz treten wir in eine fruchtbare Niederung ein, die hier durch den Zusammenfluß des Rhins und der *Dosse*
gebildet wird und seit Jahrhunderten den Namen des *Dosse-Bruches*
führt.

Die *Dosse* (in alten Urkunden Doxa oder Dossia) entspringt an der
Grenze von Priegnitz und Mecklenburg und geht an Wittstock, Wusterhausen und Neustadt vorüber, in fast ununterbrochen südlicher Richtung
in Rhin und Havel. An ihrem Ufer hin, das trotz vorherrschender Öde
manchen schönen Punkt aufweist (so z.B. Amt Fretzdorf, alte Dosse-
Burg, seit lange Besitztum der Freiherrn v. Karstedt) wohnte der vielge-
nannte Stamm der *Dossaner*, die das Grenzland zwischen den wilzischen
und obotritischen Wenden innehatten. Auf den Feldmarken von Brunn
und Trieplatz, Dörfer, auf die wir weiterhin zurückkommen, finden sich
noch Spuren alter, dreifacher Wälle, deren Ursprung sich aller Wahrscheinlichkeit nach auf jene Zeit der Kämpfe zwischen den Sachsen und
Slaven zurückführen läßt.

Etwa bei Wusterhausen, wenn wir dem Lauf des Flusses folgen, beginnt
das *Dosse-Bruch*. Es hatte vordem so ziemlich denselben Sumpfcharakter
wie das Oderbruch, alles lag wüst und befand sich in einem Urzustande.
Werftweiden, Elsen und anderes Gebüsch bedeckten den größten Teil der
Niederung, und nur hier und da lagen Stellen über dem Wasser, die nun
als Wiesen und Weide dienten. Dreetz und Siewersdorf, mitten im Bruch
auf zwei Sandschollen erbaut, hatten ungeheure Feldmarken, ohne sie
recht benutzen zu können, weil das Vieh im Sumpfe steckenblieb. Schon
die Namen der einzelnen Örtlichkeiten hatten schlimmen Klang: Dolen-
busch, Brand und der Tarterwinkel.

Kolonisationsversuche wurden ziemlich früh gemacht. Bereits der
Landgraf von Hessen-Homburg begann Abzugsgräben zu ziehen; später
suchte König Friedrich Wilhelm I. (und zwar nach Entwässerung des
havelländischen Luches) auch *hier* die Kanalisierung in ein System zu
bringen. Aber erst unter dem Großen Könige kamen die *Dossebruch-
arbeiten* zu verhältnismäßigem Abschluß. An Widerstand hatten's die
Nächstbeteiligten nicht fehlen lassen; ihrer Auflehnungen indes war man
bald Herr geworden. Wo nicht freier Wille zu Hülfe kam, erfolgte
Zwang.

1778 endigten die Vorarbeiten: 15 000 Morgen Land waren gewonnen,
25 neue Dörfer und Ortschaften gegründet, 1500 Ansiedler angesetzt.
*Der König wollte nunmehr mit eignen Augen sehen, was hier geschaffen
worden sei.*

Den 23. Juli 1779 brach er zu diesem Behufe fünf Uhr morgens von Potsdam auf, und ging zunächst über Fahrland, Dyrotz, Wustermark, Nauen und Königshorst bis *Seelenhorst*.

Hier, in Seelenhorst, trat der König in den *Fehrbelliner* Amtsbezirk ein, und statt des Königshorster Amtsrats, der, auf der Fahrt durchs havelländische Luch, den Führer gemacht hatte, erschien nunmehr der Oberamtmann *Fromme* neben dem Wagen des Königs, um S. M. durch das Fehrbelliner Revier hin zu geleiten. Der König fand Wohlgefallen an ihm, stellte viele Fragen und behielt ihn mehrere Stunden lang an seiner Seite.

Fromme hat in einem Schreiben an den alten Vater Gleim, der sein Onkel war, alles aufgezeichnet, was er in diesen denkwürdigen Stunden erlebt oder aus dem Munde des Königs vernommen hat, und es ist nunmehr *Fromme*, den ich in nachstehendem sprechen lasse.

Friedrichs II. Besuch im Rhin- und Dosse-Bruch

Um acht Uhr morgens kamen Ihro Majestät auf *Seelenhorst* an und hatten den Herrn General Grafen von Goertz im Wagen bei sich. Ihro Majestät sprachen bei der Umspannung mit den Zietenschen Husarenoffiziers, die auf den umliegenden Dörfern auf Grasung standen und bemerkten mich nicht. Weil die Dämme zu schmal sind, konnt' ich neben dem Wagen nicht reiten (Fromme ritt also vorauf oder hinterher.) In *Dechtow* bekamen Ihro Majestät den Herrn Rittmeister v. Zieten, dem Dechtow gehört, zu sehen, und behielten ihn – der Weg war hier breiter – neben sich, bis dahin wo die Dechtowsche Feldmark zu Ende geht. Hier wurde wieder umgespannt und Hauptmann von *Rathenow* auf Karvesee, ein alter Liebling des Königs, trat an den Wagen heran:

Hauptmann von Rathenow. Untertänigster Knecht Ihro Majestät!
König. Wer seid Ihr?
Hauptmann. Ich bin der Hauptmann von Rathenow* aus Karvesee.
König (die Hände faltend). Mein Gott! lieber Rathenow, lebt Er noch? ich dacht', Er wäre längst tot. Wie geht es Ihm? ist er gesund?
Hauptmann. O ja, Ihro Majestät.
König. Aber, mein Gott! wie dick ist Er geworden.

---

* Von Rathenow stand 1732 und die folgenden Jahre als Lieutenant beim kronprinzlichen Regiment in Neu-Ruppin und war einer aus dem näheren Umgangskreise des Prinzen. Überhaupt werden wir im Verlauf des Aufsatzes sehen, daß der König überall alte Bekanntschaften erneuert und die fast ein halbes Jahrhundert zurückliegenden Ruppiner Tage wieder lebendig werden fühlt.

Hauptmann. Ja, Ihro Majestät, Essen und Trinken schmeckt immer noch; nur die Füße wollen nicht fort.

König. Ja! das geht mir auch so. Ist Er verheiratet?

Hauptmann. Ja, Ihro Majestät!

König. Ist seine Frau mit unter den Damen dort?

Hauptmann. Ja, Ihro Majestät!

König. Laß Er sie doch herkommen! (sogleich den Hut ab.) Ich find' an Ihrem Herrn Gemahl einen guten alten Freund.

Frau von Rathenow. Sehr viel Gnade für meinen Mann.

König. Was sind Sie für eine geborene?

Frau von Rathenow. Ein Fräulein von Kröcher!

König. Haha! eine Tochter von General von Kröcher!

Frau von Rathenow. Ja, Ihro Majestät.

König. O, den hab' ich recht gut gekannt. – Hat Er auch Kinder, Rathenow?

Hauptmann. Ja, Ihro Majestät! Meine Söhne sind in Diensten, und dies sind meine Töchter!

König. Na! das freut mich. Leb Er wohl, mein lieber Rathenow! Leb' Er wohl! –

Nun ging der Weg auf *Fehrbellin*, und Förster Brand ritt als Forstbediienter mit. Als wir an einen Fleck von Sandschellen kamen, die vor Fehrbellin liegen, sagten Ihro Majestät: Förster, warum sind die Sandschellen nicht besäet?

Förster. Ihro Majestät, sie gehören nicht zur königlichen Forst; sie gehören mit zum Acker. Zum Teil besäen die Leute sie mit allerlei Getreide. Hier, rechter Hand, haben sie Kienäpfel gesäet!

König. Wer hat die gesäet?

Förster. Hier der Oberamtmann!

König (zu mir). Na! sagt es meinem geheimden Rat Michaelis, daß die Sandschellen besäet werden sollen. – (zum Förster) Wißt Ihr aber auch, wie Kienäpfel gesäet werden müssen?

Förster. O ja, Ihro Majestät!

König. Na! wie werden sie gesäet? von Morgen gegen Abend, oder von Abend gegen Morgen?

Förster. Von Abend gegen Morgen.

König. Das ist recht; aber warum?

Förster. Weil aus dem Abend die meisten Winde kommen.

König. Das ist recht! –

Nun kamen Ihro Majestät zu *Fehrbellin* an, sprachen daselbst mit dem Lieutenant *Probst* vom Zietenschen Husarenregiment (schon sein Vater stand als Rittmeister bei den Zietenschen) und mit dem fehrbellinischen Postmeister, Hauptmann von *Mosch*. Als umgespannt war, wurde die Reise fortgesetzt, und da Ihro Majestät gleich danach an meinen Gräben, die im fehrbellinischen Luch auf königliche Kosten gemacht sind, vorbeifuhren, so ritt ich an den Wagen und sagte: Ihro Majestät, das sind schon zwei neue Gräben, die wir durch Ihro Majestät Gnade hier erhalten haben, und die das Luch uns trocken erhalten.

König. So so; das ist mir lieb! Wer seid Ihr?

Fromme. Ihro Majestät, ich bin der Beamte hier von Fehrbellin.

König. Wie heißt Ihr?

Fromme. Fromme.

König. Ha ha! Ihr seid ein Sohn von dem Landrat Fromme.

Fromme. Ihro Majestät halten zu Gnaden, mein Vater ist Amtsrat im Amte Lähme gewesen.

König. Amtsrat! Amtsrat! Das ist nicht wahr! Euer Vater ist Landrat gewesen. Ich habe ihn recht gut gekannt. Sagt mir einmal, hat Euch die Abgrabung des Luchs hier viel geholfen?

Fromme. O ja, Ihro Majestät!

König. Haltet Ihr mehr Vieh als Euer Vorfahr?

Fromme. Ja, Ihro Majestät! Auf diesem Vorwerk halt' ich vierzig, auf allen Vorwerken siebenzig Kühe mehr!

König. Das ist gut. Die Viehseuche ist doch nicht hier in der Gegend?

Fromme. Nein, Ihro Majestät!

König. Habt Ihr die Viehseuche hier gehabt?

Fromme. Ja!

König. Braucht nur fein fleißig Steinsalz, dann werdet Ihr die Viehseuche nicht wieder bekommen.

Fromme. Ja, Ihro Majestät, das brauch' ich auch; aber Küchensalz tut beinah eben die Dienste.

König. Nein, das glaubt nicht! Ihr müßt das Steinsalz nicht klein Stoßen, sondern es dem Vieh so hinhangen, daß es dran lecken kann.

Fromme. Ja, es soll geschehen.

König. Sind sonst hier noch Verbesserungen zu machen?

Fromme. O ja, Ihro Majestät. Hier liegt die Kremmensee. Wenn selbige abgegraben würde, so bekämen Ihro Majestät an achtzehnhundert Morgen Wiesenwachs, wo Kolonisten könnten angesetzt werden, und würde dadurch die ganze Gegend hier schiffbar, welches dem Städtchen Fehrbellin und der Stadt Ruppin ungemein aufhelfen würde; auch könnte vieles aus Mecklenburg zu Wasser nach Berlin kommen.

König. Das glaub' ich! Euch wird aber wohl bei der Sache sehr geholfen, viele dabei ruiniert, wenigstens die Gutsherren des Terrains; nicht wahr?

Fromme. Ihro Majestät halten zu Gnaden; das Terrain gehört zum königlichen Forst und stehen nur Birken darauf.

König. O, wenn weiter nichts ist, wie Birkenholz, so kann's geschehen! Allein ihr müßt auch nicht die Rechnung ohne den Wirt machen, daß nicht die Kosten den Nutzen übersteigen.

Fromme. Die Kosten werden den Nutzen gewiß nicht übersteigen! Denn erstlich können Ihro Majestät sicher darauf rechnen, daß achtzehnhundert Morgen von der See gewonnen werden; das wären sechsunddreißig Kolonisten, jeder zu funfzig Morgen. Wird nun ein kleiner leidlicher Zoll auf das Floßholz gelegt, und auf die Schiffe, die den neuen Kanal passieren, so wird das Kapital sich gut verzinsen.

König. Na! sagt es meinem geheimden Rat Michaelis! Der Mann versteht's, und ich will Euch raten, daß Ihr Euch an den Mann wenden sollt in allen Stücken, und wenn Ihr wißt, wo Kolonisten anzusetzen sind. Ich verlange nicht gleich ganze Kolonieen; sondern wenn's nur zwo oder drei Familien sind, so könnt Ihr's immer mit dem Mann abmachen!

Fromme. Es soll geschehen, Ihro Majestät.

König. Kann ich hier nicht Wustrau liegen sehen?

Fromme. Ja, Ihro Majestät; hier rechts, das ist's.

König. Ist der General zu Hause?

Fromme. Ja!

König. Woher wißt Ihr das?

Fromme. Ihro Majestät, der Rittmeister von Lestocq liegt in meinem Dorf auf Grasung und da schickten der Herr General gestern einen Brief durch den Reitknecht an ihn. Da erfuhr ich's.

König. Hat der General von Zieten auch bei der Abgrabung des Luchs gewonnen?

Fromme. O ja; die Meierei hier rechts hat er gebaut und eine Kuhmolkerei angelegt, welches er nicht gekonnt hätte, wenn das Luch nicht abgegraben wäre.

König. Das ist mir lieb! Wie heißt der Beamte zu Alten-Ruppin?

Fromme. Honig

König. Wie lang' ist er da?

Fromme. Seit Trinitatis.

König. Seit Trinitatis? Was ist er vorher gewesen?

Fromme. Kanonikus.

König. Kanonikus? Kanonikus? Wie führt der Teufel zum Beamten den Kanonikus?

Fromme. Ihro Majestät, er ist ein junger Mensch, der Geld hat, und gern die Ehre haben will, Beamter von Ihro Majestät zu sein.

König. Warum ist aber der alte nicht geblieben?

Fromme. Ist gestorben.

König. So hätte doch die Witwe das Amt behalten können.

Fromme. Ist in Armut geraten!

König. Durch Frauenswirtschaft?

Fromme. Ihro Majestät verzeihen, sie wirtschaftete gut, allein die vielen Unglücksfälle haben sie zugrunde gerichtet; die können den besten Wirt zurücksetzen. Ich selber habe vor zwei Jahren das Viehsterben gehabt, und habe keine Remission erhalten; ich kann auch nicht wieder vorwärtskommen.

König. Mein Sohn, heut hab ich Schaden am linken Ohr, ich kann nicht gut hören.

Fromme. Das ist schon eben ein Unglück, daß der geheimde Rat Michaelis den Schaden auch hat!

(Nun blieb ich ein wenig vom Wagen zurück; ich glaubte, Ihro Majestät würden die Antwort ungnädig nehmen.)

König. Na! Amtmann, vorwärts! bleibt beim Wagen, aber *nehmt Euch in acht, daß Ihr nicht unglücklich seid. Sprecht nur laut, ich verstehe recht gut.* (Diese mit schrägen Lettern gedruckten Worte wiederholten Ihro Majestät wenigstens zehnmal auf der Reise.) Sagt mir mal, wie heißt das Dorf da? rechts.

Fromme. Langen.

König. Wem gehört's?

Fromme. Ein Drittel Ihro Majestät, unter dem Amte Alten-Ruppin; ein Drittel dem Herrn von Hagen; und dann hat der Dom zu Berlin auch Untertanen darin.

König. Ihr irrt Euch, der Dom zu Magdeburg!

Fromme. Ihro Majestät halten zu Gnaden, der Dom zu Berlin.

König. Es ist aber nicht wahr, der Dom zu Berlin hat keine Untertanen.

Fromme. Ihro Majestät halten zu Gnaden, der Dom zu Berlin hat in meinem Amtsdorfe Karvesee drei Untertanen.

König. Ihr irrt Euch, das ist der Dom zu Magdeburg.

Fromme. Ihro Majestät, ich müßte ein schlechter Beamter sein, wenn ich nicht wüßte, was in meinen Amtsdörfern für Obrigkeiten sind.

König. Ja, dann habt Ihr recht! Sagt mir einmal: hier rechts muß ein Gut liegen, ich kann mich nicht auf den Namen besinnen; nennt mir die Güter, die hier rechts liegen.

Fromme. Buschow, Radensleben, Sommerfeld, Beetz, Carwe.

König. Recht! Carwe. Wem gehört das Gut?

Fromme. Dem Herrn von Knesebeck.

König. Ist er in Diensten gewesen?

Fromme. Ja! Lieutenant oder Fähnrich unter der Garde.

König. Unter der Garde? (an den Fingern zählend). Ihr habt recht, er ist Lieutenant unter der Garde gewesen! Das freut mich sehr, daß das Gut noch in Knesebeckschen Händen ist. – Na! sagt mir einmal, der Weg, so, hier den Berg hinaufgeht, geht nach Ruppin, und hier links ist die Große Straße nach Hamburg?

Fromme. Ja, Ihro Majestät!

König. Wißt Ihr, wie lang es ist, daß ich nicht bin hiergewesen?

Fromme. Nein!

König. Das sind dreiundvierzig Jahr! Kann ich Ruppin liegen sehen?

Fromme. Ja, Ihro Majestät, der Turm, so hier rechts über die Tannen herüber sieht, ist Ruppin!

König (mit dem Glase aus dem Wagen lehnend). Ja, ja, das ist er, ich kenn' ihn noch. – Kann ich *Tramnitz* liegen sehen?

Fromme. Nein, Ihro Majestät. Tramnitz liegt zu weit links, dicht an Kyritz.

König. Werden wir's nicht sehen, wenn wir besser hinkommen?

Fromme. Es könnte sein, bei Neustadt, aber ich zweifle.

König. Das ist schade! Kann ich Bechlin liegen sehn?

Fromme. Jetzt nicht, Ihro Majestät; es liegt zu sehr im Grunde. Wer weiß, ob es Ihro Majestät gar werden sehen können?

König. Na! gebt Achtung, und wenn ihr's seht, so sagt's! – Wo ist der Beamte von Alten-Ruppin?

Fromme. In Protzen beim Vorspann wird er sein!

König. Können wir noch nicht Bechlin* liegen sehn?

Fromme. Nein!

König. Wem gehört's itzo?

Fromme. Einem gewissen Schönermark.

König. Ist er von Adel?

Fromme. Nein!

König. Wer hat's vor ihm gehabt?

Fromme. Der Feldjäger Ahrens; der hat's von seinem Vater ererbt. Das Gut ist immer in bürgerlicher Familie gewesen.

König. Das weiß ich! Wie heißt das Dorf hier vor uns?

Fromme. Walchow.

König. Wem gehört's?

Fromme. Ihnen, Ihro Majestät, unter dem Amte Alten-Ruppin.

König. Wie heißt das Dorf hier vor uns?

Fromme. Protzen.

König. Wem gehört's?

Fromme. Dem Herrn von Kleist.

König. Was ist das für ein Kleist?

Fromme. Ein Sohn vom General Kleist.

König. Von welchem General Kleist?

Fromme. Der Bruder von ihm ist Flügeladjutant bei Ihro Majestät gewesen, und steht itzt zu Magdeburg beim Kalksteinschen Regiment, als Obristlieutenant.

König. Ha ha! von dem? die Kleiste kenn' ich recht gut. Ist dieser Kleist auch in Diensten gewesen?

Fromme. Ja, Ihro Majestät; er ist Fähnrich gewesen unter dem Prinz Ferdinandschen Regiment.

König. Warum hat der Mann seinen Abschied genommen?

Fromme. Das weiß ich nicht!

König. Ihr könnt's mir sagen; ich suche nichts darunter. Warum hat der Mann seinen Abschied genommen?

Fromme. Ihro Majestät, ich kann's wirklich nicht sagen. –

Nun waren wir an Protzen heran. Ich wurde gewahr, daß der alte Gene-

---

* Bechlin liegt nur eine Viertelmeile von Ruppin und war oft der Schauplatz der ausgelassenen Späße, die zur »kronprinzlichen Zeit« beim Regiment im Schwange waren. – Ein noch bevorzugterer Ort war das unmittelbar vorher genannte *Tramnitz* (vergl. weiterhin das gleichnamige Kapitel).

ral von Zieten in Protzen vor dem Edelhofe stand. Ich ritt an den Wagen heran und sagte: Ihro Majestät, der Herr General von Zieten sind auch hier.

König. Wo? wo? o reitet vor, und sagt's den Leuten, sie sollen stillhalten; ich will aussteigen. –

Nun stiegen Ihro Majestät hier aus, und freuten sich außerordentlich über die Anwesenheit des Herrn Generals von Zieten, sprachen mit ihm und dem Herrn v. Kleist über mancherlei Sachen, ob ihm die Abgrabung des Luchs geholfen? ob er die Viehseuche gehabt? und empfahl das Steinsalz gegen die Viehseuche. Mit einemmal gingen Ihro Majestät beiseite, kamen wieder und riefen: Amtmann! (dicht am Ohr) »Wer ist der dicke Mann da mit dem weißen Rock?« (Ich ebenfalls dicht am Ohr) »Ihro Majestät, es ist der Landrat von Quast auf Radensleben vom ruppinischen Kreise.«

König. Schon gut!

Nun gingen Ihro Majestät wieder zum General von Zieten und Herrn von Kleist, und sprachen von verschiedenen Sachen. Herr von Kleist präsentierte Seiner Majestät sehr schöne Früchte. Sie bedankten sich; mit einemmal drehten sie sich um und sagten: »Serviteur Herr Landrat!« Als nun selbiger auf Ihro Majestät zugehen wollte, sagten Ihro Majestät: »Bleib Er nur da, ich kenn' Ihn, Er ist der Landrat von Quast!«

Nun war angespannt. Ihro Majestät nahmen recht zärtlichen Abschied von dem alten General von Zieten, empfahlen sich den übrigen, und fuhren fort. Ob nun wohl Ihro Majestät in Protzen die Früchte nicht annahmen, so nahmen doch dieselben, so wie wir aus Protzen waren, ein Butterbrod für sich und für den Herrn General Grafen von Görz aus der Wagentasche, und aßen während des Fahrens immer Pfirsich. Beim Wegfahren glaubten Ihro Majestät, ich würde zurückbleiben, und riefen aus dem Wagen: »Amtmann, kommt mit!«

König. Wo ist der Beamte von Alten-Ruppin?

Fromme. Er wird vermutlich krank sein, sonst wär' er in Protzen beim Vorspann gewesen.

König. Na! sagt mir einmal, wißt Ihr *wirklich* nicht, *warum der Kleist zu Protzen seinen Abschied genommen.*

Fromme. Nein, Ihro Majestät, ich weiß es wahrhaftig nicht.

König. Wie heißt das Dorf hier vor uns?

Fromme. Manker.

König. Wem gehört's?

Fromme. Ihnen, Ihro Majestät, unter dem Amt Alten-Ruppin.

König. Hört einmal, wie seid Ihr mit der Ernte zufrieden?

Fromme: Sehr gut, Ihro Majestät!

König. Sehr gut? und mir haben sie gesagt, sehr schlecht!

Fromme. Ihro Majestät, das Wintergetreide ist etwas erfroren; aber das Sommergetreide steht dafür so schön, daß es den Schaden beim Wintergetreide reichlich ersetzt.

(Nun sahen Ihro Majestät auf den Feldern Mandel an Mandel)

König. Es ist eine gute Ernte, Ihr habt recht; es steht ja Mandel bei Mandel hier!

Fromme. Ja, Ihro Majestät; und hier setzen die Leute noch dazu Stiege.

König. Was ist das, Stiege?

Fromme. Das sind zwanzig Garben zusammen gesetzt!

König. O, es ist unstreitig eine gute Ernte – *Aber sagt mir doch, warum hat der Kleist aus Protzen seinen Abschied genommen?*

Fromme. Ihro Majestät, ich weiß es nicht! Mir deucht, er hat vom Vater müssen die Güter annehmen. Eine andre Ursach weiß ich nicht.

König. Wie heißt das Dorf hier vor uns?

Fromme. Garz.

König. Wem gehört's?

Fromme. Dem Kriegsrat von Quast.

König. Wem gehört's?

Fromme. Dem Kriegsrat von Quast.

König. Ei was! Ich will von keinem Kriegsrat was wissen! Wem gehört das Gut?

Fromme. Dem Herrn von Quast.

König. Na! das ist recht geantwortet! –

Nun kamen Ihro Majestät in Garz an! Die Umspannung besorgte Herr von *Lüderitz* aus *Nakel*, als erster Deputierter des ruppinschen Kreises. Dieser hatte einen Hut auf mit einer weißen Feder! Als nun die Anspannung geschehen war, ging die Reise gleich fort.

König. Wem gehört das Gut hier links?

Fromme. Dem Herrn von Lüderitz; es heißt Nakel.

König. Was ist das für ein Lüderitz?

Fromme. Ihro Majestät, der in Garz beim Vorspann war.

König. Haha! der Herr mit der weißen Feder. – Säet Ihr auch Weizen?

Fromme. Ja, Ihro Majestät.

König. Wieviel habt Ihr ausgesäet?

Fromme. Drei Wispel, zwölf Scheffel.

König. Wieviel hat Euer Vorfahr ausgesäet?

Fromme. Vier Scheffel.

König. Wie geht das zu, daß Ihr so viel mehr säet, als Euer Vorfahr?

Fromme. Wie ich schon die Gnade gehabt, Ihro Majestät zu sagen, daß ich siebenzig Stück Kühe mehr halte, als mein Vorfahr, mithin meinen Acker besser instandsetzen und Weizen säen kann!

König. Aber warum bauet ihr keinen Hanf?

Fromme. Er gerät hier nicht. In kaltem Klima gerät er besser. Unsere Seiler können den russischen Hanf in Lübeck wohlfeiler kaufen, und besser, als ich ihn bauen kann.

König. Was säet Ihr denn dahin, wo Ihr sonst Hanf hinsäet?

Fromme. Weizen!

König. Warum bauet Ihr aber kein Färbekraut, keinen Krapp?

Fromme. Er will nicht fort; der Boden ist nicht gut genug.

König. Das sagt Ihr nur so: Ihr hättet sollen die Probe machen.

Fromme. Das hab' ich getan; allein sie ist mir fehlgeschlagen, und als Beamter kann ich viel Proben nicht machen; denn, wenn sie fehlschlagen, muß doch die Pacht bezahlt sein.

König. Was säet Ihr denn dahin, wo Ihr würdet Färbekraut hinbringen?

Fromme. Weizen!

König. Na! so bleibt beim Weizen! Eure Untertanen müssen recht gut im Stande sein?

Fromme. Ja, Ihro Majestät! Ich kann aus dem Hypothekenbuche beweisen, daß sie an funfzigtausend Taler Kapital haben.

König. Das ist gut!

Fromme. Vor drei Jahren starb ein Bauer, der hatte eilftausend Taler in der Bank.

König. Wieviel?

Fromme. Eilftausend Taler.

König. So müßt Ihr sie auch immer erhalten!

Fromme. Ja, es ist recht gut, Ihro Majestät, daß der Untertan Geld hat; aber er wird auch übermütig, wie die hiesigen Untertanen, welche mich schon siebenmal bei Ihro Majestät verklagt haben, um vom Hofedienst freizusein.

König. Sie werden auch wohl Ursach dazu gehabt haben.

Fromme. Sie werden gnädigst verzeihen: es ist eine Untersuchung gewesen, und ist befunden, daß ich die Untertanen nicht gedrückt, sondern immer recht gehabt, und sie nur zu ihrer Schuldigkeit angehalten habe! dennoch bleibt die Sache, wie sie ist: die Bauern werden nicht bestraft; Ihro Majestät geben den Untertanen immer recht, und der arme Beamte muß unrecht haben!

König. Ja! daß Ihr recht bekommt, mein Sohn, das glaub' ich wohl: Ihr werdet Euern Departementsrat brav viel Butter, Kapaunen und Puters schicken.

Fromme. Nein, Ihro Majestät, das kann man nicht; das Getreide gilt nichts. Wenn man für andre Sachen nicht einen Groschen Geld einnähme, wovon sollte man die Pacht bezahlen?

König. Wohin verkauft Ihr eure Butter, Kapaunen und Puters?

Fromme. Nach Berlin.

König. Warum nicht nach Ruppin?

Fromme. Die mehrsten Bürger halten Kühe, soviel als sie zu ihrem Aufwand brauchen! Der Soldat ißt alte Butter; der kann die frische nicht bezahlen!

König. Was bekommt Ihr für die Butter in Berlin?

Fromme. Vier Groschen für das Pfund. Der ruppinische Soldat aber kauft die alte Butter für zwei das Pfund.

König. Aber eure Kapaunen und Puter könnt Ihr doch nach Ruppin bringen?

Fromme. Beim ganzen Regiment sind nur vier Stabsoffiziere, die gebrauchen nicht viel; und die Bürger leben nicht delikat; die danken Gott, wenn sie Schweinefleisch haben.

König. Ja, da habt Ihr recht! die Berliner essen gern was Delikates. – Na! macht mit den Untertanen, was Ihr wollt; nur drückt sie nicht!

Fromme. Ihro Majestät, das wird mir nicht einfallen, und keinem rechtschaffnen Beamten.

König. Sagt mir einmal, wo liegt hier *Stöllen*?

Fromme. Stöllen können Ihro Majestät nicht sehen. Die großen Berge dort links sind die Berge bei Stöllen, auf welchen Ihro Majestät alle Kolonien übersehen können!

König. So? das ist gut! dann reitet mit bis dahin. –

Nun kamen Ihro Majestät an eine Menge Bauern, die Roggen mäheten, zwei Glieder machten, die Sensen strichen, und Ihro Majestät so durchfahren ließen!

König. Was Teufel wollen die Leute? die wollen wohl gar Geld von mir haben?

Fromme. O nein, Ihro Majestät! Sie sind voll Freuden, daß Sie so gnädig sind, und die hiesige Gegend bereisen.

König. Ich werd' ihnen auch nichts geben! Wie heißt das Dorf hier vorn?

Fromme. Barsikow.

König. Wem gehört's?

Fromme. Dem Herrn von Mütschefall.

König. Was ist das für ein Mütschefall?

Fromme. Er ist Major gewesen unter dem Regiment, das Ihro Majestät als Kronprinz gehabt haben.

König. Mein Gott! lebt er noch?

Fromme. Nein; er ist tot, die Tochter hat das Gut. –

Nun kamen wir ins Dorf Barsikow, wo der Edelhof eingefallen ist.

König. Hört! Ist das der Edelhof?

Fromme. Ja!

König. Das sieht ja elend aus! – Hört einmal: den Leuten geht's hier wohl nicht gut?

Fromme. Recht schlecht, Ihro Majestät! Es ist die größte Armut.

König. Das ist mir leid! – Sagt mir doch; es wohnte hier vor diesem ein Landrat. Er hatte viel Kinder; könnt Ihr euch nicht auf ihn besinnen?

Fromme. Es wird der Landrat von Jürgaß zu Gantzer gewesen sein.

König. Ja, ja! der ist's gewesen. Ist er schon tot?

Fromme. Ja, Ihro Majestät. Er ist 1771 gestorben und es war was Besondres damit. In vierzehn Tagen starb er, seine Frau, die Fräulein, und vier Söhne. Die andern vier Söhne mußten dieselbe Krankheit ausstehen, die wie ein hitzig Fieber war, und obwohl die Söhne, weil sie in Diensten waren, in verschiedenen Garnisonen standen und kein Bruder zum andern kam, so bekamen sie alle viere doch dieselbe Krankheit, und kamen nur so eben mit dem Leben davon.

König. Das ist ein verzweifelter Umstand gewesen! Wo sind die noch lebenden vier Söhne?

Fromme. Einer unter Zieten-Husaren, einer unter den Gensdarmes! Einer ist unter dem Prinz-Ferdinandschen Regiment gewesen, und wohnt auf dem Gute Dessow. Der vierte ist der Schwiegersohn vom Herrn General von Zieten. Er war Lieutenant beim Zietenschen Regiment; Ihro Majestät haben ihm aber in diesem letzten Kriege, wegen seiner Kränklichkeit, den Abschied gegeben; nun wohnt er in Gantzer.

König. So? .. Macht Ihr sonst noch Proben mit ausländischem Getreide?

Fromme. O ja! Dieses Jahr habe ich spanische Gerste gesäet. Allein sie will nicht recht einschlagen; ich gehe wieder ab. Aber den holsteinischen Staudenroggen find' ich gut!

König. Was ist das für Roggen?

Fromme. Er wächst im Holsteinischen in der Niederung. Unterm zehnten Korn hab ich ihn noch nie gehabt!

König. Nu, nu! nicht gleich das zehnte Korn!

Fromme. Das ist nicht viel. Belieben Ihro Majestät den Herrn General von Görz zu fragen, die werden Ihnen sagen, daß dies im Holsteinischen nicht viel ist. –

Nun sprachen Sie in dem Wagen eine Weile von dem Roggen. Mit einem Male riefen Ihro Majestät aus dem Wagen: Na! so bleibt bei dem holsteinischen Staudenroggen, und gebt den Untertanen auch welchen.

Fromme. Ja, Ihro Majestät!

König. Aber macht mir einmal eine Idee: wie hat das Luch ausgesehen, ehe es abgegraben war?

Fromme. Es waren lauter hohe Hüllen, dazwischen setzte sich das Wasser. Bei den trockensten Jahren konnten wir das Heu nicht herausfahren, sondern wir mußten's in großen Mieten setzen. Im Winter nur, wenn's scharf gefroren hatte, konnten wir's herausfahren. Nun aber haben wir die Hüllen herausgehauen, und die Gräben, die Ihro Majestät machen lassen, ziehen das Wasser ab. Nun ist das Luch so trocken, wie Ihro Majestät sehen, und wir können unser Heu herausfahren, wann wir wollen.

König. Das ist gut! Halten Eure Untertanen auch mehr Vieh, wie sonst?

Fromme. Ja!

König. Wieviel wohl mehr?

Fromme. Mancher eine Kuh, mancher zwo, nachdem es sein Vermögen verstattet.

König. Aber wieviel halten sie wohl sämtlich mehr? ohngefähr nur!

Fromme. Bis einhundertundzwanzig Stück!

Nun mußten Ihro Majestät wohl den Herrn General von Görz gefragt haben, woher ich ihn kennte? weil ich wegen des holsteinischen Roggens zu Ihro Majestät sagte: Sie möchten nur den General nach dem Roggen fragen; und hat der Herr General vermutlich, der Wahrheit gemäß, geantwortet: daß er mich im Holsteinischen kennengelernt, und daß ich daselbst Pferde gekauft hätte, auch in Potsdam mit Pferden gewesen wäre.

Mit einemmal sagten Ihro Majestät:

Hört! ich weiß, Ihr seid ein Liebhaber von Pferden. Geht aber ab davon und zieht Euch Kühe dafür; Ihr werdet Eure Rechnung besser dabei finden.

Fromme. Ihre Majestät, ich handle nicht mehr mit Pferden. Ich ziehe mir nur etliche Füllen alle Jahr.

König. Zieht Euch Kälber dafür, das ist besser!

Fromme. O, Ihro Majestät, wenn man sich Mühe gibt, ist kein Schade bei der Pferdezucht. Ich kenne jemand, welcher vor zwei Jahren tausend Taler für einen Hengst von seinem Zuwachs bekam.

König. Der ist ein Narr gewesen, der sie gegeben hat!

Fromme. Ihro Majestät, es war ein mecklenburgischer Edelmann.

König. Er ist aber doch ein Narr gewesen.

Nun kamen wir auf das Territorium des Amts Neustadt, wo der Amtsrat *Klausius*, der das Amt in Pacht hat, auf der Grenze hielt, und Ihro Majestät vorbeireisen ließ. Weil mir aber das Sprechen schon sehr sauer wurde, Ihro Majestät immer nach den Dörfern fragte, so hier in Menge sind, und ich immer den Gutsbesitzer mitnennen und sagen mußte, welche von ihnen Söhne im k. Dienst hätten, so holt' ich den Herrn Amtsrat Klausius an den Wagen heran und sagte: Ihro Majestät, das ist der Amtsrat Klausius vom Amt Neustadt, unter dessen Jurisdiktion die Kolonien stehen.

König. So. so! das ist mir lieb! Laßt ihn herkommen!*– Wie heißt Ihr?

Amtsrat. Klausius!

König. Klau-si-us. Na, habt Ihr viel Vieh hier auf den Kolonien?

Amtsrat. Achtzehnhundertsiebenundachtzig Stück Kühe, Ihro Majestät! Es würden weit über dreitausend sein, wenn nicht die Viehseuche gewesen wäre.

König. Vermehren sich auch die Menschen gut? gibt's brav Kinder?

Amtsrat. O ja, Ihro Majestät; es sind itzt funfzehnhundertsechsundsiebenzig Seelen auf den Kolonien!

König. Seid Ihr auch verheiratet?

Amtsrat. Ja, Ihro Majestät!

König. Habt Ihr auch Kinder?

Amtsrat. Stiefkinder, Ihro Majestät!

König. Warum nicht eigene?

Amtsrat. Das weiß ich nicht, Ihro Majestät, wie das zugeht.

König (zu mir). Hört: ist die mecklenburgische Grenze noch weit von hier?

Fromme. Nur eine kleine Meile. Es sind aber nur etliche Dörfer, die mitten im Brandenburgischen liegen. Sie heißen Netzeband und Rossow.

---

*»Von hier an« so bemerkt Fromme »sprach der König meist mit dem Amtsrat Klausius und ich (Fromme) schreibe nur, was ich selbst noch so nebenbei gehört habe.«

König. Ja, ja! sie sind mir bekannt. Das hätt' ich aber doch nicht geglaubt, daß wir so nah am Mecklenburgischen wären. (Zum Herrn Amtsrat Klausius.) Wo seit Ihr geboren?

Amtsrat. Zu Neustadt an der Dosse.

König. Was ist Euer Vater gewesen?

Amtsrat. Prediger.

König. Sind's gute Leute, die Kolonisten? die erste Generation pflegt nicht viel zu taugen!

Amtsrat. Es geht noch an.

König. Wirtschaften sie gut?

Amtsrat. O ja, Ihro Majestät! Ihro Exzellenz, der Minister von Derschau, haben mir auch eine Kolonie von fünfundsiebzig Morgen gegeben, um den andern Kolonisten mit gutem Exempel vorzugehen.

König (lächelnd). Haha! mit gutem Exempel! Aber sagt mir, ich sehe ja hier kein Holz; wo holen die Kolonisten ihr Holz her?

Amtsrat. Aus dem Ruppinischen.

König. Wie weit ist das?

Amtsrat. Drei Meilen.

König. Das ist doch sehr weit! da hätte müssen gesorgt werden, daß sie's näher hätten! (zu mir). Was ist das für ein Mensch, der da rechts?

Fromme. Der Bauinspektor Menzelius, der hier die Bauten in Aufsicht gehabt hat.

König. Bin ich denn hier in Rom? es sind ja lauter lateinische Namen! Warum ist das hier so hoch eingezäunt?

Fromme. Es ist das Maultiergestüte.

König. Wie heißt die Kolonie?

Fromme. Klausiushof.

Amtsrat. Ihro Majestät, sie kann auch Klaushof heißen.

König. Sie heißt Klau-si-ushof. Wie heißt da die andere Kolonie?

Fromme. Brenkenhof.

König. So heißt sie nicht.

Fromme. Ja, Ihro Majestät; ich weiß es nicht anders!

König. Sie heißt Bren-ken-ho-si-ushof! – Sind das die Stöllenschen Berge, die da vor uns liegen?

Fromme. Ja, Ihro Majestät!

König. Muß ich durchs Dorf fahren?

Fromme. Es ist eben nicht nötig; aber der Vorspann steht drin. Wenn Ihro Majestät befehlen, so will ich vorreiten, und den Vorspann aus dem Dorf herausnehmen, und hinter die Berge legen.

König. O ja, das tut! Nehmt Euch einen von meinen Pagen mit. –

Nun besorgte ich den Vorspann, richtete mich aber doch so ein, daß, sobald Ihro Majestät auf den Bergen waren, ich auch da war. Als Ihro Majestät ausstiegen aus dem Wagen, ließen Sie sich einen Tubum geben und besahen die ganze Gegend, und sagten dann: Das ist wahr, das ist wider meine Erwartung! das ist schön. Ich muß Euch das sagen, alle, die Ihr daran gearbeitet habt! Ihr seid ehrliche Leute gewesen! (Zu mir.) Sagt mir mal: Ist die Elbe weit von hier?

Fromme. Ihro Majestät, sie ist zwo Meilen von hier! Da liegt Werben in der Altenmark, dicht an der Elbe.

König. Das kann nicht sein. Gebt mir den Tubum noch einmal her. – Ja, ja; es ist doch wahr! Aber was ist das andre für ein Turm?

Fromme. Ihro Majestät, es ist Havelberg.

König. Na! Kommt alle her! (Es waren der Amtsrat Klausius, der Bauinspektor Menzelius und ich.) Hört einmal, der Fleck Bruch, hier links, soll auch noch urbar gemacht werden, und was hier rechts liegt, ebenfalls, so weit als der Bruch geht. Was steht für Holz drauf?

Fromme. Elsen und Eichen, Ihro Majestät!

König. Na! die Elsen können gerodet werden, und die Eichen, die können stehenbleiben; die können die Leute verkaufen oder sonst nutzen! Wenn's urbar ist, dann rechne ich so dreihundert Familien und fünfhundert Stück Kühe; nicht wahr?

Nun antwortete keiner; zuletzt fing ich an und sagte: ja, Ihro Majestät; vielleicht!

König. Hört mal, Ihr könnt mir sicher antworten: Es werden mehr oder weniger Familien! Das weiß ich wohl, daß man das so ganz genau sogleich nicht sagen kann. Ich bin nicht da gewesen, kenne das Terrain nicht; sonst versteh' ich's so gut wie Ihr, wieviel Familien angesetzt werden können.

Bauinspektor. Ihro Majestät, das Luch ist aber noch in großer Gemeinschaft.

König. Das schadet nicht! Man muß eine Vertauschung machen, oder ein Äquivalent dafür geben, wie sich's tun läßt am besten. Umsonst verlang ich's nicht. (Zum Amtsrat Klausius.) Na! hört mal, Ihr könnt's an meine Kammer schreiben, was ich urbar will gemacht haben; das Geld dazu geb ich! (Zu mir.) Und ihr geht nach Berlin und sagt es meinem Geheimen Rat Michaelis mündlich, was ich noch will urbar gemacht haben. –

Nun setzten Ihro Majestät sich in den Wagen, und fuhren den Berg hinunter; es wurd' umgespannt. Weil nun Ihro Majestät befohlen hatten, daß ich bis an die Stöllenschen Berge Sie begleiten sollte, so ging ich an den Wagen und fragte: Befehlen Ihro Majestät, daß ich noch weiter mit soll?

König. Nein, mein Sohn; reitet in Gottes Namen nach Hause! –

*

Soweit die Unterredung, die *Fromme* großenteils direkt mit dem Könige geführt. Er fügt aber seinem Bericht noch einiges hinzu, was er nachträglich über den Verlauf der Reise erfahren hat. Dies lautet in Frommes Aufzeichnungen (an Gleim) wie folgt:

Herr Amtsrat Klausius brachte sodann Ihro Majestät bis nach Rathenow, wo Sie im Posthause logiert haben. In Rathenow sind Ihro Majestät über Tafel ungemein vergnügt gewesen, haben mit dem Herrn Obristlieutenant von Backhoff von den Karabiniers gespeist und haben der Herr Obristlieutenant von Backhoff selbst erzählt, daß Ihro Majestät gesagt hätten:

[»]Mein lieber Backhoff! ist Er lange nicht in der Gegend von Fehrbellin gewesen, so reise er hin! Die Gegend hat sich ungemein verbessert. Ich hab' in langer Zeit mit solch einem Vergnügen nicht gereist. Ich nahm die Reise mir vor, weil ich keine Revue hatte, und es hat mir so sehr gefallen, daß ich gewiß wieder künftig solch eine Reise vornehmen werde! – Hör' Er mal: wie ist es ihm gegangen im letzten Kriege? – Vermutlich schlecht! Ihr habt in Sachsen auch nichts ausgerichtet. ... Ich hätte können was ausrichten; allein ich hätte mehr als die Hälfte meiner Armee aufgeopfert und unschuldig Menschenblut vergossen. Aber dann wär ich wert gewesen, daß man mich vor die Fähndelwache gelegt, und mir einen öffentlichen Produkt gegeben hätte. Die Kriege werden fürchterlich zu führen.[«] –

Nachher haben Ihro Majestät gesagt:

»Von der Schlacht bei Fehrbellin bin ich so orientiert, als wenn ich selbst dabeigewesen wäre! Als ich noch Kronprinz war, und in Ruppin stand, da war ein alter Bürger, der Mann war schon sehr alt! der wußte die ganze Bataille zu beschreiben und kannte den Wahlplatz sehr gut! Einmal setzt' ich mich in den Wagen, nahm meinen alten Bürger mit, welcher dann mir alles zeigte, so genau, daß ich sehr zufrieden war mit ihm.

Als ich nun wieder nach Hause reiste, dacht' ich, du mußt doch deinen Spaß mit dem Alten haben! Da fragte ich ihn »Vater, wißt ihr denn nicht, warum die beiden Herren sich miteinander gestritten haben?« »O jo, Ihro Königliche Hoheiten, dat will ick se wohl seggen. As unse Chorförst jung west, het he in Utrecht studeert, und doa is de König von Schweden as Prinz ok west. Doa hebben nu de beede Herrn sich vertörnt un hebben sich bi de Hoar' kricht. Un dat is nu de Pike davon! «

Ihro Majestät haben wirklich so plattdeutsch gesprochen.

Weiter kann ich von der Reise keine Beschreibung machen. Denn Ihro Majestät haben zwar noch viel gesagt und gefragt, es würd' aber wohl schwer sein, es alles zu Papier zu bringen.

Neustadt a. D.

Auf der langen Bohlenbrücke
Drüber unsre Schritte dröhnen,
Wandeln wir mit heitrem Blicke
In die Stadt; kühl sind die Straßen,
Blank die Steine, kannst du's fassen?
Du betrittst sie ganz alleine.

Wer kennt nicht Neustadt? Aber wenn es einerseits zu den Städten gehört, von denen die Welt nur den *Bahnhof* kennt, so gehört es andererseits zu denen, die beständig *verwechselt* werden. Uns gegenüber im Coupé sitzt eine blasse Dame von 36 und mustert abwechselnd das Bahnhofstreiben und das Bahnhofsgebäude.

»*Neustadt an der Dosse* .. Hier ist ja wohl eine Forstakademie?«

Der Angeredete, den ich meinen Lesern kurzweg als einen Onkel Bräsig der Neustädter Territorien vorstellen möchte, verbeugt sich artig und antwortet: Nein, meine Gnädigste, die Forstakademie ist in Neustadt-Eberswalde.

Richtig. Ich meinte ein Irrenhaus.

Bitte um Entschuldigung, das ist *auch* in Neustadt-Eberswalde.

Aber ich dächte doch..

Ganz richtig, hier ist ein *Gestüt.*

Ein Gestüt?

Ja. Sehen Sie dort.

Aber mein Gott, das ist ja eine Kirche.

Verzeihung, ich meine weiter links, dort wo die Pappeln stehen.

Ah, so; dort.

Es gibt nämlich, wenn Sie sich dafür interessieren..

O, bitte.

... ein Königliches und ein Landesgestüt, und durch Heranziehung arabischer..

Ah, so.. Wie weit haben wir noch bis Wittenberge?

*

Der Zug rasselt inzwischen weiter. Nur der Leser und ich sind ausgestiegen, um Neustadt, an dem wir zahllose Male vorübergefahren, endlich auch in der Nähe kennenzulernen. Ein anmutiger Spaziergang, bei sinkender Septembersonne, führt uns ihm entgegen. Unterwegs, von einer Brückenwölbung aus, erfreut uns der Blick über einen weiten Wiesengrund und die kanalartig regulierte Dosse. Fünf Minuten später haben wir die Stadt erreicht, eine einzige Straße, darauf rechtwinklig eine andere mündet. Da, wo sich beide berühren, erweitern sie sich und bilden einen Marktplatz, an dem die »Amtsfreiheit« und die Kirche gelegen sind. Am äußersten Ende der LängsStraße das *Gestüt.* Auf einen Besuch dieser berühmten Vorbereitungsstätte für unsere Kavalleriesiege verzichten wir und begnügen uns damit, unsere Aufmerksamkeit auf Stadt und Vorstadt, und insonderheit auf die *Geschichte* beider zu richten.

Diese (wenigstens bis in die zweite Hälfte des 17. Jahrhunderts) ist in wenig Zeilen erzählt.

Burg oder Schloß Neustadt gehörte 1375, wie das Landbuch Kaiser Karls IV. ausweist, dem Lippold v. Bredow. Später an die Ruppiner Grafen übergehend, war es zeitweilig den Quitzows, den Bredows, den Rohrs verpfändet, bis es, nach dem Erlöschen des gräflichen Hauses nach Lindow-Ruppin (1524) dem Kurfürsten zufiel. Aber neue Pfandinhaber folgten, und erst 1584 kam es erb- und eigentümlich an Reimar v. Winterfeld. Die Winterfelds besaßen es bis zu Beginn des Dreißigjährigen Krieges, an dessen Ende wir Neustadt plötzlich in eine Epoche berühmter historischer Namen eintreten sehen. Es waren dies:

Feldmarschall Graf *Königsmarck* von 1644-62;

Prinz Friedrich von *Hessen-Homburg* von 1662-94;

Eberhard v. Danckelmann (nicht als Besitzer, aber als kurfürstlicher Amtshauptmann) von 1694-97.

Nach dieser Zeit hören die historischen Namen wieder auf und »Amt Neustadt« wird ein kurfürstliches resp. königliches Amt wie andere mehr.

Aus der *Graf Königsmarckschen* Zeit ist wenig zu berichten. Der Graf hat mutmaßlich seine Neustädter Besitzungen nie gesehen, begnügte sich vielmehr damit, sie durch seinen Regimentsquartiermeister Liborius Eck in allerdings mustergültiger Weise verwalten zu lassen. 1662 ging das Gut, wie schon vorstehend erwähnt, an den Hessen-Homburger Prinzen über, wodurch ein Zeitabschnitt eingeleitet wurde, bei dem wir eingehender zu verweilen haben werden.

Prinz Friedrich von Hessen-Homburg

> *Nehmt den besten Reiterhaufen,*
> *Folgt dem Feind und macht ihn laufen,*
> *Aber laßt euch nicht verleiten,*
> *Ernstlich euch herumzustreiten.*

Prinz Friedrich von Hessen-Homburg, dies sei voraus bemerkt, war vor allem nicht *der,* als der er uns in dem H. v. Kleistschen Schauspiel entgegentritt. Der H. v. Kleistsche und der historische Prinz von Homburg verhalten sich zueinander wie der Goethesche und der historische Egmont. Sie waren in der Zeit, wo sie hervortraten, keine Liebhaber und keine Leichtfüße mehr, vielmehr ernste Leute von mittleren Jahren und reichem Kindersegen, überhaupt ebenso gute Ehemänner wie Patrioten.

Unser Prinz Friedrich ward am 30. Mai 1633 geboren. Er war der zweite Sohn des Landgrafen Friedrich von Hessen, des Stifters der homburgischen Linie. Er trat jung in schwedischen Dienst, war 1658 mit vor Kopenhagen und verlor bei dieser Belagerung ein Bein. Dasselbe wurde künstlich ersetzt, weshalb er seitdem der »*Prinz mit dem silbernen Bein*« hieß. Neben Götz von Berlichingen wohl der einzige Fall einer derartigen Namensgebung. Die Belagerung von Kopenhagen fiel in die glänzende Regierungszeit Karl Gustavs von Schweden, nach dessen plötzlichem Tode, 1660, unser Homburger Prinz sich zurückgesetzt fühlte, weshalb er denn auch den Abschied nahm. Wahrscheinlich 1661.

Um eben diese Zeit (1661) hatte er sich mit der Gräfin Margarethe Brahe, die übrigens bereits Witwe *zweier* Grafen Oxenstierna war, vermählt, und übersiedelte nach *Weferlingen*, einem schönen Gute im Magdeburgischen, das ihm durch seine Gemahlin zugebracht worden war. Hier, von Weferlingen aus, kam er an den Berliner Hof, trat in die Armee des Kurfürsten, erhielt ein Regiment und wurde später, 1670, zum General der Kavallerie erhoben.

Ziemlich gleichzeitig mit seinem Eintritt in unsere Armee hatte er sich auch im Brandenburgischen ansässig gemacht und Amt *Neustadt*, das, wie wir wissen, seit 1644 in Händen des Grafen Hans Christoph v. Königsmarck war, von eben diesem erstanden. Dies war 1662. Er nahm nun, wenigstens zeitweilig, seinen Aufenthalt an genanntem Ort, und alles was Neustadt in diesem Augenblick ist, ist es im wesentlichen durch Prinz Friedrich von Hessen-Homburg. Er besaß es 32 Jahre lang, aber nur 16 Jahre (bis 1678) konnt' er ihm seine besondere Aufmerksamkeit widmen. Diese 16 Jahre genügten jedoch. Ja, wenn dieser Zeitabschnitt auch noch wieder halbiert worden wäre, würde dadurch an dem Gesamtresultate seines Schaffens an eben dieser Stelle nichts Erhebliches geändert worden sein, denn er griff so rasch und energisch ein, daß bereits zwei, höchstens vier Jahre nach Übernahme des Besitzes all das begonnen war, was spätere Jahrzehnte nur glänzender hinausführten. Auf dies »erste Beginnen« kommt es allezeit an. Ob dasselbe, Mal auf Mal, bei ihm selber oder bei seiner Gemahlin der Gräfin Brahe oder aber bei dem schon rühmlich erwähnten Amtsverwalter *Liborius* Eck lag, den er, als einen höchst fähigen Administrator aus der Königsmarckschen Zeit her, mit übernommen hatte, gilt gleich; die oberste Herrschaft gibt den Namen und die Hessen-Homburgische Zeit ist und bleibt die große Epoche von Neustadt.

Bei der Übernahme des Gutes bestand es aus sieben Bauerhöfen, einer Schmiede und einer Mühle, war also kleiner als das kleinste Dorf. Die Bewohner zahlten keine Abgaben, hatten aber Dienste auf dem Amte zu leisten. Das war das Neustadt von 1662. Zwei Jahre später (1664) bestand es bereits aus 47 Bürgerhäusern und einer Vorstadt, in welcher letzteren sich weitere 25 Familien niedergelassen hatten; dem Orte selbst aber war auf Antrag des rastlosen und bei Hofe einflußreichen Prinzen Stadtgerechtigkeit und das Recht, zwei Jahrmärkte abhalten zu dürfen, zugestanden worden. Das gleichzeitig empfangene Wappen setzte sich links aus einem Elentier, rechts aus einem springenden Löwen zusammen, wovon sich der Löwe mutmaßlich auf den Prinzen, das Elentier auf die Stadt bezog.

Aber bei dem bloßen Bauen und Stellenbesetzen ließ es der Prinz nicht bewenden, vielmehr ging durch seine ganze Tätigkeit ein organisatorischer Zug, dem es nicht genug war, *überhaupt* etwas zu tun, sondern vor allem das *praktisch Richtige* zu tun. Das Nächste war eine Regulierung der Dosse, die damals, wie noch jetzt die Spree im Spreewald, in zahllosen Armen durch die Dosse-Niederung floß. Der herrliche Wiesenstand, der auf diese Weise gewonnen wurde, leitete zu sorgsamer und eifriger Pferdezucht und dadurch zu den Anfängen der späteren Gestüte hinüber. Der Raseneisenstein, der sich vorfand, ließ eine Eisenhütte, der reiche Holzbestand eine Glashütte entstehn, an der Dosse selbst hin aber erwuchsen einerseits Schleifereien für das gewonnene Glas, andererseits Papier- und Schneidemühlen. Wer Kolonisierung studieren will, muß die Geschichte von Mark Brandenburg studieren. Aber wenn die ganze Provinz nach dieser Seite hin ein sehr lehrreiches Beispiel bietet, so bietet vielleicht unser Neustadt von 1662-66 ein Muster unter den Musterstücken.

Das Jahr 1666 schien freilich ausersehen, alles wieder in Frage zu stellen. Die 47 Bürgerhäuser brannten nieder, mit ihnen das Amt, das mutmaßlich dem Prinzen als Wohnung gedient hatte. Zugleich auch die reformierte Kapelle. Eine Stadtkirche gab es noch nicht. Erhalten blieben (vorläufig) nur die vorstädtischen Fabrikbezirke, soweit von »Vorstadt« und »Fabrikbezirken« damals die Rede sein konnte.

Prinz Friedrich indes, tapfrer Soldat der er war, ließ sich diesen Unheilstag nicht allzu schwer anfechten, und die niedergebrannte Stadt wurde schöner und größer wieder aufgebaut. Von einem *Rat*hausbau sah er vorläufig ab und nur der Errichtung eines Gotteshauses schenkte er seine volle Aufmerksamkeit. Schon 1673 konnte der Grundstein zur Kirche gelegt, 1686 dieselbe geweiht werden. Lange vorher jedoch hatten sich Ereignisse zugetragen, zu denen – wenn auch nicht die Stadt Neustadt als solche – so doch ihr Besitzer, der Prinz, in die nächsten Beziehungen getreten war.

Diesen Ereignissen wenden wir uns jetzt zu.

Der Dienst, selbstverständlich, hielt den Prinzen monatelang von seinem geliebten und mit Vorliebe gepflegten Neustadt fern. War dies schon in ruhigen Zeiten der Fall, so vollends in Kriegszeiten, wie sie seit 1674 wieder angebrochen waren. Der Prinz befand sich (1675) mit seinem kurfürstlichen Herrn im Elsaß, danach in Franken, allwo den 18. Mai, im Lager vor Schweinfurt, die Nachricht vom Einfall der Schweden in die Mark Brandenburg eintraf. Der Kurfürst brach sofort auf, mit ihm der Prinz. Am 11. Juni war er in Magdeburg, am 14. vor Rathenow, und nahm von hier aus, nach Erstürmung eben dieser Stadt durch Derfflinger, an jener berühmt gewordenen Verfolgung teil, die der schwedischen Armee schon am 16. und 17. in verschiedenen Avant-Garden-Gefechten erhebliche Verluste

beibrachte. Am 17. waren die verfolgenden Brandenburger bis Nauen gekommen. Von hier aus schrieb unser Prinz, dem für den nächsten Tag eine
so bedeutende Rolle vorbehalten war, an seine Gemahlin folgenden Brief:

»Meine Engelsdicke*, wir seint braff auf der jacht mit den Herren Schweden, sie seint hier beim passe Nauen diesen morgen übergegangen, musten
aber bei 2oo Todten zurückelassen von der arrier guarde; jenseits haben
wir bei Fer-Berlin alle brücken abgebrant und alle übriche paesse so beset-
zet, das sie nun nicht aus dem Lande wieder können. Sobald unsere infanterie kombt, soll, ob Gott wolle, die ganze armada dran. Der schwedische
Feldherr** war mit 3000 Mann in Havelberg, wollte die Brücke über die
Elbe machen lassen, aber nun ist er von der armada abgeschnitten und
gehet über Hals und Kopf über Rupin nach pommern. Sein Bruder com-
mandirt diese 12,000 mann hier vor uns. Wo keine sonderbare straff Gottes über uns kombt, soll keiner davon kommen, wir haben dem Feind schon
über 600 todtgemacht und über 6oo Gefangene. Heute hat Henning wohl
150 pferth geschlagen, und gehet alleweil Lüttique mit 1500 Mann dem
Feindt in ricken. Morgen frihe werden sie ihnen den 1. morgensegen singen. Wir haben noch kein 6o mann verlohren, und unsere leite fechten als
lewen. – In zwei Tagen haben wir unsere infanterie und morgen dem Fürsten von Anhalt mit 4000 mann, die Kayserlichen werden alle Tage erwartet mit 8000 mann. Dann gehen wir gerath in pommern, und wenn die battaglie vorbey, gehe ich nach Schwalbach, habe schont Urlaub. – Adieu,
mein Engel, dein trewer Mann und diner sterb ich.

Friedrich L. z. Hessen.«

»Ich kann wegen affaires unmöglich mehr schreiben.«
Nichts kann uns eine bessere Vorstellung geben von der Stimmung, welche im brandenburgischen Heere herrschte, zumal auch von der des Prinzen selbst, der nunmehr auf 24 Stunden in die vorderste Linie tritt. Am
folgenden Tage, am »Tage von Fehrbellin« führte er die Avantgarde, hing
sich mit dieser an die Schweden, brachte sie zum Stehen und wurde so die

---

* Die Dame, die hier in so gewinnender Weise angeredet wird, war seine *zweite*
Gemahlin, eine geborene Prinzessin von Kurland, mit der er sich, nach dem 1669
erfolgten Tode der Gräfin Brahe, im Jahre 1672 vermählt hatte. Diese *zweite*
Gemahlin starb 1690. Er vermählte sich dann 1692 zum *dritten*mal und zwar mit
Gräfin Sibylle von Leiningen. Diese überlebte ihn.
** Der »Feldherr«, von dem der Brief hier spricht, war Karl Gustav Wrangel, der
berühmte Wrangel aus der Zeit des Dreißigjährigen Krieges; sein weiterhin in
diesem Schreiben erwähnter jüngerer Bruder, der bei *Fehrbellin* kommandierte,
war General *Waldemar* Wrangel. (»Henning«, von dem der Brief spricht, ist natürlich Oberst Henning von Treffenfeld und »Lüttique« General Lüdicke.)

vorzüglichste Ursache zum Siege über dieselben. Verfuhr er anders; so entkam der Feind. Er selber hat über diese glänzende Aktion am Tage darauf (19.) von Fehrbellin aus, abermals in einem Briefe an seine »Engelsdicke« berichtet. Der Brief lautet:

»Allerlibste Frawe!
Ich sage nun E. L. hiermit, das ich gester morgen, mit einichen Tausent mann in die advanquart commandiret gewesen, auff des Feindtes contenance achtung zu haben, da ich denn des Morgens gegen 6 Uhr des Feindtes gantzer armé ansichtig wurde, der ich dann so nahe ging, das er sich muste in ein Scharmützel einlassen, dadurch ich ihn so lange aufhielte, bis mir I. Dl. der Churfürst mit seiner gantzen Cavallerie zu Hülffe kam. Sobalten ich des Churfürsten ankunft versichert war, war mir bang, ich möchte wider andere ordre bekommen, und fing ein hartes treffen mit meinen Vortruppen an, da mir denn Dörffling soforth mit einichen Regimentern secontirte. Da ging es recht lustig ein stundte 4 oder 5 zu, bis entlichen nach langem Gefechte die Feindte weichen musten, und verfolgten wir sie von Linum bis Fer-Berlin, und ist wohl nicht viel mehr gehört worden, daß eine formirte armee, mit einer starken infanterie und canonen so wohl versehen, von bloßer Cavallerie und tragonern ist geschlagen worden. Es hilte anfenglich sehr hart; wie denn meine Vortruppen zum zweidten mahl braff gehetzet wurden, wie noch das anhaltische und mehr andere regimenter. Wie wir denn entlichen so vigoureusement drauff gingen, das uns der Feind le champ de battaglie malgré hat lassen, und sich in den passe Fer-Berlin retiriren muste, mit Verlust von mehr als 2000 Todten ohne die plessirten. Ich habe, ohne die zweitausend im Vortrupp commandirten, mehr als 6 oder 8 escatronen angeführet. Zuweilen must ich lauffen, zuweilen machte ich laufen, bin aber diesesmahl Gottlob ohn plessirt davongekommen. Auf schwedischer seiten ist gepliben der Obrist Adam Wachtmeister, Obr.-Liet. Malzan von General Dalwichens (Regiment) und wie sie sagen noch gar viele hohe oficirer; Dalwig ist durch die achsel geschosen, und sehr viele hart plessirt. Auf unser seiten wurde mir der ehrliche Obrist Mörner an der Seiten knall und falle todt geschossen, der ehrliche Frobenius todt mit einem stücke, kein schrit vom Kurfürsten. Strauß mit 5 Schossen plessirt; Major Schlapperdorf blib diesen Morgen vor Ferberlin; – – es ging sehr hart zu; da wir gegen die biquen Compani fechten musten, ich bin etzliche mahl ganz umringet gewesen, Gott hat mir doch allemahl wider drauss geholfen, und wehren alle unsere stücke und der Feld-Marschalk selbsten Verlohren gewesen, wenn ich nicht en personne secundiret hette. Darüber denn der retliche Mörner blieb. Hetten wir unsere infanterie bey uns gehabt, solte kein mann von der gantzen armé davon gekommen sein, es ist jetzo eine solche schreckliche terreur panique unter der schwedischen Armee, das sie auch nur braff lauffen können. – Nachdem alles nun vorbey gewesen, haben wir auff der Walstett, da mehr als 1000 Todten umb uns lagen, gessen und uns braff lustig

gemacht; der Hertzog von Hannover wird nun schwerlich gedenken über die Elbe zu gehen, und ich halte davor, weilen die Schweden nun so eine harte schlappe bekommen, er werdte sich eines besseren bedencken. Wangelin, der durch Uebergab von Ratenau viel daran schultig ist, dörffte grose Verantwortung haben, wo er nicht gar den Kopfe lassen mus. Gegeben im Feldlager bei Fer-Berlin den 19. Juni 1675.«

Dieser Brief (an einer Stelle vielleicht lückenhaft; es scheint ein Nachsatz zu fehlen) ist, wie der vorige, nicht nur bezeichnend für die Frische und Anspruchslosigkeit des Schreibers, er ist auch *historisch* wichtig, weil er die älteren Berichte über diese Schlacht, wie sie sich im Theatrum Europaeum, im Puffendorf etc. finden, bestätigt und die erst um die Mitte des vorigen Jahrhunderts auftretende *Sage* von Insubordination, kurfürstlichem Zorn und Kriegsgericht aufs evidenteste widerlegt. »Wir haben uns nachher recht lustig auf der Wahlstatt gemacht.« Diese Worte des Briefes passen schlecht zu einem angedrohten Kriegsgericht. Nicht Angeklagter, wohl aber *Kläger* scheint er später gewesen zu sein. Wenigstens finden wir in einem Briefe, den seine Schwägerin am 19. Oktober 1675 an den Grafen von Schwerin schreibt, folgende Stelle: »dem redlichen Landgrafen ist nicht eins gedankt, vor dem das er bei Fehrbellin gethan; also geht es in der Welt, die Pferde, die den Haber verdienen, bekommen am wenigsten.«

Alle diese Verstimmungen können aber nicht ernster Art gewesen sein. 1676 sehen wir den Prinzen aufs neue mit seinem kurfürstlichen Herrn im Felde, und nachdem er sich bei der Eroberung von Pommern an der Seite desselben abermals ausgezeichnet hat, erhält er von ihm die erledigten Wachtmeisterschen und Rheinschildschen Lehne als ein Geschenk.

Der Verwaltung dieser aber (ebenso wie der seines vielgeliebten »Amtes Neustadt«) konnt er sich von da ab nicht mehr unterziehen. Zwei Jahre später schon, 1678, fiel ihm, nach dem Ableben seines Bruders Wilhelm, die Grafschaft Hessen-Homburg zu. Größeres lag ihm nunmehr ob, und das Kleinere, das so viele Jahre lang der Gegenstand seiner liebevollen Sorge gewesen war, mußte daneben zurückstehen. Die Administration der märkischen Güter ward' immer schwieriger, und so sprach er denn – nachdem er übrigens im Jahre 1679 noch Amt Neustadt durch Ankauf des Lüderitzschen Rittergutes Dreetz erweitert hatte – seine Bereitwilligkeit aus, besagtes Amt an den Kurfürsten Friedrich III. käuflich abzutreten. Dies war 1694.

Was er aber bis dahin gegründet hatte, lebte fort und prosperiert (wenigstens teilweis) bis diese Stunde noch. Überall hatte sein Blick das *Richtige* getroffen, *das* was den gegebenen Bedingungen entsprach.

Er starb 1708.

Eberhard v. Danckelman

Zu spät, zu spät, liebe Lady mein,
Es ist nicht nicht mehr, wie sonst es war,
Meine Feinde gelten bei Hofe jetzt.
                                    Alte Ballade

1694 war Neustadt wieder ein *kurfürstliches* Amt geworden und *Eberhard v. Danckelmann* wurde zum Amtshauptmann bestellt.

Ein volles Lebensbild dieses hervorragenden Mannes zu geben, kann an dieser Stelle nicht meine Aufgabe sein. Nur eine Skizze.

Christoph Balthasar Eberhard v. Danckelmann wurde den 23. November 1643 zu Lingen geboren. Er war der in der Mitte stehende (vierte) von sieben Brüdern, die sich *sämtlich* im Staatsdienst auszeichneten, weshalb einem etwa um 1690 angefertigten Bildnis des *Vaters* dieser sieben die lateinische Unterschrift gegeben wurde:

> Integra miretur Sapientes Graecia septem,
> Hic uni videas tot bona rara Patri.

Der bekannte Oberzeremonienmeister und Hofpoet v. *Besser* beglückwünschte später (1694) in einem Lob- und Huldigungsgedicht* auf Eberhard v. Danchelmann, ebenfalls den *Vater* desselben und wußte bei dieser Gelegenheit den Inhalt obigen lateinischen Verses geschickt in seine Dichtung hineinzuverweben.

> Dein *Vater* hatte mehr als viel' verlangen könnten,
> Er hatte sieben Söhn' und alle bei dem Staat,
> Drei sind Geheime Rät' und drei sind Präsidenten,
> Des allerjüngsten Amt ist Kanzler sein und Rat.
> Gewiß, wer dieses sieht, kann sicher von ihm preisen,
> Was jener von ihm schrieb in kräftigem Latein:
> *»Das ganze Griechenland hat seine Sieben Weisen,*
> *In seinen Söhnen hat sie Danckelmann allein. «*

So viel, vorgreifend, über das »Siebengestirn«. Wir kehren zu unsrem *Eberhard* v. Danckelmann und unsrer biographischen Skizze zurück.

---

*Dies Gedicht, aus dem wir auch noch weiterhin einige Strophen zitieren werden, ist bei allem Steifen und Prosaischen, das dem Alexandriner, und speziell den Alexandrinern eines Hofpoeten anhaftet, doch merkwürdig gut und hat Stellen – wenn auch nicht gerade die im Text *zunächst* folgende – um die mancher moderne Poet den Herrn von Besser beneiden könnte.

Von früh auf war er ausgezeichnet. In seinem zwölften Jahre doktorierte er in Utrecht und sprach über das schwierige Thema de Jure Emphyteusis, was ein solches Aufsehen in der wissenschaftlichen Welt machte, daß Beglückwünschungsschreiben von andern gelehrten Schulen eintrafen. Später reiste er und machte sich die wichtigsten Sprachen, französisch, englisch, spanisch und italienisch zu eigen. v. Besser drückt sich über diese Tatsache, der zunächst (1663) die Ernennung Danckelmanns zum Director studiorum oder Ephorus beim Markgrafen späteren Kurprinzen Friedrich gefolgt war, in nachstehenden Alexandrinern aus:

> Du sahest und durchzogst die witzigsten Provinzen,
> Und so, daß Dein Verstand das Beste mit sich nahm, –
> Mit diesem Zubehör kamst Du zu Deinem Prinzen
> Bevor er aus der Hand des *Frauenzimmers* kam.

Das »Frauenzimmer« war natürlich die Couvernante. Danckelmann bewährte sich in seiner Stellung als Prinzenerzieher. Er zeigte nicht nur Wissen, sondern auch besondere Feinheit des Geistes, was v. Besser zu der selbst feinen Bemerkung veranlaßte:

> Wer Prinzen Lehren gibt, polieret zarte Spiegel,
> Drin wer den Spiegel schleift, sein eigen Bildnis sieht.

1665 erfolgte seine Ernennung zum Titular-, 1669 zum halberstädtischen, 1676 zum Cleveschen Geheimen Regierungsrat, Stellungen, die ihn wenigstens zeitweilig vom Berliner Hofe entfernen mußten. Aber nicht auf lange. 1679, inzwischen zum Geheimen Kammer- und Lehnsrat aufgestiegen, sehen wir ihn bereits wieder an der Seite des späteren Kurprinzen, dem er, um eben diese Zeit, einen Beweis besonderer Anhänglichkeit und Treue zu geben in der Lage war. Er rettete nämlich den Prinzen aus einer tödlichen Krankheit, welche den letzteren im Winterfeldzuge 1679 in Preußen befiel. In einem interessanten Flugblatte, das den Titel führt: »Fall und Ungnade zweier Ersten-Staatsminister des königlich preußischen Hofes (Danckelmann und Wartenberg), Köln bei Peter Marteau 1712« finde ich darüber folgendes: »Als des Kurprinzen Leben, wegen eines schweren Stickflusses in höchster Gefahr war und während die Leibmedizi sich nicht vergleichen konnten über die Arzenei, die dem Patienten gegeben werden sollte, hat Danckelmann ihm dasselbe durch ein gewagtes Aderlassen erhalten wie schon alle Sinne verloren waren, und hat sich also, aus Liebe für seinen Prinzen, in eine große Verantwortung gesetzt.« So jenes Flugblatt. Danckelmann bewährte sich auch anderweitig: er opferte dem Kurprinzen sein Vermögen, und zwar »zu *solcher* Zeit da sein Herr noch nicht auf dem kurfürstlichen Throne war, vielmehr durch allerhand Intrigues von dem Hofe ferngehalten, eines solchen Vorschubes höchst benötigt war.«

1688, als der Kurprinz seinem Vater, dem Großen Kurfürsten, in der Regierung folgte, wurde Danckelmann zum Geheimen Staats- und Kriegsrat ernannt und ihm fast unumschränkt das Steuer der Regierung überlassen. Er schlug eine kluge, feste, von Erfolg gekrönte Politik ein und wenigstens zu Lebzeiten Friedrichs I. ist seine Stelle nicht wieder ausgefüllt worden. Daß er dem Kurfürsten abgeraten habe, sich zum Könige zu erheben, ist längst widerlegt; er arbeitete vielmehr mit aller Kraft zu diesem Ziele hin.

1695 zum Premierminister und Oberpräsidenten ernannt, stand er auf seiner Höhe. Mehr und mehr jedoch begann sein Leben jener Schilderung zu gleichen, die v. Besser, in seinem mehrerwähnten Lobgedicht, schon das Jahr zuvor davon entworfen hatte:

> Es liegt die ganze Last und aller Ämter Bürde
> Nach Deinem Herrn auf Dir, der Dich damit beschwert;
> Man neide nicht zu sehr die Dir vertraute Würde,
> Du bist, wer es bedenkt, mehr des *Bedauerns* wert.

Ihn selbst begleitete dies Gefühl beständig. Alle Zeit bemüht, durch Zurückweisung erneuter Ehren, sich dem Haß der Höflinge zu entziehen, geschah schließlich doch, was ihm eine Vorahnung von Anfang an gesagt hatte: Neid und Intrigue gewannen die Oberhand. Dem drohenden Sturze wenigstens nach Möglichkeit auszuweichen, bat er selbst um seinen Abschied, der ihm auch untern 22. November 1697 gegeben wurde.

Er zog sich nach Neustadt a. D., zu dessen Amtshauptmann er 1694 oder nach anderen Angaben erst 1696 ernannt worden war, zurück, woselbst er nunmehr Tage der Ruhe zu finden hoffte. Die Bosheit seiner Feinde jedoch war nicht erschöpft. In Sorge, daß er aus seiner selbstgewählten Verbannung jeden Augenblick wieder in ihrer Mitte erscheinen könne, gab man ihm schuld, mit fremden Potentaten eine nicht zulässige Korrespondenz geführt zu haben und auf diese Beschuldigung hin ward er am 10. Dezember 1697 in *Neustadt festgenommen*. Die später gegen ihn ausgearbeitete Prozeßschrift bestand aus 109, nach anderer Angabe sogar aus 290 Anklagepunkten. Man führte den Beklagten von Neustadt nach Spandau, dann zwei Monate später nach Peitz. »Dabei – so heißt es in unserem mehrzitierten Flugblatte – blieb es übrigens nicht, man nahm ihm auch alle seine Güter. Endlich gegen Ausgang des Jahres 1707, als dem Kronprinzen Friedrich Wilhelm der erste Sohn geboren worden war, ward er in Freiheit gesetzet, mit der Ehre oder vielmehr mit der Schande, unter den Delinquenten, denen die Solennität dieser Geburt (eines Prinzen) die Gefängnisse geöffnet hatte, voranzustehen. Dabei war seine Freiheit so eingeschränket, daß er weniger einem freien Menschen als einem Gefangenen glich, der seine Ketten mit sich schleppet und nicht aus dem Gesicht gelassen wird. Nur in dem kleinen Bezirke von Cottbus durft er sich sehen lassen und spazierengehen.«

So gingen die Dinge bis 1713. Unmittelbar nach der Thronbesteigung

Friedrich Wilhelms I. wurde Danckelmann freigegeben und durch den König nach Berlin berufen. Dieser benutzte vielfach seinen Rat, gab ihm aber sein Vermögen *nicht* zurück. Danckelmann starb 1722 im 80. Lebensjahre.

*

Erscheinung und Charakter D.s finden wir in der bei Peter Marteau erschienenen Broschüre wie folgt beschrieben: »Danckelmann war von einer großen Taille, etwas korpulent, aber allezeit von gutem Ansehen. Sein Geist hatte den Stempel des Bedeutenden; er war gediegen, zuverlässig, scharfsinnig, mit einem guten Judicio begabt, dabei durch gute Studia, sowie durch vieljährige Erfahrung bei Hofe, große Affairen und unermüdlichen Fleiß ausgebildet. Hervorragend wie seine Klugheit war seine Redlichkeit, die ihn jederzeit nur auf das allgemeine Beste und das Interesse seines Herrn bedacht machte. Er trennte das eine nicht von dem andern. Solche allzu aufrichtige Sitten, ein etwas allzu ernsthafter Humeur (er soll nie gelacht haben) und allzustrenge Formen, waren nicht bequem, einen guten Hofmann zu machen. Er wollte lieber dem Fürsten Instruktion geben, indem er ihm die Wahrheit sagte, als ihm schmeicheln indem er ihm die Wahrheit verhehlte; er wollte lieber den Calumnien seiner Neider sich unterwerfen und dabei seine Schuldigkeit tun, als dem Fürsten gefallen und ihn danach verraten. «

So ist P. Marteausche Broschüre. Damit stimmen durchaus die v. Besserschen Verse:

> Was fordert man von Dir? Verlanget man Geblüte?
> Du hast ein alt Geblüt; verlanget man Gestalt?
> Du hast sie, und noch mehr, Du hast auch ein Gemüte,
> Das mehr zu schätzen ist, als Ansehn und Gewalt.
> Verlangt man Wissenschaft? In Dir sind alle Künste;
> Verlangt man Tugenden? Wer kennt nicht Deine Treu?
> Wer nicht Dein edler Herz, entfernt vom Gewinnste,
> Wie groß, wie unverzagt, wie standhaft solches sei.*

---

*In solchen Stellen ist das Bessersche Gedicht reich, indem es den biographisch-erzählenden Teil beständig mit Urteilen begleitet, die, wenn auch panegyrisch und höfisch, nichtsdestoweniger den Eindruck des Überzeugungsvollen machen. Einige dieser Sentenzen, wie ich nur wiederholen kann, sind nicht ohne Feinheit. So beispielsweise:

> Du bist den Ketten gleich in wohlbestellten Uhren,
> Durch die, von innen her, die Feder alles treibt,
> Man sieht nicht ihren Gang, doch zeigen ihre Spuren,
> Daß jedes Rad durch sie in seiner Ordnung bleibt.

Nach diesem Versuch einer kurzen Charakteristik, erübrigt uns nur noch, unter Hinzufügung einiger Züge, zu rekapitulieren, inwieweit Danckelmann in Beziehung zu *Neustadt* trat.

Es ergibt sich dabei das Folgende:

1694 wurde Neustadt, wie weiter oben erzählt, seitens des Kurfürsten erworben und Danckelmann zum Amtshauptmann bestellt. Es scheint, daß der Ankauf überhaupt nur geschah, um eine neue, einträgliche Stellung für ihn zu kreieren. Wir finden nämlich in der dieser Skizze vorzugsweise zugrunde gelegten Schrift von 1712 die nachstehende Stelle: »Den Ankauf der *Grafschaft Spiegelberg*, womit der Kurfürst ihn begnadigen wollte, suchte D. zu hintertreiben.«

Da es eine »Grafschaft« Spiegelberg nirgends gibt, so ist hier selbstverständlich jene Neustädter Fabrik- und Spiegelmanufaktur-Vorstadt gemeint, die bis diesen Tag den Namen »Spiegelberg« führt.

Daß Danckelmann, solang ihn die Fülle seiner Ämter – er war auch Erbpostmeister geworden – in Berlin festhielt, oft und andauernd in Neustadt verweilt habe, läßt sich nicht annehmen; andererseits ist es unzweifelhaft, daß er mit der ihm eigenen Umsicht alle dortigen Unternehmungen, die seit dem Ausscheiden des Prinzen von Hessen-Homburg (1678) ins Stocken geraten waren, wieder in Gang brachte. Die reichen Mittel, über die teils sein Vermögen, teils seine hohe Stellung ihm Verfügung gab, erleichterten ihm dies. Besonders scheint er sich auch an Vollendung und Ausschmückung der wie wir wissen 1673 begonnenen und 1686 eingeweihten Kirche beteiligt zu haben. So find ich unter andern im Bratring: »Erst 1696 wurde der innere Ausbau der Kirche durch den Amtshauptmann v. Danckelmann beendigt.«

Schon damals mochte der Wunsch in ihm lebendig sein, sich je eher je lieber aus den Kabalen des Hofes heraus- und an diese stille Stelle zurückzuziehen, deren weiter Wiesengrund ihn auch landschaftlich an die Tage seiner Jugend, an Lingen und Cleve erinnern durfte, und so werden wir kaum irregehen, wenn wir ihn, in jenem letzten kurzen Zeitabschnitte, der dem Einreichen beziehungsweise der Annahme seiner Demission unmittelbar vorausging, bereits innerhalb seiner Amtshauptmannschaft vermuten.

Jedenfalls erfolgte, wie schon hervorgehoben, am 10. Dezember 1697 seine Verhaftung in *Neustadt*.

Von jenem 10. Dezember an, wo man Danckelmann in Haft nahm und

---

Und an anderer Stelle:

> Und hierzu seh'n wir noch Dein emsiges Bemühen,
> Den Mut und den Bestand, den keine Not bewegt,
> Dein *Kranich* ist ein Bild des, was Du kannst vollziehen,
> Der stehend einen Stein in Deinem Wappen trägt.

nach Spandau hin überführte, war es mit Neustadts historischer Zeit vorbei. Treffliche Kräfte waren auch noch weiterhin wirksam, aber kein Name wie Königsmarck, Prinz von Hessen-Homburg, Danckelmann war unter ihnen.

Blicken wir zum Schluß noch auf *das*, was der Stadt aus ihrer historischen Zeit her geblieben ist.

Die Amtsfreiheit,

an dem Knie gelegen, das die vom Bahnhofe kommende Straße durch Einmündung in die Hauptstraße bildet, ist dieselbe Lokalität, wo sich *früher* das Amt befand. Wie weit dies »früher« zurückreicht, ist fraglich. Gewiß ist nur, daß sich das um 1787 von Neustadt nach dem benachbarten Dorfe Dreetz verlegte Amt in ebengenanntem Jahr (wie sehr wahrscheinlich auch mehrere Jahrzehnte früher schon) an dieser *Amtsfreiheitsstelle* befand. Was sich bis diese Stunde noch an Baulichkeiten daselbst vorfindet, repräsentiert einen leidlich modernen Privatbesitz, dem, mit Ausnahme zweier prächtiger alter Bäume, die die Auffahrt bewachen, jeder Hauch von Historischem fehlt.

Die Kirche,

die sich fast in Front der Amtsfreiheit auf dem triangelförmigen Marktplatze der Stadt erhebt, ist eine Kuppelkirche und stellt in ihrem Grundriß ein kurzes griechisches Kreuz dar. Sie gibt sich sauber von außen und innen, womit so ziemlich erschöpft ist, was sich zu ihrem Lobe sagen läßt. In den vier abgestumpften Ecken des Kreuzes erheben sich die vier Fenster, hoch und lichtvoll und langweilig, wie denn überhaupt alles von jener symmetrischen Anordnung ist, die mehr durch Nüchternheit stört, als durch übersichtlichkeit erbaut. Im östlichen Kreuzstück: der Altar, im nördlichen die Kanzel, und beiden gegenüber zwei Emporen, in die sich, wenn ich recht berichtet bin, die Honoratioren der Stadt und die Beamten des *Gestüts* gewissenhaft teilen. Das letztere tritt uns hier noch einmal in seiner ganzen Distinguiertheit entgegen, und trägt unterhalb seines Chors ein großes vielfeldriges Wappen, das mir, seitens meines Führers, einfach als das »Gestütswappen« bezeichnet ward. Es ist aber nur das preußische. Eine daneben oder darunter befindliche Inschrift ist von relativer Wichtigkeit, insoweit sie uns positive Anhaltspunkte für die Geschichte der Stadt und dieser Kirche gibt. Sie lautet: »Anno 1666 hat das Feuer durch Gottes Schickung das *Schloß, Kirche und Stadt* allhier verzehrt und unter der hochlöblichen Regierung des Durchlauchtigen Kurfürsten und Herrn, Herrn *Friedrich Wilhelm*, Markgraf zu Brandenburg, hat der Durchlauchtige Fürst und Herr, Herr *Friedrich*, Landgraf zu Hessen-Homburg, Anno 1673 diese neue Kirche zu bauen angefangen. Anno 1686 ist abermal der neuste Theil der Stadt in Feuer aufgegangen: jedoch ist noch in demselben

Jahre die Kirche von Johannes Michael Helmich, Pfarrer allhier, eingeweiht worden. 1694 hat der Durchlauchtige und Großmächtigste Kurfürst und Herr, Herr *Friedrich III.*, das ganze *Ambt* erhandelt und seine Excellenz Oberpräsident Freiherr Eberhard v. Danckelmann als Amts-Hauptmann darin bestellt, welcher Anno 1696 den ganzen Kirchenbau zu Ende bringen läßt. «

Der »Spiegelberg«,

dem wir uns zuletzt zuwenden, ist eine reizend gelegene Vorstadt am andern Ufer der Dosse. Hier war es mutmaßlich, wo der Prinz von Hessen-Homburg jene eingangs erwähnten 25 Familien ansiedelte, die berufen waren, das bis dahin kaum über ein Dorfansehen hinausgewachsene Neustadt in einen Fabrikort umzuwandeln. Der Prinz war der Mann der Initiative, gewiß, aber wir werden seinem Verdienste kaum zu nahetreten, wenn wir, auch an dieser Stelle wieder, die Vermutung aussprechen, daß erst um die Mitte des vorigen Jahrhunderts all' das von ihm Gepflanzte wirklich *reichliche* Früchte trug. Die Neustädter Glasindustrie hatte zu dieser Zeit ein Ansehen gewonnen und besonders ihre Spiegel bildeten einen nicht unerheblichen Exportartikel.

Was sich *jetzt* noch von Gebäuden auf dem »Spiegelberge« vorfindet, gehört nicht der Epoche des »Landgrafen«, sondern sehr wahrscheinlich den letzten Regierungsjahren Friedrich Wilhelms I. an, wenigstens scheint die Bauweise, die man kurzweg als eine kümmerliche Nachahmung des Holländischen bezeichnen kann, darauf hinzuweisen. Die Glasschmelze, vor allem aber das Langhaus, in dem ehedem Spiegelplatten belegt wurden – sie wirken wie bloße Schuppen, denen man bemüht gewesen ist, mittelst roten Anstrichs ein etwas höheres Ansehn zu geben (ein Ansehn von *dem*, was sie nicht sind) und erinnern dadurch an die derselben Zeit angehörigen Soldatenwesten, die gar keine Westen waren, sondern nur angenähte Tuchlappen. Am meisten tritt einem diese Dürftigkeit an dem hier errichteten reformierten *Betsaal* entgegen, der dasselbe Fachwerk und dieselbe rote Tünche zeigt, und seine Bestimmung durch nichts anderes andeutet als durch einen Dachreiter in Form eines aus Schindeln zusammengeklebten Schilderhauses. Zu Häupten desselben ein Glöckchen.

Das Ganze fiel uns auf, wenn auch nur durch seine Wunderlichkeit. Wir traten deshalb dicht an die hohen, aus kleinen grünen Scheiben zusammengesetzten Fenster heran und sahen in den Betsaal hinein, der aus einem Katheder und sechs Bank- und Pultreihen bestand. Auf den Pulten lagen viele Gesangbücher aufgeschlagen, als habe eben erst eine Gemeinde diesen Betsaal verlassen. Und doch waren es über drei Jahre, seit man sich hier zum letzten Male versammelt hatte. Das Ganze berührte mich unheimlich, etwa wie ein angerichtetes Mahl, das von langer Zeit her seiner Gäste harrt oder wie die leise Musik in Spukschlössern, drin Geigen unsichtbar zum Tanze spielen. Aber kein Tänzer kommt.

Wusterhausen a. D.

Kleine Städte aufzufinden,
Städte, die in wenig Jahren
Werden ganz und gar verschwinden,
Treibt's mich über Land zu fahren; ...
Sind sie auch nicht schön geblieben,
Schön ist immer, was wir lieben.

G. Hesekiel

Von Neustadt a. D. bis Wusterhausen a. D. ist nur *ein* Schritt. »Il n'y a qu'un pas.« Die mißliebigen Anklänge, die vielleicht für alles was Wusterhausen heißt in diesem Zitate liegen, sind nicht ernsthaft gemeint und *können* es nicht sein, da das gegenseitige Verhältnis in einem anderen berühmten Dichterworte längst seinen mustergiltigen Ausdruck gefunden hat. »Rosenkranz und Güldenstern und Güldenstern und Rosenkranz«. In der Tat, sie sind Zwillinge, Dosse-Brüder, und einander so ähnlich wie die Kiebitzeier, die sich, am Fluß hin, in dem Röhricht ihrer beiderseitigen Feldmarken vorfinden. Aber da kommt mir freilich eine neue Sorge. »Wie ähnlich Sie Ihrem Herrn Bruder sehn!« Wer zu solcher Versicherung greift, darf beinah immer überzeugt sein, sich auf einen Schlag *zwei* Feinde gemacht zu haben.

Auch Wusterhausen besteht aus einer Haupt- und einer Nebenstraße, die hier aber keinen einfachen Haken (⅃) sondern etwa eine Form wie diese ⊢ bilden. Da wo beide Straßen sich treffen, erweitern sie sich, ganz wie in Neustadt, zu einem platzartigen Mittelpunkte, der, neben einer Anzahl gleichgiltiger Häuser, auch die steinerne Historie Wusterhausens, die *Kirche* trägt. Seine *geschriebene* Historie ging in verschiedenen Rathausbränden unter. Was trotzdem übriggeblieben ist, ist schnell erzählt. Im 12. und 13. Jahrhundert gehörte Wusterhausen den Plothos, deren Burg vor dem Kyritzer Tore stand. Noch zu Ende des vorigen Jahrhunderts waren die Ruinen derselben erkennbar; jetzt nur noch der »Burgwall«. Außer diesem Überbleibsel erinnert nichts weiter als das Stadtwappen an diese frühste historische Zeit: die Plothosche Lilie durch den märkischen Adler halbiert. Schon Mitte des 13. Jahrhunderts ging Wusterhausen an die Markgrafen über, ward also Immediatstadt und blieb es. Um 1360 trat es plötzlich in Beziehungen zur Hansa, und wie stark auch die Zweifel sein mögen, die sich speziell an *diese* Tradition knüpfen, so entzückt es doch meine Phantasie, mir Wusterhausen zu denken, wie es mit einem Sechszehntel Anteil am Bug eines Orlogschiffes steht und dem König Waldemar samt dem ganzen Norden Gesetze vorschreibt. Fünfzig Jahre später sehen wir unsere Dosse-Stadt abermals an der Grenze hoher Politik: »Die Wusterhäusener verbinden sich nächtlicherweile mit den Quitzows gegen die Bredows«, aber auch *diese* Großtat zerrinnt in Nebel, wie der vorerwähnte Anteil am Hansasieg. »Mein Sohn, es ist ein Nebelstreif.« Und dieser Nebelstreif wird immer dichter und dunkler und verdunkelt sich endlich zu völliger Nacht, aus der es nur dann und wann aufleuchtet wenn das mit Regelmäßigkeit wiederkehrende Feuer die Stadt in Asche legt. 1758 brannte »durch unvorsichtiges Tabakrauchen eines Bürgers« das Rathaus nieder. Aus der ganzen Reihe dieser Verheerungen blieben nur zwei bauliche Denkmäler übrig, die noch imstande sind, uns von dem alten Wusterhausen zu erzählen: die *Peter-Pauls-Kirche* inmitten der Stadt, und das *Heilige-Geist-Hospital* am Wildberger Tore. Beiden wenden wir uns in nachstehendem zu.

Die Peter-Pauls-Kirche

Die Kirche St. Petri und Pauli ist ein gotischer Bau aus dem Jahre 1474; so dürfen wir aus einer Zahlenangabe schließen, die sich links über dem Altar, an der Decke des hohen Chores befindet. Sehr wahrscheinlich, daß lange vor 1474 ein romanischer oder frühgotischer Bau an eben dieser Stelle stand. Wie die Kirche gegenwärtig sich präsentiert, überrascht sie – nach Art aller ähnlichen Bauten, die wir in kleinen märkischen Städten finden – durch ihre *vergleichsweise* Bedeutung. Es geziemt sich, der Phrase vom »finstren Mittelalter« gegenüber, dies immer wieder hervorzuheben. Während wir jetzt beispielsweise Berliner Gemeinden von 40 000 Seelen haben, die's nur mühevoll zu einer Kapelle bringen, schufen damals allerkleinste Städte Kirchen wie *diese*, Kirchen, die uns auch heute noch, alter Verstümmelungen und Beraubungen ungeerachtet, durch ein gewisses Maß von Schönheit und Reichtum imponieren. Kirchen bauen und Kirchen schmücken, lag eben in der Zeit, und auch unsre Peter-Pauls-Kirche zu Wusterhausen durfte Nutzen aus der allgemeinen Stimmung ziehen. Freilich, wie schon angedeutet, sind nur Reste früheren Glanzes auf uns gekommen. Statt an zwölf Altären (von denen noch die Namen existieren) wird nur noch an einem gebetet, die Holzskulpturen sind zerstört, die Grabsteine zu Türschwellen geworden; der hohe Turm ist niedergebrannt und eine einfache Ziegelkappe wächst nur wenig über das Kirchendach hinaus. Aber wie kümmerlich diese Rudera sein mögen, sie sind ausreichend, uns erkennen oder ahnen zu lassen, was hier einstens war.

Die Holzskulpturen. An jeder Seite des hohen Chors befinden sich eichenholzgeschnitzte Chorstühle, die früher, ganz ersichtlich, ebenso viele kleine Baldachine getragen haben müssen oder aber schmale, dicht aneinander gefügte Holzfelder, deren Gesamtheit einen *gotischen Schirm* herstellte. Dieser gotische Schirm fehlt jetzt bis auf vier Seitenfelder, die hüben und drüben die Reihe der Chorstühle flankieren, und zwar derart, daß der jedesmal zu oberst und zu unterst Sitzende seinen Kopf seitwärts an ein solches Holzfeld anlehnen kann. Alle vier Holzfelder sind gotisch umrahmt und zeigen in ihrer Mitte bemalte Relieffiguren: 1) Eine Maria mit dem Christkinde, 2) einen Bischof, 3) einen Abt und 4) einen Mönch.

Ob die Bezeichnung unter 2 und 3 richtig ist, stehe dahin. Der »Bischof«, oder der, den ich dafür halte, trägt ein purpurfarbenes mit Edelsteinen besetztes Gewand, der »Abt« den Schlüssel. Die Figur des letztern ist die weitaus beste, und erscheint mir nicht ganz ohne Kunstwert. Abt und Mönch interessieren auch dadurch, daß beide große, mit Buchklammern versehene, und in ein eigentümliches *Futteral* gesteckte Meßbücher tragen. Die Lederbekleidung dieses Futterals hört nämlich nach oben zu mit dem Bucheinbande nicht auf, sondern wächst noch einen Fuß hoch über die festen Deckel hinaus. Dadurch ist Gelegenheit gegeben, das schwere, ziemlich unhandliche Meßbuch bequem zu tragen, indem man es reisetaschenartig an diesem Lederüberschuß festhält. Ich habe geglaubt, dies so ausführlich beschreiben zu sollen, weil ich weder hierzulande noch sonstwo einer derartigen Einbandform, die Futteral und Tragbeutel zugleich ist, begegnet bin.

Bilder. Die Wustenhausener Kirche weist auch viele Bilder auf. 21 davon bedecken die quadratischen Felder der Empore, die sich an der Nordseite der Kirche hinzieht, und stellen, nach Art der »Stationen«, aber über diese hinausgehend, die Leidensgeschichte Christi dar, vom Abendmahl und dem Gebet am Ölberge bis zur Himmelfahrt und dem jüngsten Gericht. Diese 21 Bilder, wenn ich recht gesehen habe, rühren nicht von derselben Hand her, obschon sie derselben Zeit zu entstammen scheinen. Das Jahr 1575, wie aus verschiedenen Inschriften hervorgeht, ist ein großes Restaurationsjahr für die Wusterhausensche Kirche gewesen, und in eben diese Zeit möcht ich auch diese Bilder setzen. *Lukas Cranachsche* Schule, der wir ja überall in den Marken begegnen. Einige, namentlich die sechs oder acht Blätter, die die eigentliche Leidensgeschichte darstellen, sind außerordentlich gut konserviert, frisch im Kolorit und nicht ganz ohne Wert. – Dagegen sind die dem 17. Jahrhundert entstammenden Pastorenportraits in der Taufkapelle völlig bedeutungslos.*

Zwei *alte* Kelche und eine noch viel ältere *Patene* befinden sich in der Sakristei. Die beiden Kelche sind aus der Renaissancezeit; der größere, minder schöne, trägt die Jahreszahl 1609, der etwas kleinere gehört wahr-

---

* Das Altarblatt der Wusterhausener Kirche ist ein Bild aus verhältnismäßig neuerer Zeit (etwa 1770) und rührt von *Bernhard Rode* her, den man in so vielen unserer märkischen Kirchen, namentlich in der Berliner Marien- und noch besser in der Garnisonkirche studieren kann. Dies große Wusterhausener Blatt stellt die Begegnung Christi mit Thomas dar, der, nachdem er seine Finger in die Nägelmale gelegt, in die Worte ausbricht: »Mein Herr und mein Gott.« Bernhard Rode war ein sogenannter Schnellmacher und die Mängel aller seiner Arbeiten sind evident, in einem aber grenzt er an die wirklichen Meister: er besaß eine völlig selbständige Vortragsweise, so charakteristisch, daß es selbst dem Laien leicht wird, seine Bilder auf 20 Schritt als Rodesche Bilder zu erkennen.

scheinlich dem schon oben genannten Restaurationsjahre 1575 an. Dieser kleinere Kelch, in der damals üblichen Form, ist sehr schön und mit Medaillonportraits reich geschmückt. Die Patene, noch aus der *gotischen* Zeit, geht mindestens bis auf das Erbauungsjahr der Kirche, 1474, zurück. Christus, von zwei Engeln umschwebt, thront als Weltrichter; zur Rechten seines Hauptes ein Kreuz, links ein Schwert; vor dem Munde des Heilands aber berühren sie sich und zwar so, daß die Spitze des Schwertes die Verlängerung des Kreuzes trifft.

Das Heilige-Geist-Hospital
am Wildberger Tore

Die kirchlichen Gebäude Wusterhausens, trotzdem es während der Mehrzahl seiner Jahrhunderte keine tausend Einwohner hatte, beschränkten sich nicht auf »Sankt Peter und Paul«. Da war noch die Kapelle von St. Stephan, und außer dieser das Gertruden, das Georgen- und das Heilige-Geist-Hospital, von denen jedes wieder ein Kirchlein hatte. Das Heilige-Geist-Hospital, hart am Wildberger Tor, existiert noch. Es bietet *dadurch* ein besonderes Interesse, daß es früher ein *Beguinenhaus* (deren es ziemlich viele hierzulande gab) gewesen sein soll.

Die Beguinen, wahrscheinlich von Lambert de Bégues gestiftet und nach ihm benannt, übten eine Tätigkeit, die wir heut in den Diakonissenanstalten wiederfinden. Ihre Tätigkeit umfaßte neben Erziehung der Jugend (namentlich der Waisen) auch Armen- und Krankenpflege, später auch Seelsorge. Die große Liebestätigkeit der Beguinen stellte zuzeiten die Klöster völlig in Schatten, weshalb sie von diesen mit Neid betrachtet und von seiten der Kirche nicht selten in ihrer Tätigkeit behindert wurden. Die Päpste standen verschieden zu ihnen. Unter den Machthabern waren Karl V. und Louis XIV. sehr für sie eingenommen; Joseph II., bei Aufhebung der Klöster, ließ sie fortbestehen. Im allgemeinen ist ihre Tätigkeit dieselbe geblieben; andererseits sind viele Beguinenhöfe aus *Liebesanstalten* zu Nutz und Frommen *anderer*, in bloße *Versorgungsanstalten für ältere Frauen* umgewandelt worden. Holland und Belgien waren immer der Hauptschauplatz ihrer Tätigkeit; berühmt bis diesen Tag ist der Beguinenhof in Gent. Einige finden sich in Nordfrankreich; bei uns in Bremen.

Unser Wusterhauser Beguinenhaus, das bereits um 1307, wenn auch nicht unter dieser Bezeichnung, genannt wird, ist jedenfalls jenen vorerwähnten Beguinenhöfen zuzurechnen, die zu nicht näher anzugebender Zeit aus Liebesanstalten zu bloßen Versorgungsanstalten wurden. Mit anderen Worten: unser Beguinenhaus wurd' ein *Spittel*. Das ist es noch. Es reizte mich, diese wenigstens ehedem halbklösterliche Stiftung kennenzulernen.

Das Gebäude (ein Eckhaus) präsentiert sich an seinen beiden Vorderfronten als ein kümmerlicher Bau aus dem vorigen Jahrhundert; nur etwas mehr nach der Vorstadt hin, auf den ersten Blick ohne rechten Zusammenhang mit den Eck- und Fronthäusern, steht noch ein gotischer Giebel, ziemlich malerisch, mit Glockennische und Storchennest. Erst nachdem man eins der Fronthäuser, gleichviel welches, durchschritten hat, nimmt man wahr, daß man sich innerhalb einer klösterlichen Anlage befindet: ein Hof, nach drei Seiten hin von Häusern umstellt; die vierte Seite, das Quadrat abschließend, eine Kapelle.

Wie die drei Häuser, so ist auch die *Kapelle* bewohnt, die längst aufgehört hat kirchlichen Verrichtungen zu dienen. Aus Altären wurden Feuerstellen, und statt des Weihrauchs zieht Torfqualm durch die Luft; gespaltenes Holz liegt hochaufgeschichtet in den Nischen und wo sonst ein geschnitztes Christusbild zwischen zwei Pfeilern hing, ist jetzt ein Hängeboden gezogen, auf dem Kisten und Kasten, Urväter Hausrat, und die letzten Ausläufer alten Trödels stehn. Leitern führen hinauf, halsbrecherisch, wie der Hängeboden selbst. Der untere Raum der Kapelle wurde längst zu Wohnungen abgeschlagen und auf dem Mittelgange schlurren jetzt die Nachfolgerinnen der Beguinen auf und ab oder klappen mit ihren Pantinen über den Estrich hin. Eine von ihnen machte die Honneurs und zeigte mir draußen auf dem Klosterhof, an einem breiten und weit vorspringenden Pfeiler, sechs Höhlungen, in denen noch, bis vor wenig Jahrzehnten, ebenso viele fest eingemauerte Beguinenschädel sichtbar gewesen seien. Ich bat, indem ich ihr dankte, noch einen Augenblick bleiben zu dürfen, worauf sie sich zurückzog. Sie war unzweifelhaft der esprit fort und die historische Autorität des Spittels.

Ich war nun allein und sah mich mußevoll um. Wunderliches Bild. Der kaum 20 Schritt im Quadrat habende Hof war in zwei Teile geteilt, von denen der eine ein Blumengarten, der andre ein Dunghaufen war. An der Grenze zwischen beiden stand ein Apfelbaum und streckte seine Zweige nach links und rechts hin über Gerechte und Ungerechte; von dem links gelegenen Blumengarten her zog Resedaduft nach rechts hinüber und tat, was er konnte; aber er konnte nicht viel. Oben im Nest, am Giebelfelde der Kapelle, begann der Storch zu klappern – ein sonderbarer Genosse *hier*.

Ich zog mein Notizbuch, um das Bild in wenig Strichen festzuhalten, wobei mein Hauptaugenmerk oben auf das Storchennest und unten auf den Pfeiler mit den sechs Höhlungen gerichtet war.

Und nun war ich fertig. Noch ein Blick auf meine Zeichnung, dann sah ich wieder um mich her. Aber himmlische Mächte, was war inzwischen geschehen?! Aus jedem Fenster sah ein »Beguinengesicht« und grinzte mich an, alle von einer Spittel-Ausgesprochenheit, die's ihnen erlaubt hätte, ohne weitere Vorbereitung in die sechs Höhlungen einzutreten.

Und mit verlegener Herzlichkeit grüßend, wie man's tut, wenn man sich fürchtet, empfahl ich mich und floh die Straße hinab und vor das Wildberger Tor hinaus.

Trieplatz

Ein Kapitel von den Rohrs

> *Die Douglas waren immer treu.*
> *Schottisches Lied*

Trieplatz ist alter Besitz der Rohrs, wiewohl es nicht zu den Gütern zählt, die, gleich nach ihrem Erscheinen in den Marken, von ihnen erworben wurden.

Die *Rohrs* kamen mutmaßlich aus Bayern und stammen, einer Familiensage nach, von jenem Grafen von *Abensberg* ab, der mit zweiunddreißig Söhnen am Hoflager Kaiser Heinrichs IV. erschien.*

Einer dieser zweiunddreißig, *Adalbert* mit Namen, wurde mit dem in der Nähe von Abensberg belegenen Dorfe Rohr belehnt und nannte sich danach Adalbert von *Rohr*. Er war ein tapferer Kriegsmann, gegen Ende seines Lebens aber verließ er Haus und Hof und Weib und Kind und baute das *Kloster* Rohr, in das er nun selber eintrat. Dies war 1133. Die Kirche des damals gestifteteten Klosters, zum Teil aus Salzburger Marmor aufgeführt, ist noch sehr wohlerhalten; über dem Altar befindet sich ein zweigeteiltes Gemälde, dessen eine Hälfte den Adalbert von Rohr darstellt, wie er im Ritterkleide das Gelübde ablegt, die andere Hälfte, wie er, im geistlichen Ornate bereits, vom Bischofe die Weihen empfängt.

Die Nachkommen dieses Adalbert von Rohr waren es, die zu Beginn des vierzehnten Jahrhunderts im Brandenburgischen erschienen, nach einigen im Gefolge Markgraf Ludwigs von Bayern, der 1323 die Mark in Besitz nahm, nach anderen schon um beinahe zwanzig Jahre früher. Gleichviel, um die Mitte des Jahrhunderts sehen wir die Familie v. Rohr in der Priegnitz und zwar in Freyenstein, Holzhausen und Meyenburg angesessen, und etwa zur Reformationszeit auch im *Ruppin*schen. Sie besaßen hier ganz oder teilweis: Leddin, Brunn, Trieplatz, Tramnitz, Gantzer. Leddin war, soweit die Ruppin-

---

* Die *Stadt Abensberg*, nach der sich die Grafen v. Abensberg nannten, liegt in Niederbayern und zeigt auf ihrer efeuumrankten Ringmauer noch einige jener vierzig Türme, von denen, der Sage nach, acht *viereckige* Türme zur Erinnerung an die acht Töchter und zweiunddreißig *Rundtürme* zur Erinnerung an die zweiunddreißig Söhne des Grafen erbaut wurden. So viel über die Ringmauer. In der *Kirche* zu Abensberg existiert noch das *Bild*, das das Erscheinen des alten Grafen mit seinen zweiunddreißig Söhnen vor dem Kaiser darstellt. Von diesem interessanten Gemälde befinden sich zwei Kopien in der Mark, die eine im Schloß *Meyenburg* (Priegnitz) bei dem Senior der Familie von Rohr, die andere in Wolletz (Uckermark) bei dem Landschaftsrat Theobald von Rohr. (Letzterer besitzt auch eine Kopie des Altarbildes im Kloster Rohr, von dem ich weiter oben im Text erzähle.)

schen Güter in Betracht kommen, am frühesten erworben worden, etwa um 1400. Eine Geschichte der Rohrs schreiben wollen, hieße mittelbar eine Geschichte Brandenburg-Preußens schreiben.

> Bei Leuthen, Lipa, Leipzig,
> An der Katzbach und an der Schlei,
> Von Fehrbellin bis Sedan, –
> Ein Rohr war immer dabei.

Sie sind eiserner Bestand in den Ranglisten unserer Armee, zu allen Zeiten mit einem Dutzend Lieutenants und Capitains vertreten. Aber auch darüber *hinaus* bewährt und treu befunden, finden wir sie als Generallieutenants und Generalmajors in nicht geringer Zahl. Und wie im Heer, so in Staat und Kirche. Um 1400 *Otto* v. Rohr, Bischof von Havelberg; seitdem in langer Reihenfolge, Präsidenten und Pröpste, Amtshauptleute und Ritterschaftsräte, verschieden an Gaben und Verdienst, aber in drei Eigenschaften einig: gütig, tapfer, loyal.

Nicht von dem *Ruhm* der Familie will ich in nachstehendem erzählen, nicht von denen, die bei Prag mitstürmten und bei Hochkirch unter Tod und Flammen aushielten; es entspricht dem einfach-demütigen, alles Anspruchsvolle zurückweisenden Sinne der Familie mehr und besser, wenn ich bei *Genrebildern* verweile, wie sie das Leben dreier aufeinander folgender Generationen bot. Ich wähle diese drei Generationen aus den *Trieplatzer* Rohrs. Begleite mich der Leser zunächst nach Trieplatz selbst.

Trieplatz liegt eine Meile nördlich von Wusterhausen an der Dosse. Der Weg geht über *Brunn*, das, wie schon angeführt, früher ebenfalls den Rohrs zugehörte, seit Ende vorigen Jahrhunderts aber in den Besitz der Rombergs übergegangen ist.*

Die ganze Gegend am Dosse-Ufer hin, von dem wir uns übrigens mehr und mehr entfernen, ist, wie so viele Punkte der Mark, witwenhaft traurig und mit keinem andern Reize ausgestattet als dem *einen*, den ihr eben dies *Witwenkleid* leiht. Wohl ist dies Kleid unter den Händen der Kultur, die hier und dort, wie eine heitere Enkelin, ein buntes Band eingeflochten hat, um seinen vollen Trauergehalt gekommen, aber das, was vorherrscht und nach wie vor den *Charakter* gibt, ist doch immer noch das monotone Grau, das selbst der Ackerscholle nicht fehlt, die daliegt, als ob Asche über ihr frisches Braun ausgestreut worden wäre. Kein See, kein Weiher, kein Fluß; von Zeit

---

* Im Schloßpark zu Brunn, unter dunklen Tannen und fast am Rande eines stillen Weihers, erhebt sich ein schönes, von *Drakes* Hand herrührendes Monument, das dem Obersten v. Romberg und seinem sechzehnjährigen Sohne errichtet wurde. Sandsteinstufen tragen einen Granitwürfel; auf diesem ruht ein halbkreisföriniger Marmor mit den Hautrelieffiguren der Hingeschiedenen. Der darge-

zu Zeit eine Gruppe graugrüner Bäume, meist Pappeln und Weiden, die die Stelle andeuten, wo hinter Wipfeln ein Dorf vergraben liegt.

So hinter Wipfeln vergraben liegt auch Trieplatz. Im Näherkommen bemerken wir eine prächtige Linden- und Kastanienallee, deren Linien sich kreuzen und dann avenueartig auf den *alten* und *neuen* Hof des Gutes zuführen. Der alte Hof, jetzt eine bloße Meierei, war der Rittersitz des vorigen Jahrhunderts. Dort stand das Herrenhaus, ein einfacher Fachwerkbau, den Georg Moritz v. Rohr bewohnte. Von ihm erzähl ich zuerst.

»Der Hauptmann von Capernaum«

Georg Moritz v. Rohr war 1713 geboren. Selbstverständlich trat er in die Armee – in welches Regiment hab ich nicht erfahren können – war bei Ausbruch des Siebenjährigen Krieges Hauptmann, wurd in einer der ersten Schlachten schwer verwundet und zog sich, zu fernerm Kriegsdienste untauglich, auf sein väterliches Gut Trieplatz zurück.

Er war ein echter Rohr, einfach von Sitten, ein frommer Christ, dabei von jenem verqueren Zuge, der auch aus den schlichtesten Naturen *Originale* schafft. Georg Moritz von Rohr war ein solches Original. Er gab es schon dadurch zu verstehen, daß er sich selber den »Hauptmann von Capernaum« nannte. Die Worte, die, der Schrift nach, der wirkliche Hauptmann von Capernaum an Christum richtete: »Herr, ich bin nicht wert, daß du unter mein Dach gehest« entsprachen ganz seinem eignen demütigen Herzen, aber über all dies hinaus reizte ihn, seiner ganzen Natur nach, auch wohl das Scherzhafte, das in der selbstgewählten Bezeichnung eines »Hauptmanns von Capernaum« lag.

Kein Zweifel, seine Popularität zog Nahrung aus diesem Namen, was ihn

---

stellte Moment ist der des *Wiedersehns*; beide reichen sich die Hand und eine hohe Freude verklärt ihre Züge. Die Inschrift am Granitwürfel lautet:

<table>
<tr><td></td><td>Vater und Sohn</td><td></td></tr>
<tr><td>Conrad</td><td>und</td><td>Anton</td></tr>
<tr><td></td><td>v. Romberg.</td><td></td></tr>
</table>

geboren zu Hamm	geboren zu Brunn
den 25. April 1783.	23. Juni 1819.
Als preußischer Oberst gestorben	In seiner Blüthe gestorben zu
zu Groß-Camin den 20. April 1833.	Dresden den 8. Mai 1835.

Getreu bis in den Tod und reinen Herzens sind sie eingegangen und heißen sich willkommen, wo die Treue ihre Kronen empfängt und die Reinheit Gott von Angesicht schaut. – Dem Gedächtniß der Verklärten gewidmet von der Wittwe und Mutter: Amalie v. Romberg, geb. Gräfin v. Dönhoff, 1844.

indes in der ganzen Gegend am populärsten machte, das waren doch seine vielen Brautwerbungen, die nicht abrissen und ihn befähigten, es bis auf vier Frauen zu bringen.* Dies allein schon würde genügt haben, alle Zungen der Grafschaft über ihn in Bewegung zu setzen, unser Hauptmann von Capernaum aber wußte nebenher noch dem immer wiederkehrenden Begräbnis- und Freiwerbungszeremoniell so viel eigentümlichen Beisatz zu geben, daß auch die jedem Klatschbasentum abgeneigtesten Kreise notwendig Notiz davon nehmen mußten. An dem jedesmaligen Begräbnistage ließ er singen: »*Lobe* den Herrn meine Seele«, hielt in Promptheit und Treue das Trauerjahr und sprach dann mit einem gewissen humoristischen Trotze: »nimmt Gott, so nehm ich wieder.« War aber *dies* Wort erst mal gesprochen, so begannen auch, vom nächsten Tag an, seine Freiwerbungen aufs neue, bei denen er ebenso konsequent und systematisch verfuhr, wie bei dem vorgeschilderten Funeralzeremoniell.

Und auch bei diesen Freiwerbungen ist näher zu verweilen. Georg Moritz v. Rohr hatte nämlich drei nicht mehr junge Cousinen, die zu Tornow lebten und die Namen führten: Henriette, Jeannette und Babette v. Bruhn. Im Trieplatzer Herrenhause, wo sie bloß als eine dreigegliederte Einheit galten, lief ihr Unterschied auf einen einzigen Buchstaben hinaus: Jettchen, Nettchen und Bettchen. Namentlich die beiden letzteren von anheimelndem Klang.

Es war jedoch nicht dieser anheimelnde Klang, sondern lediglich eine donquixotisch-ritterliche Vorstellung von pflichtschuldiger Cousingalanterie, was unsern Hauptmann immer wieder veranlaßte, nach Absolvierung seines Trauerjahrs, *erst* um die Hand seiner drei Cousinen anzuhalten. Läufer vorauf und gekleidet in den Uniformrock, den er bei Prag getragen, fuhr er dann in Gala nach Tornow hinüber, ließ sich bei den Fräuleins melden und begann seine Werbung bei »Jettchen« um sie bei »Bettchen« zu beschließen. Immer mit demselben Erfolge, denn die Fräuleins waren längst gewillt in dem stillen Hafen ihrer Jungfräulichkeit zu verharren und das sturmgepeitschte Meer der Ehe *nicht* zu befahren. So hatte denn diese regelmäßig wiederkehrende Szene nur noch eine *symbolische* Bedeutung und bezweckte nichts weiter, als den drei Fräuleins v. Bruhn eine exzeptionelle Stellung vor allen anderen Jungfrauen des Landes zu geben. Es war die Konservierung eines Muhmenkultus, zuletzt *mehr* als »Muhme«. Gleichviel, bei den Cousinen in Tornow, lag, in Rücksicht auf die Wandel-

---

* Dies »vier Frauen nehmen« war im vorigen Jahrhundert, wenn es die Verhältnisse gestatteten, an der Tagesordnung. Selbst die Unbequemlichkeit, daß – wenigstens seitens des Adels und Militairs – ein Konsens beim Könige eingeholt werden mußte, hielt nicht davon ab. Herr v. *Hagen* auf Nakel bat sogar zum *fünftenmal* um die Erlaubnis und erhielt als Antwort weder Zustimmung noch Ablehnung, sondern die echt altenfritzige Replik: »Er braucht künftig nicht mehr einzukommen.«

barkeit menschlicher Natur, immer wieder das entscheidende Wort und erst der dreimal wiederholte, verbindlich ablehnende Knix schuf unserm »Hauptmann von Capernaum« jene Freiheit der Aktion, von der bis diesen Tag nicht genau festzustellen gewesen ist, ob er sie segnete oder beklagte. Denn die Cousinen waren reich und die Zeiten waren arm.

Aber wenn ihm die Freiheit der Aktion kein überhohes Glück schaffen mochte, so schuf ihm andererseits der »Refus« keinen allzutiefen Schmerz, zu welcher Annahme die vorerwähnten *vier* Frauen wohl eine genügende Berechtigung geben dürften.* Alle vier waren Nachbarstöchter aus dem Adel der Grafschaft oder der angrenzenden Priegnitz. Die erste Frau eine Platen, die zweite eine Jürgaß, die dritte eine Hagen, die vierte eine Putlitz. Durch die Platen und Jürgaß ergab sich denn auch eine nahe Verwandtschaft mit den Zietens, so daß unser Hauptmann mit dem gesamten Adel der Nachbarschaft verschwägert war.

Georg Moritz v. R. kam zu hohen Jahren und wenn er bald nach seiner Geburt die Kanonen von Landau (1713) gehört hatte, so kurz vor seinem Tode die Kanonen von Valmy. Achtzig Jahre lagen dazwischen und drei Kriege, die er selbst bestand. Mit dem Älterwerden wuchsen auch seine Schrullenhaftigkeiten und er mußte den Tribut entrichten, den das Alter ohnehin so leicht zu zahlen hat. Dem Ehrwürdigen gesellte sich das Komische. Jeden Morgen stieg er mittelst einer Leiter in eine Pappelweide hinein, um in den Zweigen derselben seine Morgenandacht abzuhalten und sang, während sein weißes Haar im Winde flatterte, mit klarer Stimme: »Wie schön leucht't mir der Morgenstern«. Grotesk und rührend zugleich. Für die Dorfjugend aber herrschte das erstere vor und ein paar Übermütige sägten den Ast an, mit dem der Alte denn auch zusammenbrach, als er andern Tags seinen Platz in dem Gezweige wieder einnehmen wollte.

Daß er gezürnt habe, wird nicht berichtet. Er stand bereits da, wo Leid und Lust nur noch traumhaft wirken und selbst Unbill nichts weiter als ein Lächeln weckt. Seine Zeit war um, und seine Seele flog dem Morgensterne

---

* Bei Gelegenheit seiner vierten Verlobung, hatte Georg Moritz v. R. (ähnlich wie Herr v. *Hagen* auf Nakel, über den ich in der vorstehenden Anmerkung berichtet) allerdings auch eine Kränkung zu bestehn, die nur den *einen* Vorzug aufwies, daß sie nicht von dem gefürchteten Könige ausging. Der Kränkende war der eigne Bruder auf *Tramnitz*, allwo sich das Erbbegräbnis befand, in dem auch die Trieplatzer Rohrs beigesetzt wurden. Als Georg Moritz v. R. seinem Bruder anzeigte, daß er sich zum *vierten* Male verlobt habe, schrieb ihm der Tramnitzer zurück: »er wünsche ihm Glück, müsse ihm aber von vornherein erklären, daß für diese vierte Frau kein Platz mehr im Erbbegräbnis sei.« Dies war denn doch zuviel und Georg Moritz erschien schon am nächsten Tage mit drei Wagen in Trarnnitz, um die Särge seiner drei Frauen aus dem ungastlichen Erbbegräbnis abzuholen. Er begrub sie nunmehr auf dem Trieplatzer Kirchhof.

zu, zu dem er so oft emporgesungen hatte. Den 14. Juni 1793 ward er in Trieplatz begraben. Die Dorfjungen aber waren ernsthaft geworden, folgten seinem Sarge und sangen diesmal *ihm* : Lobe den Herrn, meine Seele!

Der Akazienbaum

Dem Hauptmann von Capernaum waren aus seiner zweiten Ehe mit dem Fräulein v. Jürgaß zwei Söhne geboren worden, von denen der jüngere den Namen des Vaters, Georg Moritz, führte. Der ältere dagegen war *Otto v. Rohr*. Sein Gedächtnis lebt in Trieplatz in einem schönen *Akazienbaume* fort, der vom Park aus in das Gartenzimmer blickt.

Otto v. Rohr war 1763 geboren. Er trat früh in ein Infanterieregiment und stand 1792, als der Krieg gegen Frankreich ausbrach, beim Grenadierbataillon v. Kalkstein. Über die Charge, die er bekleidete, verlautet nichts Bestimmtes; wahrscheinlich war er Stabcapitain. 1793 nahm er teil an der Rheincampagne und gehörte jenem Heeresteile zu, der im Spätherbste genannten Jahres unter dem Herzoge von Braunschweig gegen den General Hoche kämpfte. Hoche wurde den 17. November bei Bliescastel geworfen und am 28., 29. u. 30. in der dreitägigen Schlacht bei *Kaiserslautern* geschlagen. Unter denen, die preußischerseits dieses schönen Sieges wenig froh werden konnten, befand sich auch *Otto* v. Rohr, der gleich am ersten Tage, den 28., als er mit seinem Grenadierbataillon aus einer Waldecke vorbrach, in Gefangenschaft geraten war. Diensteifer und Herzensgüte trugen die Schuld daran. Schon war ihm der Rückzug durch einen Hohlweg geglückt, als er noch sieben seiner Leute, die das Signal überhört haben mußten, jenseit des Defilees im eifrigsten Scharmützeln mit dem nachdrängenden Feinde sah. Er eilte zurück, um sie zu retten, wurd aber dabei von einem Haufen *Volontairs* gefangengenommen, die mittlerweile den Hohlweg besetzt hatten.

Die »Volontairs« von damals waren den »Franktireurs« von heute sehr ähnlich. Otto v. Rohr hat seine Schicksale während der nächsten fünf Tage, in ebenso vielen, mir zur Benutzung vorliegenden Briefen aufgezeichnet, Aufzeichnungen aus denen ich ersehen konnte, wie wenig achtzig Jahre jenseits der Vogesen geändert haben. Alles liest sich wie Erlebnisse von heut oder gestern. Im Guten und Schlechten, in Liebenswürdigkeit und Frivolität, in Artigkeit und Frechheit ist der nationale Charakter derselbe geblieben.

»28. *November 1793.* Drei oder vier Volontairs nahmen mich gefangen, zwölf oder mehr aber waren es, die mich zurückführten. Ich mochte zwei Minuten zwischen meinen Begleitern gegangen sein, als diese plötzlich einige Schritt hinter mir zurückblieben und mich allein stehenließen. Die ganze Bande schwatzte; zugleich mußt ich wahrnehmen, daß einer von ihnen das Gewehr anlegte und auf sechs Schritt nach mir schoß. Der Schuß versagte. Mein Volantair begann nun zu poltern, schüttete neues Pulver auf die Pfanne, schärfte den Stein und legte wieder an. Mittlerweile war ich von meiner ersten Betäubung zurückgekommen und hatte die klare Vorstellung eines unvermeidlichen Todes. Mich wehren, dazu fehlte mir die Waffe (meinen

Degen hatte man mir abgenommen), mich durch Flucht retten, war ganz unmöglich; ich verteidigte mich also nicht, weil ich nicht konnte, und stand, weil ich mußte. Ich weiß nicht mehr, was ich tat, nur *das* hab ich noch in Erinnerung, daß die ganze Gesellschaft lachte. Auch der Volontair, der im Anschlage lag, lachte mit. In diesem Moment, der über mich entscheiden mußte, trat ein alter Soldat, Sergeant wie sich später ergab, aus dem Dickicht, schlug dem Buben das Gewehr nieder und rettete mich dadurch. Die ganze Bande verlief sich nun und ich war mit meinem Retter allein. Er hieß Malwing, war ein geborner Elsässer, hatte den Siebenjährigen und dann den amerikanischen Krieg mitgemacht und vermaledeite seine eigenen Leute, die er Meuchelmörder nannte. Er hieß mich guten Mutes sein, führte mich zum kommandierenden General Hoche und übergab diesem meine Person und meine Habseligkeiten. Die letzteren stellte mir ein Adjudant des Generals sofort wieder zu. Hoche selbst unterhielt sich ein wenig mit mir, war sehr artig und überließ mich dann wiederum der Obhut Malwings. Unter den Gegenständen, die mir zurückgegeben wurden, befand sich auch mein Degen, meine Schreibtafel und Schärpe.

Ich bat Malwing die letztere anzunehmen, was er indessen entschieden ablehnte. Er sagte nur, »ich solle sie verbergen«, ein Rat dem ich leider nicht folgte. Meine Börse mit etwa elf Dukaten nahm er. Ich besaß außerdem noch eine auf den General Möllendorf geprägte Medaille und eine kleine Schaumünze, ein Geschenk meines seligen Onkels; ich erzählte ihm was es mit beiden für eine Bewandtnis habe, worauf er sie mir ließ. Meine Uhr war bei der Bagage. Jetzt nahm mir der Alte Wort und Handschlag ab, daß ich mich als sein Gefangener benehmen wolle, führte mich dann nach einer nahegelegenen Bauernhütte und sorgte für ein Abendbrot wie es die Umstände gestatteten. Darauf legte er ich sich neben mich schlafen. Mit uns war eine Rotte von Volontairs, unsaubere, ekelhafte Kerle. Ich hoffte aber sicher am andern Tage ausgewechselt zu werden, und so stählte mich diese Hoffnung gegen die Widrigkeit alles dessen, was mich umgab. Ich schlief ein.

Den 29. *November* 1793. Morgens mit dem Tage kam mein alter Malwing. Ich war froh ihn wiederzusehen, stand auf und ging mit ihm wohin er wollte. Er führte mich nach dem etwa eine halbe Stunde entfernten Hauptquartier, wobei wir an Truppenteilen vorüberkamen, die sich schon zu ihrem nahen Tagewerk versammelt hatten. Dieser Gang war eine Art Spießrutenlaufen, doch waren die Bemerkungen, die fielen, mehr beißender Spott und launiger Scherz, als pöbelhafte Worte und grobe Beschimpfungen. Sie frugen mich, ob ich etwas an meine Geliebte zu bestellen hätte, sagten, ich hätte viel Republikanisches, offerierten mir eine Prise Contenance u. dgl. m. Endlich langten wir im Hauptquartier an. Hier waren drei Generale, ebenso viele *Repräsentanten* und einige andere Offiziere in *eine* Stube einquartiert. Malwing stellte mich den Generälen vor und verließ das Zimmer. Generale und Packknechte, Fleischer und Repräsentanten saßen (gewiß ihrer dreizehn an der Zahl) um einen großen Kumpen Reis mit Hühnern und frühstückten. Man war allgemein äußerst artig gegen mich und forderte mich auf mit zu frühstücken. Eine kleine Weile hatte ich es mir gut schmecken lassen, als sich jemand neben mich hinstellte, der dem Anscheine nach ebenso hungrig war als ich. Er hatte keinen Löffel, ich bot ihm also meinen an, in der Hoffnung, daß ich ihn zurückerhalten würde. Das war aber irrig. Die Gesellschaft hatte nicht Löffel genug, und gingen diese deshalb auf eine Art Pränumeration aus einer Hand in die andre. An mich kam kein Löffel wieder. Nach dem Frühstück ging alles auf seinen bestimmten Posten zur Schlacht; vorher indessen gaben mir die Generäle noch die Versicherung, sie wollten an diesem Nachmittag noch dem Herzoge von Braunschweig meine Auswechselung vorschlagen. Sie würden zu diesem Behufe das Nähere mit mir in Kaiserslautern, allwo sie ihr Hauptquartier zu nehmen gedächten, verabreden. Bis dahin möcht ich mir die Zeit nicht lang werden lassen. Diese ganze Unterhaltung und besonders der Punkt ›in Kaiserslautern Hauptquartier nehmen zu wollen‹ war in so festem zuversichtlichen Tone gesprochen worden, daß ich jeden Glauben an das gute Glück der Preußen für *diesen* Tag aufgab. Ich blieb noch ein Weilchen allein, ward aber dann von einem Gensdarmen abgeholt und auf die Wache gebracht.

Das Wachthaus lag so, daß ich einen großen Teil des Schlachtfeldes übersehen konnte. Nicht mit den angenehmsten Empfindungen. Ich wußte, daß unsere Armee, besonders durch Krankheiten geschwächt, selbst unter Hinzurechnung der Sachsen kaum gegen 60 000 Mann ausmachte; wenn ich nun hörte, daß die Franzosen nach Vereinigung ihrer Rhein-, Maas- und Moselarmee 150 000 Mann stark seien, wenn ich sie, so unmittelbar vor mir, alle Felder und Wiesen weit umher bedecken sah, so stand meine Hoffnung niedrig und ich vergaß bei diesem Anblick alle meine eigne Not. Nachmittag brachte man einige Gefangene ein, erst einen Junker v. Schulz vom Dragonerregiment Sachsen-Curland, dann den Capitain Wilhelmy von demselben Regiment. Auch einige Mannschaften. Wilhelmy sollte später, wie mein Unglücksgefährte so auch mein Freund werden. Wir hatten bereits eine ganze Weile miteinander gesprochen, ich meinerseits ihm schon diese und jene kleine Aufmerksamkeit erwiesen, und er hielt mich immer noch – durch meinen blauen Surtout mit weißen Aufschlägen dazu veranlaßt – für einen Volontair. Als er nun aber von seinem Irrtum zurückkam und mich als einen preußischen Offizier erkannte, da war er froh, ganz wie ich es war, einen Schicksalsgefährten zu treffen. Herzlich und gefühlvoll waren seine Äußerungen; fest war der Bund den die neuen Bekannten schlossen; mir dünkt es ein Freundschaftsbund für die ganze Zukunft, für Zeit und Ewigkeit. Auch er war durch übereilte Hitze seiner Befehlshaber ins Mißgeschick gekommen; im übrigen unverwundet wie ich. Er war der erste der mir sagte, daß das Grenadierbataillon von Kalkstein den vorigen Abend nah an sechzig Mann verloren habe, daß ich zu den Toten gezählt worden und daß außerdem Lieutenant v. Reitzenstein gefallen und zwei Offiziere blessiert seien.

Abends in der Dämmerung erschien abermals Freund Malwing. Er trat ein mit einem: à present tout est au diable! Dies hatte zum Teil Bezug auf die mir abgenommenen Habseligkeiten. Er hatte sie zusammen in ein Papier gewikkelt, in seine Rocktasche gesteckt, und diese war ihm durch eine preußische Kanonenkugel weggerissen, oder wie er sich ausdrückte ›zum Teufel geschickt worden‹. Er hatte dabei eine Kontusion davongetragen, weshalb er zurück in ein Lazarett gehen mußte. Ich bot ihm, da mir sein Verlust leid tat, nochmals meine Schärpe an, aber er lehnte nochmals ab und verwies mir meine Unfolgsamkeit, sie nicht nach seinem Rate besser versteckt zu haben. Dann mahnte er mich zu Geduld und Vorsicht, reichte mir seine Flasche und ging fröhlich und guter Dinge ab, mit dem Versprechen mich wieder zu besuchen. Und so beschloß sich der zweite Tag meiner Gefangenschaft. Durch tausend Bemerkungen belästigt, von Ahnungen und Besorgnissen gequält, dazu von der Hoffnung einer baldigen Änderung meines Geschickes nicht mehr geschmeichelt, setzte ich mich, meinem neuen Freunde Wilhelmy gegenüber, auf einen Schemel und wünschte mir Schlaf. Doch ihn zu finden, daran war nicht zu denken. Die Stube zum Ersticken heiß und mit Menschen derart gefüllt, daß ich schlechterdings meine Füße nicht regen konnte, ohne jemanden zu treten. Meine Lage war äußerst lästig, und endlich durch die Bewegungslosigkeit, zu der sich mein Körper gezwungen sah, dem Erstarren nahe, blieb mir kein anderes Mittel, als auf den Schemel zu steigen. Hier stand ich wie ein Säulenheiliger. Alles schlief und schnarchte, nur Wilhelmy und ich nicht. – Genug, es war nicht die schmerzhafteste, aber doch die peinlichste Nacht meines ganzen Lebens. Endlich kam der so lang' ersehnte Morgen und alles regte und reckte sich. Ach wie war ich so froh.

Den 30. November 1793. Der Morgen kam und mit ihm die Sterbestunde für so manchen, Freund wie Feind. Viele fanden ihren Tod gestern schon, viele ehegestern, – noch mehr fanden ihn heute. Früh mit der ersten Morgendämmerung begann die Schlacht von neuem; das Feuer der Kanonen war dabei so heftig, wie ich es noch nie gehört hatte. Etwa um elf war die Bataille völlig zum Vorteil der Preußen entschieden. Die Franzosen machten indessen, wie bekannt, einen meisterhaften Rückzug, so daß sie trotz des schlechten Terrains auf dem sie sich bewegten, keine Kanone verloren. Es kam ihnen dabei freilich zustatten, daß unsere Kavallerie ganz entkräftet war. Von dem Gewimmel der Zurückkommenden sahen wir nur wenig, da auch wir, als die Retirade begann, zurückmußten. Wir bildeten nur ein kleines Häuflein: Wilhelmy, ich, der Junker und etwa acht Gemeine, das war die ganze gefangene Gesellschaft, schließlich noch durch sechs oder sieben Deserteure vermehrt. Letztere höchst widriges Gesindel. Mit genauer Not bekamen wir einige von den erbeuteten Pferden; dann, bei jedem Offizier ein Gensdarm, außerdem noch zwei, drei zur Eskorte der übrigen, so ging unser Zug rückwärts auf der Straße nach Homburg zu.

Ein wahrer Golgathas-Weg für uns arme Sünder. Gleich zu Anfang passierten wir einen großen Teil der französischen Armee, die auf einer weiten Ebene hielt. Hier fanden wir Truppen aller Art, auch das Proviantfuhrwesen. Wir kamen leidlich vorüber. Als wir aber eine andere Abteilung der geschlagenen Armee erreichten, bei der sich viele Hunderte von Schwerverwundeten befanden, war es mit unserer Ruhe vorbei.

Ein großer Teil dieser Unglücklichen, als sie uns sahen, gebärdeten sich wie rasend, wetterten und fluchten und schienen durchaus willens es bei den insultierenden Worten nicht bewenden zu lassen. Mehr als einmal schlug man die Gewehre auf uns an, und nur der Umstand, daß wir rechts und links Gensdarmen zur Seite hatten, die bei dieser Gelegenheit so gut wie wir getroffen werden konnten, rettete uns aus dieser Gefahr. Die Insulten dauerten fort, aber nach einer halben Stunde schienen auch die Lungen erschöpft und man ward still. Nochmals eine halbe Stunde später und wir wurden in einem Stall untergebracht, wo sich unser Häuflein alsbald um einen Unglücksgefährten vermehrte. Das Regiment Goecking-Husaren hatte verfolgt und bei diesen Verfolgungsscharmützeln war Cornet Gottschling vom genannten Regiment erst verwundet und dann gefangengenommen worden. Er hatte einen Hieb über den Kopf, einen andern über die Hand und war in sehr bedauernswerter Lage.

Der Zug setzte sich endlich wieder in Bewegung. Neue feindliche Trupps waren zu passieren, da wir aber auf dem Marsche blieben, so hatten wir weniger zu leiden; nur der arme Gottschling erhielt einen Steinwurf.

Gegen Abend rückten wir in ein Dorf ein, das nicht mehr ferne von Homburg war. Der Führer der Eskorte wollte weiter, aber die Mannschaften, die sich angeschlossen hatten, wollten bleiben oder wenigstens eine Rast machen. Der Führer mußte nun gehorchen. Ein Haus wurde ausgewählt, und wir Offiziere, der Junker, die Deserteurs und die Gensdarmen kamen in ein und dieselbe Stube. Die gutmütige Wirtin schaffte Milch, wir selbst hatten Kommißbrot und so wurde denn eine Milchsuppe gekocht, die mir ganz besonders mundete, da ich, seit jenem Reisfrühstück in Gesellschaft der Generalitäten, nichts Warmes mehr gegessen hatte.

Homburg indessen sollte noch erreicht werden, und um zehn Uhr abends rückten wir in seine Straßen ein. Quartiere erhielten wir im Ratskeller, in einem weitläufigen Gemach, das schon vorher mit vielen Verwundeten belegt worden war. Uns blieb nur, wie in der Nacht vorher, ein kleines Plätzchen zum Stehen übrig. Hart an uns vorüber trug oder führte man die Verstümmelten. Eine Hölle war uns dieser Aufenthalt; das war ›gekerkert im Kerker‹. Unbegreiflich und wunderbar war es uns allen und ist es mir noch in dieser Stunde, daß nicht einer dieser Unglücklichen, wütend wie sie waren, uns niedermordete oder doch mißhandelte. Wir erwarteten es jeden Augenblick, aber es blieb bei Fluch und Verwünschung. Ein oder anderthalb Stunden mochten wir in diesem Zustande zugebracht haben, bittend, flehend, daß man uns aus dieser Höhle des Jammers fortführen möge. Alles umsonst. Endlich, aufs äußerste empört, begannen wir selbst zu toben und zu fluchen. Das half. Man brachte uns in ein Wirtshaus, in dem ein französischer Artilleriegeneral logierte. Dieser teilte seine Stube mit uns und behandelte uns mit vieler Artigkeit. Wir ließen uns ein gutes Nachtmahl schmecken, legten uns auf Streu oder Stühle und vergaßen in festem Schlaf die bittern Erlebnisse des letzten Tages.

Den 1. Dezember 1793. Morgens beim Erwachen war der General fort;

wir haben auch später seinen Namen nicht erfahren können. Unser Frühstück, Kaffee und Zubehör, stand bereit, wir ließen es uns schmecken und weiter ging es bis Zweibrücken. Hier führte man uns auf den Marktplatz, wo denn alsbald alles was nur Raum finden konnte, sich an uns herandrängte. Wir fürchteten ein Dakapo des Spiels vom vorigen Tage, aber es unterblieb; teils waren hier keine Blessierten, teils war die erste Wut schon verraucht; zudem befanden wir uns hier zumeist unter Linientruppen. In ihrem Beisein waren wir in der Regel vor groben Beleidigungen sicher. Jeder von uns ward von einem ganzen Haufen umzingelt, alles schwatzte und frug auf uns ein, frug immer von neuem und immer etwas anderes, ohne unsere Antworten abzuwarten. Dabei reichten sie uns Cognac und Brod, sprachen uns Mut zu und hießen uns guter Dinge sein. Genug das Ganze dieser Szene war menschenfreundlich und gutartig, wenn ich einige Tölpel ausnehme, die grob wurden, weil wir ihnen kein Gegenprosit mehr zutrinken wollten.

Einer den ich bat, mich nicht weiter zu nötigen, erklärte laut: ›ich sei ein Emigrierter, er kenne mich‹. Dabei nahm er mein Pferd beim Zügel und wollte mich zum Repräsentanten abführen. Doch kam es nicht so weit, einige andere bedeuteten ihm seinen Unsinn und drängten ihn weg.

Nach einer halben Stunde führte man uns auf die Hauptwache. Hier wiederholten sich die Szenen vom Marktplatz, aber schon nach kürzester Frist wurden wir weitergeschleppt und zwar in das Gefängnis der Stadt, wir drei Offiziere kamen in die Armesünderstube. Wohl allenthalben sind sich diese Lokalitäten so ziemlich ähnlich. Das erste was mir ins Auge fiel, war eine mit Kohle an die Wand geschriebene Zeile: ›Der nächste Gang von hier geht zum Galgen‹. Nun durften wir zwar annehmen, *diesen* Gang *nicht* tun zu dürfen, nichtsdestoweniger wirkte diese Zeile sehr unangenehm auf meine Empfindung und stand mir immer vor Augen. Sie war eine häßliche und beständige Mahnung an das höchst Kritische unserer Lage. Der Gefangenenwärter frug, ›ob wir Geld hätten, um uns durch seine Vermittelung Lebensmittel kaufen zu können‹, eine Frage, die wir leider verneinen mußten. Er schüttelte den Kopf, setzte einen Krug mit Wasser hin und wies auf einen andern größern Kübel; zugleich versprach er Brod und Streustroh zu bringen. Wir waren wie versteinert; doch kam ich mit Hülfe eines listigen Schurken von Gensdarmen, deren zwei bei uns geblieben waren, bald zu mir selbst. Freilich nicht auf angenehmste Weise. Der Gensdarm redete mich an: ›Monsieur, il y a bien long temps que je désire à avoir un souvenir d'un officier prussien. Vous avez là quelque chose, dont vous ne pouvez plus faire usage: votre *escarpe;* en faite moi present.‹ Ich band meine Schärpe ab, erinnerte mich, leider zu spät, der guten Lehren des alten Malwing, schwieg und gab dem Buben, was er spottend von mir erbat. Zugleich mein Letztes. Mit ironischer Höflichkeit bedankte er sich und schritt unter vielen Kratzfüßen zur Tür hinaus. Sein Spießgesell hatte es mit Gottschling ebenso gemacht.

Der Gefangenenwärter erschien nun wieder, brachte Streustroh und Leuchtung, fragte nochmals, ›ob wir *wirklich* kein Geld hätten‹ und bedauerte uns herzlich, als wir ihm unser Nein wiederholten. Der gute, christliche Deutsche beklagte uns sehr und schien in Mitleiden für uns aufzugehen; nichtsdestoweniger vergaß er, uns unser Deputat Brod für den Nachmittag und Abend zu geben. Nur ein Weilchen noch blieb er, um uns Trost und Mut einzusprechen, wünschte uns dann eine wohlzuruhende Nacht und – ging. Das letzte, was er uns hören ließ, war das Rasseln und Klirren der Schlösser und Riegel.

Nun waren wir mit uns und unserem Elend allein. Mein alter Wilhelmy erlag fast seinem Schicksal: er schwankte zur Streu und wünschte sich laut die ewige Ruhe. Gottschling litt heftige Schmerzen, legte sich auch und hoffte Linderung vom Schlaf. Ich folgte seinem Beispiel. Ein paar Stunden mocht' ich geschlafen haben, als Wilhelmy mich weckte; ihm brannten Kopf und Körper, Gottschling erwachte ebenfalls im heftigsten Wundfieber. Beide lechzten nach Wasser und – Gott! der Krug war leer, ebenso der Kübel. Ich lief in der Stube umher, rief und schrie nach Hülfe; umsonst, unser Kerker war zu abgelegen, als daß irgendwer hören konnte. Ich stieß gegen die Tür, in der Hoffnung sie zu sprengen, aber Schloß und Riegel waren zu fest. Hinweg, selbst von der bloßen Erinnerung an diese Unglücksnacht.

Den 2. Dezember 1793. Morgens, vielleicht acht Uhr, saß ich an dem Lager meiner beiden Gefährten, vertieft und verloren in unser trübes Geschick. Wilhelmy und Gottschling, trotz Fieber und Durst waren eben wieder eingeschlafen, als plötzlich die Tür aufging und einige junge Frauenzimmer, deren Bekanntschaft Gottschling vor acht oder zehn Tagen gemacht hatte, mit Kaffee und Semmel bei uns eintraten. Diese gutmütigen Magdalenen, die vielleicht durch den Gefängniswärter von ihm gehört haben mochten, hatten sich mit Mühe und Schwierigkeiten einen Weg zu uns gebahnt und leisteten nun so viel Hülfe, wie in ihren Kräften stand. Auch einen Stadtwundarzt brachten sie mit, um Gottschlings Wunden zu verbinden. Ich weckte nun meine beiden Kranken jubelnd auf und beide labten und erquickten sich an dem Frühstück, das ihnen geboten wurde. Unsere barmherzigen Samariterinnen standen uns gegenüber und freuten sich herzlich, daß uns ihre Gabe so vortrefflich mundete; ebenso herzlich war unser Dank. Während des Frühstücks fand sich allerlei Gesellschaft ein: der gute christliche Kerkermeister, dessen Ehegespons, einige Gensdarmen, schließlich auch einige Offiziere. Man kam und ging, alle waren voller Mitleid, aber dabei hatte es sein Bewenden.

Im Laufe des Vormittags erschienen: ein Generaladjutant namens Bertrand, mehrere junge Leute von der Adjutantur, endlich auch ein Secretair, um unsere Charaktere und Namen aufzunehmen. Alle diese Herren, besonders sichtbar und auffallend aber der Erstgenannte (Bertrand), waren äußerst betreten, uns so gemißhandelt zu finden. Der Umstand, daß die Zweibrücker Mädchen uns ein Frühstück und zwar als ein Almosen gereicht, dazu auch einen Arzt uns zugeführt hatten, brachte die Herren vorzugsweise in Verlegenheit. Sie waren Zeugen, daß wir unsere Wohltäterinnen mit einem einfachen ›Gott vergelt's euch‹ bezahlen mußten. Einige der jungen Offiziere versuchten auf mancherlei Art die Sache zu entschuldigen, doch ging es ihnen damit nur schlecht vonstatten. Der Umstand, daß man uns in drei Tagen noch kein Zehrungsgeld, am Nachmittag und Abend kein Brod und auf die letzte Nacht auch nicht einmal Wasser, Heizung und Licht zur Genüge gegeben hatte, war nicht wohl zu entschuldigen. Alles, was man für uns getan, war, daß man uns unsere Schärpen geraubt hatte. Bei Aufzählung aller Unbill, die wir erfahren, traten mir die Tränen in die Augen. Bertrand, als er dessen gewahr wurde, trat zu mir heran und hatte freundliche Worte für mich. Es tat mir wohl und ich vermochte mich wieder zu fassen. Nachdem man unsere Namen und Charakter aufgeschrieben, schenkte uns Bertrand unter dem großmütigen Vorwande ›daß es die rückständige Gage sei‹, anderthalb Karolin; auch wurde ein Mittagbrod für uns besorgt. Ein Bekannter Wilhelmys, ein verabschiedeter Soldat, der jetzt in Zweibrücken lebte und vor einigen Wochen erst als Handelsmann Wein und andere Lebensmittel ins Lager geliefert hatte, erschien ebenfalls. Dieser verschaffte einem jeden von uns ein Hemd. Infolge davon wurde nun zwar unsere Kasse so gut wie wieder gesprengt, aber dennoch erkauften wir die Glückseligkeit des Wäschewechselns damit nicht zu teuer.

Gegen Mittag brachen wir aus der Zweibrückener Armensünderstube auf und kamen um drei Uhr in Blieskastel an. Man war unschlüssig, wohin mit uns. Nachdem wir wieder dreiviertel Stunden lang auf freier Straße zur Schau ausgestellt gewesen waren, brachte man uns endlich in den ›Turm‹. Sergeanten und Gemeine bekamen den Raum unterm Dach; wir Offiziere und der Junker aber wurden in die Stube des Stockmeisters einquartiert. Hier fanden wir bereits zehn oder zwölf *Geiseln vor,* die die französische Armee bei ihrer Retirade aus der umliegenden Gegend mitgenommen hatte.«

Hier brechen die Briefe ab. Was ich noch zu erzählen haben werde, steht räumlich in keinem entsprechenden Verhältnis zu dem bis hierher Mitgeteilten. *Otto* v. Rohr samt seinen Leidensgenossen, die wir aus vorstehenden Briefen kennengelernt, wurde nach Frankreich abgeführt und in Nogent sur Seine, etwa siebzig Kilometer von Paris, interniert gehalten. Hier lebte er, ein Jahr lang und darüber, in ungetrübtem Glück, so weit das Leben eines Gefangenen überhaupt ein glückliches sein kann. Die große Zeit störte nicht seine Kreise. In Paris die Schreckensherrschaft, in Nogent Friede. Auf dem *Eintrachts*-Platze (furchtbare Ironie) fiel Dantons Haupt und sein blutiger Schatten ging um, bis das Haupt dessen, der ihn stürzte, dem seinen nachgefallen war, – in Nogent aber, als wäre die Welt so klar wie die Sommernacht, die sich jetzt über ihm wölbte, saß *Otto* v. Rohr unter dem Gezweig einer mächtigen *Akazie* und neben ihm saß Jacqueline, die Tochter des Hauses, halb Kind noch, und hörte ihm zu, wenn er von seiner Heimat erzählte, von den weiten Strecken Sand und der Sumpfniederung, in der ein Fluß laufe, »Schilfbestanden und tief und schwarz wie der Styx, der um das Reich des Todes schleicht.« Dann fragte Jacqueline, »ob dort auch Menschen wohnen?«

»Kaum« antwortete der Gefangene voll übermütiger Laune, »Halbwilde nur, die schwarzes Brod essen und einen bräunlichen, immer schäumenden Saft trinken, den sie Bier nennen. Und zur Winterzeit machen sie Löcher ins Eis und springen hinein oder jagen tagelang durch den Wald, um Füchse zu fangen und mit dem wilden Eber zu kämpfen. Und wenn sie dann heimkehren, können sie oft ihr Dorf nicht finden, weil es in Schnee versunken ist.« Dann fragte Jacqueline: »Und wie sehen diese Menschen aus?« worauf dann Otto v. Rohr erwiderte »genau wie ich, Jacqueline.« Und dann lachten sie beide und hörten nicht, daß ein leises Rauschen, wie ein Klageton, durch den Wipfel der alten Akazie ging.

Denn der alte Baum, der das Leben kannte, wußte was bevorstand: *Trennung.* Sie kam; der Basler Frieden machte den Gefangenen frei. Wieviel Schwüre wurden laut, wieviel Tränen fielen. Eines Tages aber lag alles zurück wie ein Traum und nur zweierlei war noch wahr und wirklich: das Leid im Herzen Jacquelines und eine kleine seidengestickte Henkelbörse, die sie dem Scheidenden zum Abschiede gereicht hatte. Darin befand sich eine Schaumünze mit ihrem Lieblingsheiligen darauf, und – ein Samenkorn von dem Akazienbaum, unter dem sie so oft gesessen.

Dies Samenkorn ist in Trieplatz aufgegangen. Es ist *derselbe* Baum, der (womit wir diese Erzählung einleiteten) vom Park aus in das Gartenzimmer blickt.

Urania von Poincy

Die Tage von Nogent sur Seine lagen über ein Menschenalter zurück. Da (dasselbe Jahr noch in dem unser *Otto* v. Rohr, inzwischen zum General und Präsidenten hoher Kommissionen emporgestiegen, aus dieser Zeitlichkeit schied) knüpften sich *neue* Beziehungen zwischen Frankreich und – Trieplatz. Noch einmal gewann ein Rohr ein französisches Frauenherz. Und diesmal keine Trennung, oder doch keine andere als durch den Tod!

Moritz v. Rohr, ein Neffe Ottos, stand 1838 bei einem rheinischen Regiment in Saarlouis. Er war zweiundzwanzig Jahr alt, groß und schlank. Der Winter brachte Maskenbälle wie gewöhnlich und auf einem dieser Bälle war es, daß Moritz v. Rohr die Bekanntschaft Urania de Poincys machte, der schönen Tochter des Herrn und der Frau von Poincy, die sich damals, sei es erziehungs- oder zerstreuungs- oder gesundheitshalber, in Saarlouis aufhielten. Dieser Ball entschied über das Leben des jungen Paares; die leidenschaftliche Liebe, die beide füreinander hegten, überwand jedes Hindernis, Moritz v. Rohr erbat und erhielt seinen Abschied und in demselben Winter noch erfolgte die Trauung zu Notre Dame in Paris.

Der Hindernisse, deren ich eben erwähnte, waren nicht wenige: die Familie de Poincy war nicht mehr jenseits des *Rheines*, sie war jenseits des *Ozeans zu* Hause, seitdem der Großvater der jungen Dame das vom Schrecken regierte Frankreich Anno 93 gemieden und nach Amerika flüchtend, erst in Cuba, dann in Neuorleans sich niedergelassen hatte. Dort lebten sie jetzt in hohem Ansehen: der Name de Poincy war der Name einer *Handelsfirma* geworden. Selbstverständlich lag nicht hierin die Schwierigkeit, die Rohrs dachten niemals gering von bürgerlicher Hantierung, am wenigsten vom Großhandel, der mit eigenen Schiffen die Meere befährt, aber der Weg von der Dosse bis an den Mississippi war doch weit und ein Rohrsches Herz hält fest an Wusterhausen und Trieplatz.

Dies waren die Schwierigkeiten. Die Liebe des jungen Paares indes, wie schon angedeutet, überwand sie. Moritz v. Rohr trat in das Handelshaus seines Schwiegervaters ein und nie wurde brieflich oder mündlich ein Wort laut, das darauf hingedeutet hätte, er habe die Trennung von Vaterland und Familie bereut. Kein Klagewort, aber auch kein rechtes Wort des Glücks! Die *nationalen* und *konfessionellen* Unterschiede ziehen eben eine tiefe Kluft, und der Beispiele sind wenige, wo die *bloße Sympathie der Herzen* stark genug gewesen wäre, diese Kluft zu überbrücken. Je feiner und durchgeistigter die Naturen sind, desto mehr tritt dieses Trennungselement hervor. Man liebt sich, aber man ist nicht eins, und *jede* Freude halbiert *sich* oder schwächt sich ab, weil sie nur einmal unter hundert Fällen *auf neutralem* Gebiet erblüht. Die Herzen stimmen, aber der Gegensatz der Geister klingt disharmonisch hinein. Auch das Glück Moritz von Rohrs und Urania von Poincys wurde getrübt oder trug wenigstens einen Schleier.

Zehn Jahre nach der Vermählung war dieser Schleier für die junge Frau zum *Witwenschleier* geworden. Moritz v. Rohr glaubte sich akklimatisiert und unterließ es im Sommer 1848 die Fieberluft Neuorleans' mit der gesunden Küstenluft am mexicanischen Golf zu vertauschen. Er wurde vom Gelben Fieber befallen und erlag ihm.

Zwei Jahre später (das kaufmännische Geschäft war inzwischen an den Sohn des Herrn v. Poincy übergegangen) kehrte der ältere de Poincy mit seiner Familie: Frau, Tochter und Enkelin, nach Europa zurück. Die Enkelin war das einzige Kind Moritz v. Rohrs. Man kaufte sich in Frankreich an und 1854 waren Frau v. Poincy, die Schwiegermutter, und Urania V. *Rohr*, geb. v. Poincy, in Trieplatz auf Besuch; sie mochten Parallelen ziehen zwischen ihrer Hazienda daheim und dem alten Hofe des »Hauptmanns von Capernaum«. Vieles fehlte; aber allerdings auch die Sumpfluft, die so frühe schon die schöne Frau zur Witwe gemacht hatte. Denn die Dosse ist gesund.

Die *Tochter* Moritz v. Rohrs war nicht mit bei diesem Besuche, war vielmehr in einer französischen Klosterschule zurückgeblieben. Erst sechzehn Jahre später lernte sie die Kompatrioten ihres Vaters kennen, als diese, während des siebziger Krieges, vor dem Kloster Abbaye aux Bois ihr Lager aufschlugen. In diesem Kloster stand das junge Fräulein v. Rohr damals als Novize. Längst seitdem hat sie den Schleier genommen, die Großeltern sind tot und nur die Mutter lebt noch in Paris. Ein Portrait, das inmitten der Familienbilder, in Trieplatz hängt, mahnt an die nahen Beziehungen des Hauses Rohr zum Hause de Poincy. Der weiße Teint, das schwarze Haar, die leuchtenden Augen – sie geben das typische Bild der schönen Kreolin.

An Sommertagen, wenn der Alkazienbaum seine Zweige bis dicht vor das Fenster streckt, ist es, als spielten seine Blätterschatten mit Vorliebe um dieses Bild.

Und es ist dann wie ein Nicken und Grüßen Jacquelinens an Urania von Poincy.

Tramnitz

Beneath those rugged elms,
Where heaves the turf in many a mouldring heap,
The rude forefathers of the hamlet sleep.

Thomas Gray

Eine halbe Meile nördlich von Trieplatz liegt Tramnitz, ebenfalls ein alt-Rohrsches Gut. Der Weg dahin hat denselben Einsamkeitscharakter wie die zu Beginn des vorigen Kapitels von mir geschilderte Landschaft. Die Dosse-Ufer sind eben von einer ganz besonderen Tristheit, wenigstens so weit der obere Lauf des Flusses in Betracht kommt. All diese Strecken veranschaulichen in der Tat jenes märkische Landschaftsbild, das im allgemeinen weniger in der Wirklichkeit, als in der Vorstellung der Mittel- und Süddeutschen existiert.

Dorf *Tramnitz* wirkt wie ein Kind des Bodens, auf dem es gewachsen. Es weckt ein Herbstgefühl. Und auch die Stelle, wo das Herrenhaus gelegen ist, ändert nichts an diesem Eindruck. Vielleicht wäre es anders, wenn nicht der weiße, ziemlich weitschichtige Bau, vor dem ein paar mächtige Linden aufragen, eine wahre Mausoleumseinsamkeit um sich her hätte. Hat sich doch, seit dem Tode des Vorbesitzers, aus dem jetzt leerstehenden Herrenhause das Leben in ein abseits gelegenes einfaches Fachwerkhaus zurückgezogen, an dessen Schwelle wir von einer freundlichen alten Dame begrüßt und an einen mit Meißner Tassen besetzten Kaffeetisch geführt werden.

Die freundliche alte Dame ist »Tante Wilhelmine«. Sie verwaltet, neben andrem, auch den Anekdotenschatz des Hauses, und der Kaffee von dem wir eben wohlgefällig nippen, wohin könnt er den Gang der Unterhaltung natürlicher hinüberleiten, als zur Geschichte von »Tante Fiekchen«.

Eben diese, die zu Beginn des vorigen Jahrhunderts auf Tramnitz lebte, war um 1733 als Kronprinz Friedrich in Ruppin stand, eine hochbetagte Dame, die des Vorrechtes genoß, allen derb die Wahrheit sagen zu dürfen, am meisten den jungen Offizieren des Regiments Prinz Ferdinand, wenn diese zum Besuche herüberkamen. Einstmals kam auch der Kronprinz mit. Er ward inkognito eingeführt und da ihm »Tante Fiekchens« Kaffee, der wenig Aroma aber desto mehr Bodensatz hatte, nicht wohl schmecken wollte, so goß er ihn heimlich aus dem Fenster. Aber Tante Fiekchen wäre nicht sie selber gewesen, wenn sie's nicht auf der Stelle hätte merken sollen. Sie schalt denn auch heftig und als sie schließlich hörte, wer eigentlich der Gescholtene sei, wurde sie nur noch empörter und rief: »Ah, so. Na, denn um so schlimmer. Wer Land und Leute regieren will, darf keinen Kaffee aus dem Fenster gießen. *Sein Herr Vater wird wohl recht gehabt haben!*« Übrigens wurden sie später die besten Freunde, schrieben sich, und wenn der König irgendeinen alten Bekannten aus dem Ruppinschen sah, unterließ er nie, sich nach Tante Fiekchen zu erkundigen.

Das Tramnitzer Haus umschließt manche alte Erzählung, manche anekdotische Überlieferung.

Unter den Familienbildern, die dichtgedrängt an den Wänden hängen, ist eines, das aus den sechziger Jahren des vorigen Jahrhunderts stammt und der Tradition nach von *Philipp Hackert* herrührt. Es heißt: *ausnahmsweise* (was auch zutreffen würde) hab er hier ein Portrait gemalt. Das Bild stellt ein Fräulein *von Rohr* als junges, kaum erwachsenes Mädchen in dem Rokokokostüm jener Tage dar. Hackert soll sie geliebt haben. Wer will es heute noch feststellen! Aller Wahrscheinlichkeit nach liegt übrigens eine Verwechselung der beiden Brüder *Philipp* und *Wilhelm* Hackert vor. Philipp, der weitaus berühmtere, war Landschafter, Wilhelm Portraitmaler. Woraus sich auch das Vorhandensein eines Hackertschen *Portraits* an diesem Ort, aber von dem unberühmteren Bruder herrührend, am einfachsten erklären würde.

Der interessanteste Punkt, den Tramnitz aufzuweisen hat, ist der »alte Kirchhof«. Er liegt mitten im Dorfe, von der sich hier teilenden Straße rechts und links umfaßt, und macht außen und innen den Eindruck eines verwilderten Parks. Eichen, Linden, Akazien wachsen hoch auf, dazwischen Fliederbüsche, halb Strauchwerk, halb Unterholz, alles umschlungen und durchdrungen von Blumen und Unkraut, von Efeu und Hagebuttengestrüpp. Eine vollkommene Wildnis. Die Stelle, wo die alte Kirche stand, ist kaum noch wahrzunehmen, seitdem Moos und Farnkräuter über die Fundamente hinweggewachsen sind. Nur zwei Denkmäler, freilich auch sie halb versteckt, mahnen noch daran, daß hier einst begraben wurde. Das eine – ein *Obelisk,* der »dem theuren Andenken der besten Gattin und Tochter, Frau Margarethe v. *Rohr,* geb. Freiin zu Putlitz« errichtet wurde – trägt folgende Inschrift:

> Sie ließ der Welt vergänglich Glück,
> Ließ Schmerz und Elend hier zurück,
> Drang, ewig frei von aller Noth
> In's Freudenleben durch den Tod.
> Wann einst von uns, in Gott vereint,
> Der letzte auch hat ausgeweint,
> Dann wird ein frohes Wiedersehn
> Auf ewig unser Glück erhöhn.

Das andere Denkmal, um zehn Jahre älter, stellt den bekannten trauernden Knaben dar, der sich an eine Aschenurne lehnt. »Kindliche Ehrfurcht widmet dies Andenken.« Einer Inschrift am Sockel entnehmen wir, wem und wann es errichtet wurde: *Hans Albrecht Friedrich v. Rohr, K.* Preussischer Oberst, geboren den 3. August 1703, gestorben den 6. December 1784. Dieser Hans Albrecht Friedrich v. R. stand in Magdeburg, machte sämtliche Campagnen unter Friedrich II. mit und nahm 1760 den Abschied. Während seiner Garnisontage zu Magdeburg, unmittelbar vor

Ausbruch des Siebenjährigen Krieges, trat er – soweit die Verhältnisse dies gestatteten – in Beziehungen zum Freiherrn v. d. *Trenck,* der ihm eine in seiner Gefangenschaft selbst gefertigte Tabakdose von Kokosnuß und Perlmutter zum Geschenk machte. Die Seitenwände zeigen Cupido mit Pfeil und Köcher, der nach einem Herzen schießt, dazu die Umschrift:

> Du hast mich nicht getroffen,
> Was hat mein Herz von Dir zu hoffen?

(Etwas dunkel.) Oben auf dem Deckel ein Adler, der mit der Klaue das Rohrsche Wappen hält. All' dies hatte Trenck mit einem eisernen Nagel gearbeitet, da er kein Handwerkszeug besaß. – Die Dose existiert noch im Herrenhause zu Tramnitz.

Der »alte Kirchhof«, umspielt von Kindern, überwachsen von Gesträuch, ist, wie schon angedeutet, das Poetischste was Tramnitz aufzuweisen hat. Der *neue* Friedhof, draußen am Rande des Dorfes, reicht an diesen alten nicht heran, und auch die hart daneben gelegene »neue Kirche« kann poetisch nicht retten und helfen. Hat sie doch selber keinen Überschuß davon. Sie stammt aus der »armen Zeit« will sagen aus den zwischen 1806 und 1815 liegenden Jahren (auch die Jahre, die folgten, waren nicht viel besser) und gleicht einer Fachwerkscheune, der man ein halbes Dutzend Fenster gegeben hat. Vielleicht, daß ich gar nicht dazu gekommen wäre, sie zu sehn, wenn ich nicht in Erfahrung gebracht hätte, daß hier, hintern Altar, eine Fahne aufbewahrt würde, die von irgendeinem Tramnitzer Rohr entweder den Schweden bei Fehrbellin oder den Oesterreichern bei Hohenfriedberg abgenommen worden sei. Und wirklich da war sie' hinterm Altar, alles wie erzählt. Ich rollte dann auch das Fahnentuch auseinander, das mir, anderer verdächtiger Anzeichen zu geschweigen, sofort durch seinen gänzlichen Mangel an Spinnweb auffiel. Denn eine richtige alte Fahne ist immer so, daß man nicht recht weiß, wo das Seidenzeug aufhört und das Spinnweb anfängt. Und als das Fahnentuch nun ausgebreitet vor mir lag, sah ich, daß es einfach das *Rohrsche* Wappen war, was darin prangte. So schwand die historische Glorie hin, die bis dahin dieses « Banner umgeben hatte. Sehr wahrscheinlich war es eine Fest- oder Einzugs- oder Wappenfahne, die bei irgendeinem Carousselreiten von irgendeinem jungen Rohr getragen worden war.

Mir aber erwuchs daraus ein neuer Beweis für die hundertfältig beobachtete Tatsache, daß überall da, wo Dorfbevölkerungen einem Gegenstand begegnen, der Interesse weckt ohne verstanden zu werden, die »mythenbildende Kraft« sofort in Aktion tritt. Ob die Dinge dabei lang oder kurz zurückliegen, ist gleichgültig. Die Sage verfährt in allen Stücken souverän; was sie aber am souveränsten behandelt, das ist die – Chronologie.

Auf dem Plateau

Gantzer

Wohl hab' ich euer Grüßen,
Ihr Ahnen mein, gehört,
Eure Reihe soll ich schließen,
Wohl mir, ich bin es wert.

Mit Tramnitz haben wir unsre Wanderungen an »Rhin und Dosse« beendet und kehren nunmehr auf die große Straße zurück, um mit Hülfe derselben das Ruppiner *Plateau* von West nach Ost oder von der Priegnitz bis zur Uckermark hin zu durchschneiden. Die Dörfer und Städte, denen wir auf dieser Querlinie begegnen werden, sind Gantzer, Gottberg, Krentzlin, Lindow und Gransee.

*

Zunächst Gantzer, ehemaliger Besitz der Familie Wahlen-*Jürgaß*, etwa zwei Meilen westlich von dem *Zietenschen* Wustrau.

Beide Familien, die Zieten und die Jürgaß, waren recht eigentlich Ruppinsche Geschlechter, seßhafte Leute, die, durch die Jahrhunderte hin, schlicht gelebt und treu gedient und den Boden ihrer Väter in Ehren gehalten hatten. Hans Zieten zu Wildberg, wie schon in unsrem Wustrau-Kapitel hervorgehoben, war geschworner Rat des letzten Grafen zu Ruppin und begleitete diesen auf den Wormser Reichstag, um dieselbe Zeit aber saßen auch schon die Jürgaß auf Gantzer und werden 1525 urkundlich genannt. Von da ab gehen die Zieten auf Wustrau und die Jürgaß zu Gantzer in Leid und Freud mit und nebeneinander, um schließlich auch, wie ein altes Paar, gemeinschaftlich in den Tod zu gehen. Nur um anzudeuten, wie vielfach beide Familien versippt und verschwägert waren, stehe hier das Folgende. Die Mutter des berühmten alten Zieten war Ilsabe Catharina von Jürgaß aus dem Hause Gantzer (geb. 1666) und die *erste Frau* des alten Zieten war wiederum eine Jürgaß (Leopoldine Judith, geb. 1703). Aus dieser Ehe, zwischen Hans von Zieten und Judith von Jürgaß, ward eine Tochter geboren, Fräulein Johanna von Zieten, die sich mit Carl von Jürgaß vermählte, der seinerseits wieder ein Sohn Joachims von Jürgaß aus seiner Ehe mit Luise von Zieten war.

Man wird an diesem einen Beispiel erkennen, daß die Verwandtschaft oft fünf- und sechsfach und in ihren verschiedenen Graden gar nicht mehr zu verfolgen war. Es waren nur noch zwei Familien dem *Namen* nach, während längst dasselbe Blut in den Adern hüben und drüben floß.

Gantzer selbst ist ein noch übriggebliebenes Musterstück aus jener Zeit her, wo die Dörfer im Ruppinschen, oder doch viele von ihnen, nicht aus *einem* Rittergute, sondern aus zwei, vier und selbst sechs Edelhöfen bestanden, die dann freilich sehr viel mehr einem Bauernhof als einem Rittergute glichen. Auch Gantzer gehörte seinerzeit *vier* Familien und zwar den v. Jürgaß, v. Rohr, v. Kröcher und v. Wuthenow, aus welcher Verteilung später eine Zweiteilung ward, indem der ganze Grundbesitz, durch Kauf oder Tausch oder Erbschaft, an die Rohr und die Jürgaß überging. Das war ohngefähr zu Anfang des vorigen Jahrhunderts, und diesen Charakter eines zweigeteilten Besitzes hat sich das Dorf in einer so markanten und zugleich so malerischen Weise gewahrt, wie mir kein zweites Beispiel in der Grafschaft bekannt geworden ist.

Wir halten vor dem Dorfeingang und schwanken, ob wir unser Fuhrwerk nach links oder rechts hin lenken sollen, denn scharf einander gegenüber erblicken wir zwei Krugwirtschaften, jede mit dem üblichen Vorbau, jede mit einer Anzahl Stehkrippen und jede mit einem Wirt in der Tür. Wir entscheiden uns endlich für links und sind infolge dieser Wahl, ohne Wissen und Wollen, auf der *Rohrschen* Seite gelandet.

Der Damm oder Fahrweg macht die Grenze: was links liegt, ist alt-Rohrscher- was rechts liegt, alt-Jürgaßscher Besitz. Jede Seite hat ihr Herrenhaus und ihren Park, und nur die Dorfgasse samt Kirchhof und Kirche bildet das beiden Hälften Gemeinschaftliche.

Wir haben im Krug ein Gespräch angeknüpft und über die beiden alten Herren von Jürgaß, zwei Brüder, die nun seit dreißig Jahren und länger das Zeitliche gesegnet haben, ein wenig zu plaudern gesucht, aber sei's nun, daß unser Wirt als »Rohrscher«, sich um die Jürgasse drüben nie recht gekümmert hat, oder sei's andererseits, daß all die zwischenliegenden Aussaaten und Ernten ihre Bilder in seiner Erinnerung etwas abgeblaßt haben, gleichviel, seine Mitteilungen beschränken sich darauf, »dat de een en beten streng wör« und »dat de anner et ümmer wedder good moaken un'n Daler gewen deih.« »Awers – so schloß er – he gäw' en ümmer so, dat de Broder nix merken künn.«

Wir verabschieden uns nun und treten auf die malerische Dorfgasse hinaus. Links vom Wege, von hohen Ulmen und Linden umstellt, schimmern die weißen Wände des alten Rohrschen Herrenhauses (eines weitschichtigen Fachwerkbaus mit schwerfälligen Flügeln und Doppeldach) das halb gemütlich, halb spukhaft dreinblickt, je nach der Stimmung, in der man sich ihm nähert, oder nach der Beleuchtung, die zufällig um die Kronen der alten Ulmen spielt. Dem Rohrschen Herrenhause folgt dann die Kirche samt Schulhaus und Predigerhaus, zwischen denen ein Garten in leiser Schrägung ansteigt. Es summen Bienen drüber hin und träumerisch die Steige verfolgend, stehen wir plötzlich statt zwischen Beeten zwischen Gräbern. Unwissentlich haben wir den Schritt aus Leben in Tod getan.

Die frühgotische Kirche hat einen Schindelturm aus späterer Zeit. Ihr Inneres ist einfach und erhält nur durch die Zweiteilung, der wir sofort auch hier wieder begegnen, einen bestimmten Charakter. Links die Rohrsche, rechts die Jürgaßsche Seite: *hier* ein paar Rohrsche Galanteriedegen aus der Zeit der Zöpfe, *dort* ein Jürgaßscher Säbel und Federhut aus der Zeit der Freiheitskriege, *hier* eine Rohrsche Familiengruft, *dort* eine Jürgaßsche. Die Jürgaßsche gleicht mehr einer in gleicher Höhe mit dem Kirchenschiffe befindlichen Grabkammer, durch deren Fensterchen man die dahinter aufgeschichteten Särge zählen kann. Anders die Rohrsche Gruft. Über ihrer Eingangstür erhebt sich eine vortreffliche Marmorbüste (vielleicht von Glume), die wohl eine andere Inschrift, als die folgende verdient hätte: »Bedaure und verehre billiger Wandersmann hier noch die Asche eines Ruhmwürdigen, eines im Leben Gerechten, im Tode Unverzagten, dessen *Rath Land* und *Leuten* treulich *gerathen,* aber wider des Todes allgemeinen Einbruch als eines Landraths (d. h. trotzdem er ein Landrath war) nichts vermochte. Seine Schwachheit und Stärke siegen zugleich. Seine *Stärke* durch weisen Rath wider die Unsterblichkeit. Darum stößt die Fama durch Posaunen noch seinen Ruhm aus und die flüchtige Zeit kann seine ruhmwürdigen Thaten nicht verbergen noch zernichten. Sein Lorbeerkranz grünt mitten unter Cypressen und sein Palmbaum trägt Früchte in Apollens Garten, wo Mars ihm von ferne steht und den Zutritt scheuet wie ein Unbekannter. Die *Schwachheit* siegt durch's Alter und trägt die Krone des Lebens im Glauben davon am Ende.« *

Die Jürgaßsche Gruft ist ohne Schmuck und Bild, aber draußen auf dem Kirchhofe, zwischen Blumen und Gräbern, steht ein mächtiges Monument, das nicht einem einzelnen Toten, sondern dem ganzen aus diesem Leben geschiedenen *Geschlecht* errichtet ist. Die beiden letzten Jürgasse, »de strenge un de gode Herr« wiesen in ihrem Testament eine bedeutende Summe zur Aufführung desselben an, und mit Gewissenhaftigkeit sind die Vollstrecker des Testaments diesem letzten Willen nachgekommen. Es ist kein eigentliches Grabmal, sondern, wie schon hervorgehoben, ein

---

*Einzelne Stellen dieser Grabschrift sind völlig unverständlich. Am bemerkenswertesten ist wohl der Passus, wo Mars, in seines Nichts durchbohrendem Gefühle, Bedenken trägt, dem alten Rohr unter die Augen zu treten. (Alle diese Inschriften, in denen der Lebenslauf des Hingeschiedenen zu allerhand Wortspielen benutzt wird [hier also »Landrat«], haben ihr unerreichtes Vorbild in der berühmten Postmeistergrabschrift zu Salzwedel. Sie lautet: »Eile nicht, Wandersmann! als [wie] auf der Post; auch die geschwindeste Post erfordert Verzug im Posthause. Hier ruhen die Gebeine Herrn Matthias Schulzen, Königl. Preußischen 25jährigen, unterthänigst treu gewesenen Postmeisters zu Salzwedel. Er kam allhier 1655 als ein Fremdling an. Durch die heilige Taufe ward er in die Postcharte zum himmlischen Canaan eingeschrieben. Darauf reisete er in der Lebens-Wallfahrt durch Schulen und Akademieen mit löblichem Verzug. Hernach bei angetretenem Postamte und anderen Berufssorgen richtete er sich nach dem göttlichen Trostbriefe. Endlich bei seiner Leibes-Schwachheit, dem gegebenen Zeichen der ankommenden Todespost, machte er sich fertig. Die Seele reisete den 2. Junius 1711 hinauf in's Paradies, der Leib hernachmalen in dieses Grab. Gedenke Leser bei Deiner Wallfahrt beständig an die Prophetische Todespost Jes. 38, 1«)

160

mehr architektonisch gehaltenes *Monument* und stellt auf einem hohen Postamente von Sandstein, dem als nächstes ein Eisenwürfel folgt, eine baldachinartige, nach allen vier Seiten hin geöffnete Nische dar, in der, gesenkten Blickes, ein Engel des Friedens steht. Der Eisenwürfel ist mit Inschriften überdeckt. Was im Durchlesen dieser Inschriften am meisten überrascht, ist, daß die beiden letzten Jürgaß einer überaus zahlreichen Familie von acht Brüdern und einer Schwester angehörten, daß aber alle acht Brüder starben ohne Kinder hinterlassen zu haben. Ein neuer Beweis, wie der Prozeß des Lebens nach frischem Blute verlangt.

Von den Inschriften mögen hier nur die beiden stehen, die, für länger oder kürzer, die Namen der beiden letzten Jürgasse der Nachwelt erhalten werden.

Auf dem Seitenfelde zur Linken lesen wir wie folgt: Herr Alexander Constantin Maximilian von Wahlen-Jürgaß, Königlich Preußischer General-Lieutenant von der Cavallerie, Drost zu Stückhausen, Ritter vieler hoher Orden. Erbherr auf Trieglitz, geboren den 15. Junius 1758 zu Gantzer, focht von 1778 bis 1816 in allen Preußischen Kriegen, wohnte 26 Schlachten und Hauptgefechten bei, ward bei Hainau durch den Schenkel und bei Ligny durch die Brust geschossen. Ein Muster der Tapferkeit und der *Herzensgüte*, geehrt und geliebt von seinem Könige und von *jedermann*, starb er zu Gantzer den 8. November 1833.* (Dies ist »de gode Herr«.)

Auf dem Seitenfelde zur Rechten begegnen wir einer doppelten Grabschrift, und zwar der des *letzten Jürgaß* und seiner Gemahlin, der *letzten*

---

* Obiger Inschrift füg' ich hier noch folgende biographische Notizen hinzu: Alexander Georg Ludwig Moritz Constantin Maximilian von Wahlen-Jürgaß, am 5. Juni (auf dem Monumente steht »am 15.«) 1758 zu Gantzer geboren; ward auf der école militaire zum Kriege gebildet, und trat im Jahre 1775 in das damalige Regiment Gensdarmes, darin er 1803 zum Major anvancierte. Im unglücklichen Feldzuge von 1806 von einer Masse feindlicher Reiterei umzingelt, griff er den Feind, mit etwa 350 Mann nichtsdestoweniger an und kämpfte auf einem sehr ungünstigen Terrain gegen die französische Division Beaumont. Obgleich der Major von Jürgaß im nächtlichen Getümmel einen Hieb über den Kopf erhielt, so sammelte er dennoch brave Kameraden, schirmte die Standarte und schlug sich mutig durch. Er stieß später zu dem Korps des Prinzen von Hohenlohe, welches eben im Begriff war, das Gewehr zu strecken. v. Jürgaß entzog sich dieser Schmach und entkam noch einmal glücklich, indem er zu dem Korps des Generals von Bila stieß, mit dem er dann leider doch bei Anklam gefangen wurde. Nach dem Tilsiter Frieden lebte er bei seinem Bruder in Gantzer. Bei der neuen Formation erhielt er 1809 wieder eine Anstellung im brandenburgischen Kürassierregiment, zwei Monate darauf ward er Kommandeur des Brandenburger Dragonerregiments, 1812 aber Obristlieutenant,

Zieten aus dem Hause Wustrau. Jene lautet: Franz Carl Wilhelm Rudolf von Wahlen-Jürgaß, Erbherr auf Gantzer und Trieglitz, ward geboren den 14. September 1752 zu Gantzer, und verstarb daselbst, im 82. Jahre, den 26. Juni 1834, als das *letzte Glied seiner Familie.* Er war der treuste Freund seiner Freunde, und alle, *die ihn näher kannten,* schätzten ihn hoch. (Dies ist der ältere Bruder, »de en beten streng wör.«) Die andere Inschrift lautet: »Frau Johanna Christiana Sophie von Wahlen-Jürgaß geborne von Zieten aus dem Hause Wustrau, ward geboren den 23. Januar 1747 und ehelich verbunden am 23. October 1776 mit Carl von Wahlen-Jürgaß, Erbherr auf Gantzer und Trieglitz. Ein Muster weiblicher Tugenden und Größe entschlief sie sanft den 7. Juni 1829.«

*

Diese Frau v. Jürgaß, zugleich die *letzte* Zieten aus dem Hause Wustrau, hat uns vorzugsweise nach Gantzer geführt, und voll Erwartung, in dem Dorfe, darin sie so lange lebte, noch ihrem Andenken zu begegnen, treten wir jetzt von dem Kirchhof aus auf den Fahrdamm zurück und setzen unsere Wanderung bis zum alten Jürgaßschen Herrenhause fort. Ein Heckenzaun trennt das Haus von der Gasse, von rechts her lehnen sich Wirtschaftsgebäude, von links her hohe Parkbäume bis dicht an den Gie-

---

in welcher Eigenschaft er dem Korps des Generals von Grawert in Kurland zugeteilt wurde. Er befehligte meistenteils die Vorposten, wozu seine ungemeine Tätigkeit und Wachsamkeit ihn vorzüglich eigneten. Im Jahre 1813 kommandierte er als Oberst eine Brigade in dem Corps seines vertrauten Freundes, des damaligen Generals von Blücher. Er focht tapfer bei Groß-Görschen und Bautzen, und erhielt bei Hainau, als er in die feindlichen Vierecke einbrach, einen Schuß in den Schenkel. Später trug er in dem furchtbaren Kampfe bei Möckern zu dem glücklichen Erfolge dieses entscheidenden Tages wesentlich mit bei, und wurde dafür zum Generalmajor erhoben. In Frankreich ward er mit der Reservereiterei an die Befehle des Prinzen Wilhelm gewiesen, der den Vortrab des Heeres führte. Bei Lachaussée traf er auf die französische Reiterei vom Korps des Marschalls Macdonald, warf sie über den Haufen und eroberte eine Standarte, fünf Kanonen und die dazugehörigen Pulverwagen. In der Schlacht von Laon entriß er dem Feinde 15 Kanonen und 35 Artilleriewagen. Im Jahre 1815 in der Schlacht von Ligny leitete der Generalmajor von Jürgaß die Angriffe auf das Dorf St. Amand la Haye. In der Nacht erhielt er in dem Getümmel einen Schuß unter der linken Schulter, nahe am Herzen. Er empfing darauf im Jahre 1816 den ehrenvollsten Abschied als Generallieutenant. Von da an lebte er abwechselnd in Berlin und bei seinem Bruder zu Gantzer, woselbst er am 8. November 1833 nach langen, höchst bittern körperlichen Leiden starb.

bel und geben ein freundliches Bild, aber doch zugleich auch ein Bild äußerster Schlichtheit, und wären nicht ein Paar Edeltannen und die Malven, die hoch am Stock gezogen, ein Stück englischen Rasen umstehen, man würd eine kleine Pachterswohnung, aber keinen Edelhof hinter diesem Heckenzaune vermuten. Und eine Pachterswohnung ist es auch seit des letzten Jürgaß' Tode. Wir treten ein und werden freundlich empfangen. Eine junge Frau kommt unsrer Neugier entgegen, zeigt uns Küch' und Keller, auch das Zimmer, wo General Blücher geschlafen,* und führt uns endlich in den Park hinaus, auf dessen sonnigem Grün die Schatten der leise bewegten Zweige hin und her tanzen. Wir nehmen Platz unter einer breitblättrigen Platane, wo Tisch und Bank zum Plaudern einladen, und während allerhand Erfrischungen und darunter, als die willkommenste, Milch und Blaubeeren auf den Tisch gestellt werden, gesellt sich uns eine Anverwandte des Hauses, eine schlanke, nicht mehr junge Dame, mit dunklen Augen und feingeformtem Mund. Die Pachtersfrau, die bis dahin die Kosten der Unterhaltung mühsam bestritten, ist augenscheinlich froh über den eintreffenden Sukkurs, und mit einem kurzen »Tante Helene weiß alles« ihren Rückzug antretend, eilt sie wieder ins Haus, um nach dem Rechten zu sehen. Und nun sind wir allein, und »Tante Helene« legt ihren breiten Sommerhut beiseit, entweder weil wir im Schatten sitzen oder vielleicht auch um die Schönheit ihres schwarzen Haares zu zeigen, und während sie mit dem Band am Hute spielt, beginnen meine Fragen. Aber wir verirren uns immer wieder in unsrem Gespräche, sind bald in Wustrau bei den Zietens, bald in Trieplatz bei den Rohrs, bis sie mir die Hand über den Tisch reicht und mit gewinnender Freundlichkeit zuruft: »Es wird nichts; plaudern wir lieber wie der Zufall es will. Ich erzähl' Ihnen brieflich, was sie wissen wollen. Und seien Sie sicher, ich halte Wort.«

Und sie *hielt* Wort, und nach kurzer Zeit schon empfing ich folgenden Brief: »Ich habe sie gut gekannt, die Frau v. Jürgaß, besser vielleicht als irgendwer. Sie nahm mich zu sich, als ich eine Waise geworden war und so kam ich aus dem Pfarrhaus ins Herrenhaus hinüber. Meine Mutter hab ich nie gekannt, sie starb bei meiner Geburt; aber *hätt* ich sie auch gekannt, ich hätt' ihre Liebe kaum vermissen können, so gut wie die gnädige Frau gegen mich war! Sie war sehr klein und sehr häßlich, und doch mußte man sich immer wieder fragen, ob sie denn *wirklich so* häßlich sei. Sie hatte kleine blaue Augen, eine wunderbare Nase und gelbe Löckchen, auf denen eine Turmhaube saß. Es ist wahr, sie sah sehr altfränkisch und beinah komisch aus, und doch lachte niemand über sie, dazu war sie zu gut und zu gescheit. Sie besaß aber auch zwei Schönheiten: perlenweiße

---

* In der Nacht vom 25. auf 26. Oktober war Blücher mit seinem Korps, das später, nach tapfrem Widerstand, in Lübeck kapitulieren mußte, hier in Gantzer.

Zähne, die sie bis zuletzt behielt, und kleine weiße Hände, die mit Ringen überdeckt waren. Ich fühlte mich immer geehrt, wenn ich eine dieser Hände küssen durfte. Sie litt es aber nur selten.

Außer der hohen Haube, trug sie Hackenschuhe mit hohen Absätzen. Mitunter, wenn ich die Turmhaube und die hohen Absätze sah, zwischen denen sich die kleine Frau bewegte, kam sie mir noch kleiner vor als sie wirklich war. Sie liebte ihren Mann und verehrte ihren Schwager, den alten General, und beide vergalten es ihr und trugen sie auf Händen. Es war ein Leben, wie ich es nie wieder gefunden habe und ich habe doch viele Menschen und viele Häuser gesehen. In Winterzeit, wenn die Wege verschneit und die Freunde ausgeblieben waren, saßen wir oben im Ecksaal und spielten ›Gesellschaft‹. Frau von Jürgaß nahm dann Platz auf dem Sofa, die doppelarmigen Leuchter wurden angezündet und ich durfte nun neben ihr sitzen auf einem großen, alten Fußkissen, darauf der Alte Fritz gestickt war. War alles vorbereitet, so gab sie mir ein Zeichen oder klingelte; dann mußt' ich auf springen und den General von Jürgaß anmelden. Der alte General trat dann auch wirklich herein oder erhob sich von dem Stuhl, auf dem er bis dahin gesessen, und küßte der Gnädigen die Hand, fragte nach ihrem Befinden und nach ihres Bruders Befinden drüben in Wustrau, und eh zwei Minuten um waren, waren sie im lebhaftesten Gespräch über die alte Zeit. Alle Ereignisse, die sie seit 50 Jahren zusammen durchlebt hatten, wurden nun wieder durchgeplaudert wie etwas Neues, Fremdes, wovon man die Mitteilung wie eine Ehre anzusehen und deshalb mit Dank und Teilnahme entgegenzunehmen hat. Dann brachen sie plötzlich ab, lachten herzlich, schüttelten sich die Hände und holten das Dambrett herbei, um Schlagdame oder Tokadille zu spielen. Ich muß Ihnen gestehen, es ängstigte mich damals mitunter, die beiden alten Leute so zeremoniell miteinander verkehren zu sehn und ich dachte dann wohl, sie wären tot und ihre Gespenster kämen zusammen, um an alter Stelle nach alter Weise zu sprechen. Aber ich habe später in andern Häusern oft denken müssen: ›ach, wenn doch Mann und Frau hier, oder Schwager und Schwägerin, nur ähnliche Gesellschaftsspiele spielen wollten! ‹Und mir fiel dann immer das Wort ein, das Frau von Jürgaß einmal zu mir gesagt hatte: ›gute Gewohnheiten wollen geübt sein; sie rosten sonst. ‹Dies zeremonielle Wesen schloß übrigens gesellschaftliche Freiheit nicht aus, ja, bedingte sie vielleicht, und ich bewunderte Frau v. J. jedesmal, wenn sie, sobald Besuch von den Gütern oder gar aus der Hauptstadt eintraf, die Honneurs des Hauses machte. Den beiden alten Herren an Witz und Wissen sehr überlegen, hätte sie's leicht gehabt, auf ihre Kosten die geistreiche Wirtin zu machen, aber wenn abends beim Souper die alten Anekdoten von Hainau und Katzbach und Vater Blücher zum wer weiß wie vielsten Mal erzählt wurden, hörte sie aufmerksam zu und suchte nur durch eine geschickte Wendung der alten Geschichte eine neue Pointe zu geben. Sie war ganz ihres Vaters Tochter: klein, unansehnlich, und unschön, aber fromm und mutig und pflichttreu, und wir ihr Vater gestorben war, so starb auch sie, ruhig, hochbetagt, und ohne die Bitterkeit des Todes zu fühlen. Sie schlief sanft hinüber. Einen der Ringe, mit denen ich als Kind spielen durfte, wenn ich neben ihr auf dem gestickten Kissen saß, hat sie mir vermacht, aber es hätte dieses Zeichens nicht bedurft, um ihrer immer in Dankbarkeit zu gedenken.«

Am 7. Juni 1829 starb des alten Zieten Tochter, am 29. Juni 1854 starb des alten Zieten Sohn. Ein Feldstein ohne Spruch und Inschrift deckt das Grab des letzten *Zieten* aus der Linie Wustrau, das Monument aber, das zu Ehren des letzten *Jürgaß* und seines mit ihm ausgestorbenen Geschlechtes errichtet ist, zeigt auf dem schmalen Eisenstreifen, der die vier Pfeiler der Nische trägt, den schönen Spruch: »Der Herr hat sie zu einem beßren Leben berufen, wo sie sich der Herrlichkeit unsres Erlösers erfreuen.«

Noch einmal:
Frau von Jürgaß geb. v. Zieten

Zehn Jahre, nachdem das vorstehende Kapitel geschrieben und eine Charakterskizze der alten Frau v. Jürgaß versucht wurde, ging mir durch Frau v. Romberg, geb. Gräfin v. Dönhoff († 1879) eine *zweite,* denselben Gegenstand behandelnde Schilderung zu, der ich nachstehendes entnehme.

»Als ich im Jahre 1818 eben verheiratet, nach dem Rombergschen Gute Brunn, in der Grafschaft Ruppin zog, lernte ich Frau *von Jürgaß,* die Tochter des berühmten ›alten Zieten‹, auf ihrem benachbarten Gute *Gantzer* kennen. Sie war schon hochbetagt, und ich kann also von dem, was zurücklag, wenig oder nichts berichten. Ich weiß weder das Jahr ihrer Geburt, noch wo und wie sie ihre Kindheit und Jugendjahre verbrachte, nicht einmal an *welchem* der Berliner Höfe sie als *Hofdame* fungierte, bevor sie sich (nicht mehr in der ersten Jugendblüte) mit ihrem fünf Jahre jüngeren Manne, dem damals sehr schönen und von ihr mit schwärmerischer Liebe geliebten *Carl v. Jürgaß* vermählte, mit dem sie dann auf sein nicht großes aber hübsches und einträgliches Landgut *Gantzer* zog. Oft erzählte sie mir später von der Verlegenheit, mit der sie sich – ein verwöhntes und jeder häuslichen Sorge völlig überhobenes *Hoffräulein* – plötzlich an der Spitze einer großen Landwirtschaft befunden habe, deren ganzer Betrieb ihr fremd gewesen sei. Schnell aber war ihr Entschluß gefaßt, sich unbefangen in die Lehre einer tüchtigen Haushälterin zu geben, um nun, gleichsam von der *Pike* an, bis zur Hausfrau hinaufzudienen. Keine Arbeit war ihr dabei so niedrig oder so schwer, daß sie sie nicht mit eigenen Händen angegriffen hätte, jedem Dienstboten lernte sie die Kunstgriffe seines besonderen Amtes ab, und gelangte so sehr bald dazu, sich sowohl den klaren Überblick über das Ganze wie die genaue Kenntnis aller Einzelnheiten zu verschaffen. Ich denke, es war nach Jahresfrist, daß sie sich selbst das Zeugnis ausstellen konnte, Herrin der Situation geworden zu sein. Und nun folgte der zweite energische Schritt: die gesamte Dienerschaft, von der obersten bis zur letzten Stufe, wurde mit *einem* Schlage entlassen, und durch eine ganz neue und fremde Schicht ersetzt. Denn keiner im Hause sollte die *Herrin als Schülerin* gekannt haben, vielmehr sollte der *alleinigen Autorität* eben dieser durch Kenntnis des Voraufgegangenen kein Abbruch geschehen. Sofort ging es jetzt ans *Befehlen* und *Selbstregieren,* und kein Feldherr hat wohl je seinen Kommandostab sicherer geführt, als diese echte Soldatentochter. Bald war ihr Haushalt als der *Muster*haushalt der Gegend bekannt, und alle jungen Frauen auf den Rittergütern erholten sich Rat bei ihrer unbestrittenen Autorität. Dabei war ihr Haus bald das gastlichste in der durch ihre Gastlichkeit berühmten Gegend, und hielt doch gleichzeitig den einfachen Charakter der Zeit sowohl in der Ausstattung der Zimmer als auch im Hinblick auf die zwar stets überreichliche aber nie künstlich verfeinerte Bewirtung fest. Zu Tisch ward man per carte auf eine »*freundschaftliche Suppe*« geladen, die sich dann freilich zu einer Masse von Gängen und Schüsseln erweiterte; aber immer nur treffliche Hausmannskost. Ein einziger alter Diener (Christoph) war das Faktotum des Hauses, und gebrach es an bedienenden Händen, so griffen die Hausmädchen zu. Mit patriarchalischer Naivetät benachrichtigte die treffliche Frau ihre Nachbarn und Nachbarinnen von den bevorstehenden *Wasch- und Schlachttagen,* um in diesen ganz von ihr geleiteten »großen Aktionen« durch keine Besuche gestört zu werden. Ja dem Wurstmachen räumte sie sogar ihre sehr einfach ausgestatteten Wohnstuben ein.

Als ich die treffliche Frau kennenlernte (die auch mir später eine mütterliche Ratgeberin wurde) muß sie schon hoch in den Siebzigern gewesen sein, aber sie zeigte sich noch in voller, rüstiger Lebenskraft, alle jüngeren durch ihre Tätigkeit beschämend. Sie war immer die erste, die im Hause erwachte, ging umher, um alle Dienstboten aus dem Schlafe zu wecken, und erst wenn das tägliche Uhrwerk im Gange war, legte sie sich noch einmal auf ein Stündchen zur Ruh.

Sie war von kleiner, kräftiger, untersetzter Gestalt, dem ›alten Zieten‹ auf dem Wilhelmsplatze wie aus den Augen geschnitten. Der Ausdruck von Klugheit und Energie, der ihr eignete, war durch den einer großen Freundlichkeit und Herzensgüte gemildert, wie ich denn auch nie gehört habe, daß sie ihre Autorität im Hause durch Strenge oder gar Härte unterstützt hätte. Sie regierte viel mehr ausschließlich durch Ernst und Konsequenz, vor allem aber durch ihr *Beispiel,* und war von ihren Untergebenen, wie von allen Nachbarn und Freunden, ebenso geliebt als verehrt. Von ihrer *Frömmigkeit,* dem schönen Erbteil ihres gottseligen Vaters, machte sie keine Worte, und alle Liebeswerke wurden in der *Stille* geübt.

Bei aller häuslichen Tätigkeit vernachlässigte sie nicht die Bildung ihres Geistes und ging stets mit der fortschreitenden Zeit, deren Erscheinungen sie mit dem lebendigsten Interesse verfolgte. Walter Scotts Romane zählten zu ihrer Lieblingsunterhaltung, und oft erinnerte sie mich selbst an einzelne poetische Gestalten darin, besonders wenn sie mit einem wahren

Feuereifer von dem Besuche Friedrich Wilhelms III. und der reizenden Königin Luise in Gantzer erzählte, als wär es ein Vorgang von *gestern* gewesen. Eine lila Flachsstaude im Garten, die die Königin Luise für ihre Lieblingsblume erklärt hatte, wurde, fast ein halbes Jahrhundert hindurch und von einem eisernen Korbgeflecht umfangen, sorgsam gepflegt und jedem Besucher gezeigt.

Ihre Unterhaltung war belebt und belehrend, und oft vom originellsten Humore gewürzt, wie sie denn durch und durch ein naturwüchsiges *Original* war. Wenn man sich ihrer Kräfte bei allen Anstrengungen verwunderte, versicherte sie, das rühre von einem starken Beisatz von *Schwefel* in ihrem Blute her, und rieb sich, zum Beweise, die Hände, wobei ich indes von dem verheißenen Schwefelgeruche niemals etwas wahrgenommen habe.

Die Frische und Jugendlichkeit aber, die sie sich bis ins hohe Alter bewahrte, gipfelte besonders in ihrer fast anbetenden *Liebe zu ihrem Manne*, der dieselbe mit großer Treue und etwas kühler Verehrung erwiderte. Bei Tische horchte sie nur auf seine Stimme, und wenn irgendein scherzhaftes Wort seines Mundes zu ihr herüberklang, so rief sie, wie in unwillkürlichem Entzücken und mit strahlender Miene: ›*Himmlischer* Jürgaß‹! *göttlicher* Carl!‹ Nie werd ich den Zustand vergessen, in dem wir die Achtzigjährige fanden, als sie die Nachricht erhalten hatte, daß ihr Carl, während eines Besuches bei seinem Bruder in Berlin, heftig erkrankt sei, und sie nicht zu ihm dürfe! Mit Tränen überströmt, an allen Gliedern zitternd, ganz aus ihrer gewohnten festen und kräftigen Haltung hinausgeworfen, stand die alte Frau da, wie das Bild der *Leidenschaft jugendlichster Liebe*.

Einst gestand sie mir, daß sie, an jedem Jahrestag ihrer Vermählung, in aller Stille immer ihr Hochzeitskleid unter ihrem einfachen Hausrock anlege, und daß ihre große Halskrause dann den Schmuck und die Perlenschnur des Hochzeitsstaates vor aller Augen berge.

Sogar der Beisatz der *Eifersucht* fehlte dieser leidenschaftlichen Liebe nicht; doch richtete sie sich auf den unschuldigsten Gegenstand, auf den von sieben andern einzig übriggebliebenen *Bruder* ihres Mannes, den als Held aus den Freiheitskriegen berühmten, mit den schwersten Wunden und den ehrenvollsten Orden bedeckten *Generallieutenant von Jürgaß* (›die Exzellenz‹, wie sie ihn in tiefer Ehrfurcht stets nannte) der fast jeden Sommer, zur Stärkung seiner erschütterten Gesundheit, einige Wochen oder Monat in Gantzer zubrachte, wo dann die Brüder, wie ein Paar Inséparables, vom Morgen bis zum Abend untereinander verkehrten, und sie sich, als die Dritte im Bunde, etwas beiseite geschoben fühlte. Auch verhehlte sie, in ihrer großen Wahrheitsliebe, nicht eine jedesmalige, etwas wehmütige Scheu bei der Meldung dieses Besuches, und war es drum in der Nachbarschaft eine gern erzählte Anekdote, daß sie sich, in ihren häuslichen Verpflichtungen bei Bewirtung der *Exzellenz* noch *absichtlich steigere,* um vor sich selbst und vor anderen den kleinen eifersüchtelnden Verdruß an dem Besuche zu bemänteln.

Diese Exzellenz *selbst* aber war der einfachste, anspruchsloseste Heldengreis, der mir je vorgekommen, bedeutender als sein Bruder, bescheiden im Bericht über seine Taten, und mit der Schwägerin auf einem ziemlich förmlichem Fuß. Ich habe nie etwas Kindlicheres und Naiveres gesehen als das zärtliche Verhältnis dieser beiden Brüder, – besonders sind mir die harmlosen kleinen *Whistpartien* um allerniedrigste Points in Erinnerung geblieben, die jeden Abend in der Wohnstube stattfanden und noch jahrelang, nach dem Tode der im 90. Jahre sanft entschlafenen Heldin dieser Erzählung, fortgesetzt wurden, bald in *Gantzer* und bald in *Brunn*. *Damals* aber, wo die liebe Alte noch als stille Zuschauerin auf dem Sofa saß, entweder ihren Walter Scott lesend oder mit mir oder einem andern Besuch plaudernd, wurde ›*Pasterchen*‹ als Vierter zur Whistpartie herbeigerufen, wenn nicht gar *Charlotte,* das Hausmädchen, als homme de bois fungieren mußte. So einfach waren die Zeiten und die Sitten des patriarchalischen Hauses!

Kinder waren der Frau v. Jürgaß nicht beschieden, aber teilnehmend war und blieb sie gegen jung und alt, und ihr lebendiger Sinn für Schönheit machte (bei ihrem gänzlichen Mangel derselben) einen beinah rührenden Eindruck. So kann ich das ›*Ah!*‹ nicht vergessen, mit dem sie, statt aller Begrüßung, vor der reizenden Erscheinung der jungen *Henriette von Röder,* Gemahlin des späteren Generals Carl v. Röder, stehenblieb, als wir ihr diese zum Besuche zuführten. Jahrelang erzählte sie noch ›von den langen, blonden Ringellocken, die die schönen Züge des durchsichtig-klaren Gesichtes umrahmt hätten‹ und ermahnte mich immer wieder, daß die schöne Frau ›für die *Akademie*‹ wie sie sagte, gemalt werden müsse.

Während ihrer letzten Lebensjahre war ich leider aus der Gegend fern, und weiß über ihren Tod nur das eine, daß es ein *sanfter* war.

Wie ihr *Charakter* aus einem Stück, so war ihr *Leben* aus einem *Guß,* und ihre lautere Seele wird dort oben in der ewigen Einheit des Wahren und Guten ihre Heimstätte gefunden haben.«

Gottberg

Weiter rückt die Horde,
Und ausgestorben, wie ein Kirchhof, bleibt
Der Acker, das zerstampfte Saatfeld liegen
Und um des Jahres Ernte ist's getan.

Schiller

Eine Meile östlich von Gantzer liegt *Gottberg.* Seit Beginn des vorigen Jahrhunderts wechselten die Besitzer mannichfach, bis dahin aber, namentlich während der Zeit der Reformation und des Dreißigjährigen Krieges, war es ein *Quitzowsches* Gut. Nur dieser Zeitabschnitt interessiert uns hier, denn ihm gehören die *Gottberger Kirchenbücher* an, die, durch die handschriftlichen Aufzeichnungen aus eben dieser Kriegsepoche, eine gewisse Zelebrität erlangt haben.

Eh ich jedoch zu diesen Aufzeichnungen übergehe, schick ich ein *Gesamtbild der damaligen Lage,* soweit unsre Grafschaft in Betracht kommt, voraus. Es handelt sich dabei lediglich um den Abschnitt von 1630 bis 1638. *Bis* zu diesem Zeitraume waren die Drangsale verhältnismäßig gering, *nach* diesem Zeitraum aber scheint der Krieg unsere Gegenden verschont zu haben, weil alles ausgesogen war. Die Hälfte der Dörfer existierte nur noch dem Namen nach. Ich gebe nun die Daten in chronologischer Reihenfolge.

Die Grafschaft Ruppin von 1630-1638

Im August des Jahres 1630 trafen die *Schweden* mit 2000 Mann Kavallerie und einem ansehnlichen Korps Infanterie in der Grafschaft ein und besetzten Neu-Ruppin. Im Dezember erschienen zwar die zum Kaiser haltenden Brandenburger vor der Stadt, waren aber viel zu ohnmächtig, um den Schweden den Besitz derselben streitig machen zu können. Endlich rückten die letzteren freiwillig ab. Kaum hatten die Schweden sich entfernt, als *Tilly* im Februar 1631 mit einer Armee aus dem Magdeburgischen eintraf. In jeder Stadt unserer Grafschaft, wo Tilly lag, erhielt der Capitain *monatlich* 54 Tlr., der Lieutenant 20, der Fahnenjunker 16 Tlr., damals sehr große Summen. In demselben Jahre brach auch die Pest aus. In Neu-Ruppin starben 1600, in Lindow 400 Menschen. Jeremias *Ludwig,* nachheriger Prediger zu Banzendorf, war damals auf der Ruppiner Schule und hat im genannten Jahre 800 an der Pest Gestorbene öffentlich zu Grabe gesungen. 1632 war das Land so unsicher, daß die Ruppiner, als sie ihren neuen Rektor von Pritzwalk abholen ließen, zuvor um eine Sauvegarde von kurfürstlichen Reutern baten.

1634 kam das chursächsische Kavallerieregiment des Obristlieutenants von *Rochow,* auf kurfürstlichen Befehl, nach Ruppin in Garnison; im Dezember 1635 aber rückte Feldmarschall Bannier mit seinen Schweden in Stadt und Grafschaft ein, nachdem er die Sachsen und Kaiserlichen bei Dömitz geschlagen hatte. Zwei Generalstäbe, die hohen Offiziers der ganzen Armee, das Zabeltitzsche Infanterieregiment und vier Brigaden zu Fuß, jede Brigade zwei Compagnien stark, erhielten ihre Quartiere in Neu-Ruppin. Die Not war bei dem zügellosen Verhalten der Soldaten so groß, daß es zuletzt an allem fehlte. Sogar Abendmahlswein war nicht mehr in Ruppin zu haben. Man mußte einen Boten deshalb nach Wittstock schicken; aber geplündert kam er zurück.

Im September folgenden Jahres (1636) erschien der kaiserliche Generalfeldzeugmeister *Marazin* im Ruppinschen und behandelte die Stadt ziemlich milde. Nach ihm kamen die Sachsen unter Generalmajor von *Wolframsdorf* und »raubten und plünderten wie gewöhnlich«. Den Sachsen folgte der kaiserliche General Graf Hans von *Götz.*

Dann kam wieder ein Pestjahr. Im Juli und August 1638 griff sie am weitesten um sich. Ganze Familien, ganze Straßen, ganze Dörfer starben weg. In dem bereits entvölkerten Ruppin, das vielleicht kein Drittel seiner Einwohner mehr hatte, wurden abermals 600 Menschen begraben. Sehr viele wanderten aus. Die Zurückgebliebenen rissen die ledig stehenden Häuser ein, um Holz zu erhalten. Alles verwilderte. In Gransee starben 551 Menschen, nach der Angabe des Totengräbers aber wenigstens 1 000, da viele heimlich eingescharrt wurden. Die Adligen und die Prediger flüchteten nach den Städten und fanden auch dort ihren Tod.

So war die Lage des Landes beschaffen, als der kaiserliche General Graf *Gallas* mit seiner 60 000 Mann starken Armee von Malchin, aus dem Mecklenburgischen, heranrückte, um die Schweden von der Elbe und Havel zu vertreiben. Plünderung, Brand und Mord bezeichneten jeden seiner Schritte. Nun wetteiferten Pest und unmenschliche Barbarei, das Land Ruppin in eine der ödesten Wüsteneien umzuwandeln.* Alles floh nach Ruppin und Wusterhausen, wohin sich Gallas wegen der noch nicht ganz gedämpften Pest nicht getraute, und haufenweise starben die unglücklichen Schlachtopfer vor den Städten an der Mauer. Am 5. Oktober rückte er endlich in die Stadt Ruppin ein, und erpreßte von den armen Bewohnern, was die verödeten und rauchenden Hütten der Landleute nicht

---

*Prediger Schinkel zu Barsikow, der den »Dreißigjährigen Krieg«, soweit er die Grafschaft berührte, zum Gegenstand eingehender Studien gemacht hat, schreibt über das Elend jener Tage sehr richtig: »Die Verwüstungen waren nicht so sehr eine Folge der blutigen Schlachten, die geschlagen wurden, als vielmehr das Resultat einerseits der Pest, andrerseits der Armeeverpflegungsweise, die Wallenstein eingeführt hatte. Von diesem rührte bekanntlich der Grundsatz her, daß der *Krieg den Krieg ernähren müsse.* Wallenstein selbst war klug genug, um in Anwendung dieses Satzes nicht weiter zu gehn als nötig; er trug vielmehr Sorge, daß der *Baum nicht abgehauen würde,* von dessen Früchten seine Heere

mehr leisten konnten. Arme Leute mußten Eichelbrod essen und Kaspar von Zieten erzählt, daß man sich auf dem Markte in Neu-Ruppin um eine tote Katze gezankt habe. Bei ihrem Abzuge setzten die Kaiserlichen unter Gallas ihren Schandtaten die Krone auf: sie verließen Ruppin und steckten an einem Tage das Städtchen Wildberg und 28 Dörfer in Brand.

Die Gottberger Kirchenbücher

Diese »Gallassche Zeit« nun oder mit andern Worten diese durch vier Wochen hin systematisch betriebene Verwüstung des Ruppinschen Landes, ist es, die von zeitgenössischer Hand in den Gottberger Kirchenbüchern ihre Schilderung gefunden hat.

Der Aufzeichnende war Emanuel Collasius (Kohlhase), Prediger in dem benachbarten Dorfe Protzen, das er, infolge der totalen Verödung dieses Ortes verließ, um sich nach Gottberg (wo er geboren war) zu begeben. Erst nach etwa Jahresfrist wurde er, da an Rückkehr nach Protzen nicht zu denken war, Prediger in seinem Geburtsdorfe Gottberg und schrieb in die dortigen Kirchenbücher seine und des Ruppiner Landes Leidensgeschichte ein.

Diese beiden Bücher sind:

       1. ein Kirchen*rechnungsbuch* und

       2. ein *eigentliches* Kirchenbuch.

Das Kirchenrechnungsbuch, ein Folioband, ist aus dem Jahre 1587 und enthält auf der vordersten Seite, die zu diesem Behuf in Gebrauch blieb, die Namen der Gottbergschen Prediger von 1581 bis jetzt. Das Buch wurde zu Anfang dieses Jahrhunderts neu gebunden. Sein Inhalt ist oft schwer zu entziffern.

Das eigentliche »alte Kirchenbuch« ist um ein Jahr jünger, beginnt mit 1588 und schließt mit 1766. Es ist ein Quartband in Pergament. Nur wenige Bogen sind lose; alles andere hat noch festen Zusammenhang und eignet sich, bei sorgsamer Behandlung, in seinem gegenwärtigen Zustande immer noch besser zur An- und Durchsicht, als wenn es einen neuen Einband erhielte. Leider ist die Schrift auch dieses Buches oft schwer zu lesen. Historische Notizen finden sich nur hier und dort eingestreut, unter denen die wichtigsten (wie auch im Kirchenrechnungsbuche) die aus der Gallasschen Zeit sind.

---

leben sollten; nur das *Notwendige* wurde genommen. So wenigstens war sein Wille. War es aber schon *ihm* schwer, diesen Willen durch zusetzen, so scheiterten seine Nachfolger vollends damit, Personen, die zum Teil zu wenig einsichtig waren, um auch nur diesen Willen ernstlich hegen zu können. Wo ein Heer sich lagerte, fiel es nieder wie ein Heuschreckenschwarm, und ob Freund oder Feind war gleichgültig.

Zwischen den Aufzeichnungen in beiden Büchern ist nur *der* Unterschied, daß Prediger Collasius in dem Kirchenbuche mehr das *Allgemeine*, in dem Kirchenrechnungsbuche mehr das *Persönliche* gegeben hat. Wir beginnen mit dem letzteren.

Prediger Collasius' Aufzeichnungen im Gottberger Kirchenrechnungsbuche

Dies 1638ste Jahr ist wohl ein recht elend und trübselig Jahr gewesen, wie dergleichen wohl kein trübseligeres in unserem geliebten Vaterlande erlebt worden ist.... Zumal auch wegen der Pest, darannen die Dörfer bald ausgestorben sind.... So hat mein Antesessor zu Gottberg, Herr Joachimus Becker, in eben diesem Jahr an der Pest erliegen müssen. Meine Pfarrkinder zu *Protzen* sind meist weggestorben und nur acht Personen übriggeblieben. Weil ich zu Protzen weder Pfarrhaus noch Zubehör behalten, habe ich notwendig in dem großen Elend dem lieben Brot nachziehen müssen und habe mich zu *Gottberg* bei meiner inzwischen selig verstorbenen Mutter ein halb Jahr aufgehalten, anfangs nicht der Meinung, als wollte ich zu Gottberg als Pfarrer verbleiben, sondern um wieder nach Protzen zu ziehen. Weil aber im letzteren Dorf sobald keine Besserung zu hoffen war und mir die Gemeinde zu Gottberg, auf Gutachten des Achatz Quitzowschen Verwalters allhier, das *Schmiedehaus* im Dorfe zur Wohnung einräumte, blieb ich zunächst noch ein Jahr, bis ich endlich durch Gottes Vorsehung zu einem Prediger der Gottberger Gemeinde, von den wohledlen Gebrüdern Dietrich und Achatz von Quitzow als Kirchenpatronen, legitime ernennet und von kurfürstlicher Durchlaucht konfirmieret worden bin. Habe also in dem Schmiedehause gewohnet neun Jahr und darin viel Not und Ungemach leiden und ausstehen müssen, so daß ich auch willens gewesen bin, wo ich keine andere Wohnung hier würde haben können, wieder zu vertieren. Eben da aber ward mir von einem alten Wohnhaus gesaget, das mir sollte verkauft werden, ein Haus, das der von Zernikow zu *Werder* gebauet habe, aber darüber weggestorben sei. Dieses Haus haben wir *abbrechen* lassen und *ist auf die alte Pfarrstelle zu Gottberg wieder hingesetzet worden,* welches Haus ich dann Anno 1647 auf Trinitatis bezogen habe und worinnen ich nach Gottes Willen noch jetzo wohne.

Prediger Collasius' Aufzeichnungen im Gottberger Kirchenbuche

»... Kurz nach der Roggenernte in diesem Jahre 1638 ist die kaiserliche Armee unter Graf Gallas von Malchin in Mecklenburg aufgebrochen und hat allhier, in der Nähe von Fehrbellin, ihr Feldlager aufgeschlagen. Sie hat vier ganze Wochen an dieser Stelle stillgelegen. Bei ihrem Aufbruch sind folgende Pfarren und Rittersitze, soweit mir bewußt, abgebrannt gefunden worden.

*Pfarre*n: 1. die Pfarre zu Bechlin, abgebrannt; 2. die Pfarre zu Gottberg, abgebrannt; 3. die Pfarre zu Wildberg, abgebrannt, wie auch der ganze Flecken; 4. das ganze Dorf Rohrlak abgebrannt, sowohl die Kirche als andere Gebäude; 5. die Pfarre zu Segeletz und das halbe Dorf; 6. die Pfarre zu Protzen und das halbe Dorf; 7. die Pfarre zu Langen und das ganze Dorf; 8. das ganze Dorf Malchow; 9. die Pfarre zu Metzelthin; 10. die Pfarre zu Sieversdorf; 11. die Pfarre zu Cantow.

Rittersitze: 1. das schöne Gebäude des von Klitzing zu Walsleben, wo doch der General Gallas selbst das Hauptquartier gehabt, abgebrannt; 2. der Rittersitz zu Dabergotz, des von der Gröben, abgebrannt; 3. der Rittersitz zu Krentzlin, des von Leesten, abgebrannt; 4. zu Werder, dessen v. Fratz; 5. zu Buskow, dessen von Zieten; 6. zu Wustrau, dessen von Zieten; 7. zu Langen, dessen von Zieten; 8. zu Walchow, dessen von Wuthenow; 9. zu Manker, dessen von Schütten; 10. zu Vichel, dessen v. Pfuel; 11. zu Nakel, dessen von Lüderitz; 12. zu Segeletz, dessen von Wuthenow; 13. zu Wildberg, dessen von Woldeck, und noch viele mehr in der Nachbarschaft, ja man hat kein Dorf nennen können, da es nicht gebrannt, wo nicht ganz, so doch halb, und was noch nicht abgebrannt, das ist niedergerissen und doch verbrannt worden.

Der Vorrat an *Gersten* ist alle vom Felde von den Soldaten weggerafft und ausgedreschet worden, so daß der Landmann nichts davon gekriegt.

Der *Roggen* ist nicht wieder besäet worden, weshalb die Leute sich an das Kraut haben halten müssen, was Krankheit und Tod verursacht hat.

Die *Obstbäume* sind ganz abgehauen worden, welches die armen Leute sehr beklagt haben; ebenso auch die Weiden. Die *Kirche* ist sehr verwüstet worden. Da man fünf oder sechs Feuerstellen in ihr gehabt hat, ist kein Stuhl festgeblieben und kein Fenster. Der Kirchboden ist ganz herausgerissen worden und der Seiger (die Uhr) ist auch ganz zunichte gemacht. Die Wellenwand um den Kirchhof ganz weggebrannt, die Scheune abgebrochen; Summa es kann nicht beschrieben werden, wie kläglich es im Dorfe Gottberg ausgesehen hat in diesem 1638sten Jahr.

Es stand auch ein klein *Eichhölzchen* vor diesem Dorf, das auch ganz abgehauen. Die großen Eichenbäume teils abgehauen, teils ganz abgekröpfet, so daß kein Zweig daran geblieben. In diesem Jahr ist das Volk armuthalber aus dem Lande gelaufen, nach Hamburg und Lübeck, allwo sie geblieben, sonderlich das junge Volk. Und weil die Pest in diesem Jahre sehr grassieret, und die Leute wegen beständiger Kriegsgefahr in den Dörfern nicht haben bleiben können, so ist der eine hier- und der andre dorthin geflogen und ist der eine hier und der andre dort gestorben. Man kann ausrechnen, daß aus diesem Dorfe Gottberg, außer 26 Personen, die hier am Orte starben, 5 in Wusterhausen und 31 in Ruppin verstorben sind. «

So die Aufzeichnungen in den beiden Kirchenbüchern, die, in ihrer ungeschmückten Wiedergabe von Fakten und Zahlen, eines Eindrucks nicht verfehlen. Es ist danach glaubhaft, daß, wie Bratring erzählt »das Land Ruppin während des Dreißigjährigen Krieges mehr gelitten habe, als irgendein anderer Teil der Mark. «

Krentzlin

Darum still
Füg ich mich, wie Gott es will.
Und soll ich den Tod erleiden,
Stirbt ein braver Reitersmann.

Altes eine halbe Meile von Neu-Ruppin gelegenes Rittergut jetzt im Besitze der Familien *Scherz* und *Zieten*.

Wie beinah alle Güter im Ruppinschen bestand auch Krentzlin aus einer ganzen Anzahl von Rittersitzen, und in den Jahrzehnten, die dem Dreißigjährigen Kriege vorausgingen, waren hier vier Familien ansässig: *die v. Leeste, v. d. Groeben, v. Gühlen* und *v. Fratz*.

Die letzteren kann man als die recht eigentliche Krentzliner Familie bezeichnen. Schon 1327 werden die v. Fratz genannt und *sie* sind es, an die die alte Sage vom »Räuberberg bei Krentzlin« anknüpft, die zunächst Feldmann in seinen schriftlichen Aufzeichnungen und nach ihm *W. Schwartz* in seinen Märkischen Sagen erzählt.

Danach lag eine kurze Strecke vor dem Dorfe, rechts vom Ruppiner Weg, eine Burg, von der übrigens noch zu Anfang dieses Jahrhunderts Wall und Graben erkennbar waren. Hier hausten in der Quitzow-Zeit, und auch vorher und nachher, die v. Fratz. Von der Burg aus ging eine Leitung nach der Brücke des nahen Krentzliner Damms hinüber, und zwar ein Draht, der jedesmal, wenn ein Wagen über die Brücke fuhr, eine Alarmglocke innerhalb der Burg in Bewegung setzte. Sowie diese Glocke anschlug, warf sich alles zu Pferde und griff die Reisenden an. Auf die Klagen, die seitens der so Beraubten bei dem regierenden Grafen (der, wie wir wissen, in Alten-Ruppin residierte) anhängig gemacht wurden, drohte dieser dem Fratz, »er werd ihm die Burg anzünden, wenn er das Unwesen weiter treibe.« Der Krentzliner Burgherr schlug aber die Warnung in den Wind, mocht auch wohl glauben, ein »Steinchen im Brette« zu haben. Er irrte jedoch. Eines Tages, als der Fratz in Ruppin war, schickte der Graf seine Leute hinaus, die die Krentzliner Burg ersteigen und brechen mußten. Nach einer andern Lesart hätte der Graf, verräterischerweise, den Fratz zu Gaste geladen und ihm schließlich, vom Turme des Alt-Ruppiner Schlosses aus, seine derweilen in Brand gesteckte Burg gezeigt. Diese zweite Lesart ist aber neueren Datums und wahrscheinlich erst entstanden, nachdem an der alten Burgstelle Holzkohlen und abgebrannte Balken entdeckt worden waren.

Die Familie Fratz besaß Anteile von Krentzlin bis ins 17. Jahrhundert hinein. Um diese Zeit waren es fromme Leute, die zu ihrem Doktor Luther hielten und Patenen und Abendmahlskelche schenkten. Ein solcher ist der Kirche erhalten geblieben. Die Inschrift desselben lautet: »Diesen Kelch hat Wolf Fratz und seine Hausfrau Maria Riben zu Gottes Ehre geben.« Dazu ein aufgelötetes Kruzifix und die Jahreszahl 1600. Vier Wappenbilder sind eingegraben: Ein Pfau, dazu W. F. (Wolf Fratz); ein

Fisch oder eine Otter, dazu M. R. (Maria Riben). Von den zwei andern Wappen scheint eins das Zietensche zu sein. An einigen Stellen des Kelches ist das Gold abgekratzt. Ich hörte dabei, daß die Dorfbewohner, wenn einer der Ihren schwer krank ist, sich gern an den Prediger wenden und etwas *Gold vom Abendmahlskelch* für ihren Kranken erbitten. Sie mischen es dann in die Medizin und glauben fest, wenn noch etwas helfen kann, so hilft *das*.

*

Das idyllisch gelegene, hinter Gartenbäumen anmutig versteckte *Predigerhaus* zu Krentzlin, war, von Jugend an, ein Lieblingsaufenthalt Schinkels. Seine ältere Schwester Sophie war daselbst an den Prediger Wagner verheiratet. In seinen Knabenjahren hatte Schinkel ein Giebelzimmer des Hauses ganz mit Bildern ausgemalt. Aus dieser oder (nach Wolzogen) aus einer etwas späteren Zeit stammt auch ein Spiegelportrait, das S. damals von sich selbst anfertigte. Es ist in großen Umrissen, skizzenhaft, mit dem Bleistift entworfen; die schärferen Striche mit Tinte dazwischengezogen. Das Bildnis befindet sich jetzt im Besitz Fräulein Rosa *Wagners* in Ruppin, einer Nichte Schinkels. Es ist zugleich eine Erinnerung an die Krentzliner Pfarre.

Bis Anfang der zwanziger Jahre pflegte Schinkel das ihm teure Dorf alljährlich während der Sommermonate zu besuchen.

*

Die Kirche, ein alter gotischer Bau mit hoher Schindelspitze, hat in den letzten Jahren eine Renovation erfahren, die von den früheren Monumenten das meiste entfernte*, dagegen in die Lage kam, neue Gedenktafeln einfügen zu müssen.

---

* Von diesen alten Grabsteinen ist einer der Kirche erhalten geblieben. Er wurde seinerzeit dem »hochedlen und mannhaften Herrn Gottfried Lehnmann, churf. brandenburgischem Capitain-Lieutenant zu Roß und Erbherrn auf Krentzlin« errichtet, der 1628 geboren war und 1689 starb. Dieser Stein bietet nichts Besonderes, außer daß er, wie so vieles andre, darauf hinweist, daß unter dem Großen Kurfürsten viele Bürgerliche in die Rittergüter und in die Armee einrückten. Diese Tatsache ist längst bekannt, aber sie ist, soviel ich weiß, auf ihre Ursache hin noch nicht befragt worden. War es lediglich eine Folge des Dreißigjährigen Krieges, der die Rittergüter entvölkert hatte, oder lagen dem allem auch Anschauungen und Prinzipien zugrunde? Wir standen, wie später unter dem Einfluß des Französischen, so damals entschieden unter dem Einfluß des republikanisch Holländischen. Vielleicht liegt hierin eine teilweise Erklärung.

Beide Tafeln befinden sich in der Mitte der Kirche. Die eine, bronzen und in gotischen Formen ausgeführt, trägt folgende Inschrift: »Mit Gott für König und Vaterland. Ernst Herrmann *Scherz*, geb. den 8. September 1848 zu Krentzlin, Einjährig Freiwilliger im Brandenburgischen, Husaren-Regiment Nr. 3 (Zieten-Husaren) fiel am 26. December 1870 bei Olivet südlich Orleans. «

Die Inschrift der schwarzen Marmortafel gegenüber lautet wie folgt: »Für König und Vaterland starb im Kriege gegen Frankreich am 26. August 1870 zu Vionville, in Folge seiner in der Schlacht bei Mars-la-Tour erhaltenen Verwundung, *Rudolph Hartmann*, Einjährig Freiwilliger im 4. Brandenburgischen Infanterie-Regiment Nr. 24, im Alter von 21 Jahren.«

Die lapidare Kürze der Inschriften verrät nichts von dem Weh, das die Todesfälle dieser beiden Jünglinge schufen. Beide zu Krentzlin geboren, beide gleichen Alters, beide Einjährig-Freiwillige, standen sie im selben Armeekorps gegen denselben Feind. Mit ihnen waren 33 andere Krentzliner in den Krieg gezogen und *alle* kehrten zurück, wenn auch verwundet; die einzigen zwei, die die Heimat nicht wiedersahen, waren die Söhne der Gutsherrschaft und des Gutsadministrators. Die Zietensche Hälfte von Krentzlin wird administriert.

Von dem einen sei hier erzählt.

Ernst Hermann *Scherz* stand in den Weihnachtstagen 1870 mit den Zieten-Husaren in Olivet. Am 25. Dezember war seitens einer Franktireurabteilung, die sich in einem zwischen Olivet und Chaumont gelegenen Walde festgesetzt hatte, auf eine Patrouille geschossen worden. Daraufhin erfolgte der Befehl, den Maire von Chaumont zu verhaften. Ein Unteroffizier und vier Husaren, die sich sämtlich als Freiwillige gemeldet hatten, wurden mit Ausführung dieses Befehls beauftragt.

Am 26. um zwei Uhr morgens brach dies Kommando auf. Zu früher Stunde war man in Chaumont, verhaftete den Maire und trat den Rückweg mit ihm an. Der Gefangene hatte in einem requirierten Wagen Platz gefunden; links neben ihm (zu Pferde) der Unteroffizier, zwei Husaren vorauf, die beiden andern schlossen. Als der Zug das Wäldchen erreicht hatte, aus dem am Tage zuvor auf die Patrouille geschossen worden war, nahm Hermann Scherz, der die Tête hatte, eine an der Lisière hin aufgestellte, kaum noch nach Deckung suchende Franktireurabteilung wahr und rief dem Unteroffizier zu: »Wir werden gleich unter Feuer kommen!« Dies waren seine letzten Worte. Schüsse fielen und H. Scherz stürzte leblos aus dem Sattel; ebenso wurde das Pferd seines Nebenmannes tödlich getroffen, der, rasch erkennend, daß in dieser Lage nichts mehr zu helfen sei, sich in den Sattel des stehengebliebenen Scherzschen Pferdes warf und in Gemeinschaft mit dem Rest des kleinen Kommandos auf Olivet zusprengte.

Hier wurde sofort Meldung gemacht. Der Rittmeister ließ 100 Husaren aufsitzen, requirierte 26 Jäger vom 3. Jägerbataillon und fort ging es, wieder dem Wäldchen zu. Als man den Punkt erreichte, wo der Überfall stattgefunden hatte, lag die Leiche des Gefallenen, ausgeplündert und entkleidet, auf der Chaussee. Die wütenden Kameraden wandten sich von der Leiche fort, umstellten das Gehölz und gingen wie zu einem Kesseltreiben vor. Der ganze Franktireurhaufen steckte noch darin, einzelne fielen, bis man zuletzt ein Dutzend auf engstem Raume zusammengetrieben hatte. Widerstand wie Flucht waren gleich unmöglich und so streckten sie die Waffen und ergaben sich unsern Jägern und Husaren. Unter den Gefangenen war auch der Anführer. Man fand H. Scherz' Wertsachen in seinem Besitze, riß ihn an die Stelle, wo die durch ihn geplünderte Leiche lag, und erschoß ihn neben derselben. Ob die andern Gefangenen diesen Tag überlebten, hab ich nicht in Erfahrung gebracht.

Der Heimtransport im Kampfe Gefallener war damals aufs äußerste erschwert, in diesem Falle jedoch ermöglichten es die Verhältnisse. In einen doppelten Sarg eingeschlossen, wie der Erlaß es heischte, traf am 13. Januar die Leiche auf dem Neustädter Bahnhof ein und wurde von Anverwandten in Empfang genommen. Aber die Teilnahme beschränkte sich nicht auf einen engsten Kreis und man darf sagen, die halbe Grafschaft geleitete diesen Toten auf seinem letzten Gange. Der Weg war weit und noch viele Ortschaften zu passieren; von Turm zu Turm, bei Näherkommen des Zuges, gingen die Glocken, und Prediger und Schuljugend empfingen den Sarg und begleiteten ihn unter Gesang von Dorf zu Dorf. Er empfing die letzten Ehren für viele, die draußen in fremde Erde gebettet worden waren, und jeder beweinte *seinen* Toten in *diesem* Toten. Aber über alles bloß Selbstsüchtige hinaus, das unser Erbteil ist, rührte sein Geschick aufs herzlichste, denn auch von *ihm* hieß es: »und viele waren, die seiner Sitten Freundlichkeit erfahren.

« Nun ruht er in der Familiengruft, nahe der Kirche.

Wie viele Tafeln in den Dorfkirchen unseres Landes, die *dem,* der sie zu lesen versteht, eine gleiche Geschichte erzählen!

Lindow

Wie seh ich, Klostersee, dich gern!
Die alten Eichen stehn von fern,
Und flüstern, nickend, mit den Wellen.

*

Und Gräberreihen auf und ab;
Des Sommerabends süße Ruh
Umschwebt die halbzerfallnen Grüfte.

Lindow ist so reizend wie sein Name. Zwischen drei Seen wächst es auf und alte Linden nehmen es unter ihren Schatten.

Seine Vorgeschichte versagt; alles Archivalische ward ein Raub der Flammen, und nur mit hoher Wahrscheinlichkeit ist anzunehmen, daß das Kloster eher da war als die Stadt.

Kloster Lindow wurde gegen Ende des zwölften oder Anfang des dreizehnten Jahrhunderts von dem Grafen Gebhardt von Ruppin und Lindow als ein Prämonstratenser Nonnenkloster gegründet und empfing zu Ehren des Stammhauses der Familie (Lindow im Anhaltischen) seinen Namen.

Die *Stadt* entstand aus Ansiedlungen; Handwerker und Ackersleute kamen, die den Schutz des Klosters suchten. Und diese Beziehungen blieben durch alle Jahrhunderte hin und überdauerten den Bestand des Klosters bis in unsere Tage hinein. 1574 wurde dem lutherischen Rektor sein Gehalt ansehnlich erhöht »weil er, zu seinen geringen Einkünften, nur einen *freien Tisch auf dem Klosterhofe habe*« und noch 1748 schenkte die Konventualin Anna Juliane v. d. Kettenburg 100 Tlr. an die Stadt mit dem Bedingnis »daß von den Zinsen dieser Summe das Schulgeld für arme Kinder bezahlt werde.« Welchen beiden Notizen wir, außer dem Fortbestande guter Beziehungen zwischen dem Kloster und dem städtischen Gemeinwesen, auch gleichzeitig entnehmen können, daß man finanziell in *Stadt* Lindow nicht auf Rosen gebettet war.

Auch im *Kloster* war man es, aller Guttaten unerachtet, *nicht* mehr, seit im Jahre 1542 die Säkularisation und die Umwandlung der Klostergüter in kurfürstliche Domänen begonnen hatten. Zwanzig Jahre vorher, beim Erlöschen des gräflichen Hauses Ruppin, hatte das Kloster auf seiner Höhe gestanden. Es war damals eines der reichsten Stifter in der Mark und besaß außer der *Stadt* Lindow 18 Dörfer, 20 wüst liegende Feldmarken, 9 Wassermühlen und alle die Seen, die teils innerhalb des Großen Menzer Forstes teils am Rande desselben gelegen sind, darunter auch den großen Stechlin. Die Gesamtbodenfläche, die damals dem Jungfrauenkloster zugehörte, darf man auf vier Quadratmeilen schätzen, reichte mithin, wie Bratring spöttisch schreibt »vollkommen aus, um 35 Nonnen, einer Äbtissin und einem Propst ein einigermaßen gemächliches Leben zu sichern.« Man kann dies zugeben, aber es den Bevorzugten auch neidlos gönnen, und zwar um so lieber und leichter, als ihr Glück, von jenem Kulminationspunkt an gerechnet, nur noch von kürzester Dauer war. Es ging galoppierend zu Ende. Wohl war am heiligen Dreikönigstage 1530 den Lindowschen Nonnen ihr Besitz zu »ewigem Eigentum« aufs neu bestätigt worden, aber ehe noch die Mitte des Jahrhunderts heran war, war die Säkularisation bereits ausgesprochen und das »ewige Eigentum« verflogen. Aus dem Kloster Lindow wurde nunmehr ein » Fräuleinstift zu Lindow« und an die Stelle der Äbtissin und ihrer 35 Nonnen trat eine Domina mit vier Fräuleins; das Gesamteinkommen aber sank allmälig auf 1000 Taler und das Grundeigentum von vier Quadratmeilen auf – hundert Morgen.

Unter den Dominas, soweit ihre Namen überhaupt noch auf uns gekommen sind, finden wir fast ausschließlich Adelsnamen aus Ruppin und Havelland: Elisabeth v. *Zieten* 1557, Anna v. *Gühlen* 1625, Catharina v. *Döberitz* 1685, Anna Hedwig v. *Fratz* 1709, Maria Elisabeth v. *Quast* 1736, Ilse Margarethe v. *Rochow* und Anna Elisabeth v. *Bredow,* letztere beide ohne Zahlenangabe.

*

Unser Weg führt uns von Alt-Ruppin auf *Lindow* zu. Die nur durch ihre *Lage* reizende Stadt kann uns durch ihre Straßen und Plätze nicht fesseln, aber jenseits derselben, wo sich die Schmalung zwischen dem Gudelack- und dem Wutz-See wieder zu weiten beginnt, werden wir, nach rechts hin, eines Konglomerates von Häusern und Ruinen ansichtig, um welches sich eine niedrige Steinumwallung: die Einfriedigung von *Kloster* Lindow, zieht. Wir lassen halten, überklettern die gerad an dieser Stelle weder Tür noch Pforte zeigende Mauer und befinden uns auf einer von prächtigen alten Bäumen überragten *Parkwiese,* die, den verschiedensten Bestimmungen dienend, all ihre Verschiedenheiten wieder in eine höhere Einheit zusammenfaßt.

Die schönsten Teile dieser Parkwiese sind die, wo begraben wird. Von dem richtigen Gefühl ausgehend, daß Leben und Tod Geschwister sind, die sich nicht ängstlich meiden sollen, hat man hier die *Spiel- und Begräbnisplätze* dicht nebeneinander gelegt und dieselben Blumen blühen über beide hin. Aber der Tod, so gemütlich er mit dem Leben zu leben weiß, hat doch innerhalb seiner *eignen* Gebiete nicht ganz auf Scheidungen und Standesunterschiede verzichtet, die nun, so scheint es, Zeugnis ablegen sollen, daß wir uns hier auf dem Grund und Boden eines adligen Fräuleinstiftes befinden. Im Leben »leben und leben lassen« aber im Tode – Rangordnung! So begegnet man denn Steinen und Grabkreuzen an drei verschiedenen Punkten des Parkes, und während die *Dienstleute* samt den Beamten an einer, die *Gäste* des Klosters an einer andern Stelle ruhn, ist den *Stiftsdamen* eine dritte Stelle vorbehalten geblieben. In zwei Reihen, zu beiden Seiten einer alten Rüsterallee, liegen sie hier in hoch aufgemauerten Gräbern, von denen übrigens keines über den Anfang des vorigen

Jahrhunderts zurückreicht. In deutlichen Buchstaben sprach nur noch das Grab der letztverstorbenen Domina zu mir, stattlicher aber war ein älterer Stein, unter dem (wenn ich das Wappen richtig erkannt) eine v. Pannewitz ihren letzten Schlummer schlief.

Auf dieses Epitaphium, das einen guten Überblick versprach, stieg ich hinauf und übersah nun, ein paar Zweige zurückbiegend, die ganze Klosteranlage: nach links hin der von Lindengängen eingefaßte See, zwischen uns und ihm ein buntes Durcheinander von Blumen- und Gemüsegärten, und mitten hineingestellt in *diese,* das villenartige Haus der Domina, dichtgrenzend mit einem in Trümmern liegenden Langbau, der sehr wahrscheinlich einst das Refektorium des alten Klosters ausmachte. Jetzt ist es Wirtschaftshof, Eis- und Vorratskeller der drei, vier Damen, die hier ihre Tage leben und beschließen, und *jeder* Zauber wäre dieser Verfallstätte längst abgestreift, wenn nicht die hohen, stehengebliebenen Giebelwände wären, mit ihren gotischen Nischen und Fenstern und ihrem Storchennest darauf.

Eine Viertelstunde lang hielt ich Umschau von dem Pannewitz-Grabstein aus; dann auf einem Schlängelpfade den See gewinnend, schritt ich langsam einen Ufer- und Lindengang hinunter, bis ich mich unerwartet und plötzlich fast inmitten einer völlig veränderten Szenerie sah. Beete mit eingemusterten Blumen lagen wie Teppiche vor mir ausgebreitet, aus dem Mittelrondell stiegen Büsche von Ricinus und Canna indica auf, Wein und Pfirsich lachten am Spalier und abwechselnd liefen Lauben von Geisblatt und Pfeifenkraut an der einen Seite des Gartens hin, während an der anderen ein Drahtzaun, leicht wie ein ausgespanntes Fischernetz, die Anlage schloß. War dies noch Klostergrund? Nein. Aus mittelalterlichen Überbleibseln heraus, war ich in eine modernbürgerliche Welt eingetreten, und ein reicher, in Anlagen und Gartenkunst erprobter »Proprietaire« stickte hier mit eigner Hand diese Blumenmuster in den Rasenteppich und gefiel sich darin, in richtiger Benutzung des Erworbenen, auch *dem* »was wohltut und gefällig ist« zu dienen.

Ein Reichtum, der zur Pflege des *Schönen* führt, erfreut immer wieder mein Herz und tat es auch *hier.* Aber beinah wohltuender noch berührte mich die Wahrnehmung, daß das Fehlen einer Grenz- und Scheidelinie zwischen Klostergrund und Gartenanlage wenigstens an *dieser* Stelle kein bloßer Zufall war. Diese Scheidelinie fehlte, weil der Trennungsstrich auch in den Herzen nicht vorhanden ist und der Besitzer des Gartens Frieden und Freundschaft hält mit den Klosterfrauen von drüben.

Gransee

Steig auf die Warte dort, die nach dem Feld
Hinblickt, und sag' uns, was du siehst.

Schiller

Die Trauerglocke läutet
Vom Dorfe her.
Wir wissen, was es deutet:
Sie ist nicht mehr.

Fouqué

Von Lindow kommend, fahren wir jetzt Gransee, der östlichsten Stadt der *Grafschaft* zu. Von ihren früheren Tagen erzählt uns ein Baudenkmal, das sich bereits 1000 Schritte *vor* der Stadt erhebt:

Die »Warte« bei Gransee

Sie steht auf dem höchsten Punkte der Umgegend, dem »Warte-*Berg*.« junge Fichten und dichtes Kusselwerk, drin der Sandhase sein Lager hat, bedekken ihn an seinen Abhängen und nur der abgeplattete Gipfel ist kahl. Hier erhebt sich die »Warte«, von fern her einem modernen Fabrikschornsteine nicht unähnlich, bis man im Näherkommen den bedeutenderen Durchmesser erkennt. Es ist ein etwa 100 Fuß hoher Rundturm, aus Feldstein und sieben *senkrecht* stehenden Backsteinrippen derartig aufgeführt, daß bei der Aufmauerung immer erst die *Rippen* um einige Fuß erhöht wurden, ehe man wieder mit Feldstein zu füllen begann. Wie alt der Turm ist, stehe dahin. Ich möcht ihn frühstens in den Anfang des 15. Jahrhunderts setzen.

Der gleichen Ansicht scheint nun freilich W. Alexis *nicht* gewesen zu sein, als er eben diesen Warte-Turm in seinem berühmten Romane: »Der Falsche Waldemar« zum Schauplatz eines Hergangs aus dem Jahre 1348 machte. Diesen Hergang selbst erzählt er annähernd wie folgt.

Gransee hatte selbstverständlich seine Fehden mit dem benachbarten Adel und zur Waldemar-Zeit waren es vorzugsweise die Winterfeldts und die Quaste, mit denen es sich bekriegte. Tile Quast wird eigens genannt, ebenso Tacke de Wons und *Hans Lüddecke* vom roten Haus. Im Jahre 1348 handelte sich's von seiten dieser drei um nicht mehr und nicht weniger als einen Überfall der Stadt, solcher war aber nur möglich, wenn es vorher glückte, den auf der Warte stationierten Stadtwächter, Mathis mit Namen, einzuschläfern. Dies zu bewerkstelligen, kam man überein, daß ein als Kärrner verkleideter Knecht, der ein Stückfaß Wein auf seinem Karren habe, die vorüberführende Straße passieren und am Fuß der Warte halten solle, wie wenn es sich um Ausbesserung eines Schadens an Rad oder Achse handle. Und so geschah es auch. Der Karren hielt. Mathis, der sich langweilen mochte, wie noch heute die Schildwachen tun, ging ohne Besinnen in die Falle, stieg die Wendeltreppe hinunter und bot sich an, bei dem anscheinend verunglückten Wagen mit zu helfen. Dabei fanden beide, daß der Wein für die Granseer viel zu stark sei. Sie spundeten also auf, tranken ein Erhebliches und füllten mit Wasser nach. Dies geschah aber erst ganz zuletzt und Mathis fiel gleich danach in tiefen Schlaf.

Als er andren Tags bei schon hochstehender Sonne wach ward und Umschau hielt, sah er den ganzen zwischen seinem Turm und der Stadt liegenden Plan von Bewaffneten überdeckt; in der Tat, der Überfall hatte bereits stattgefunden. Er war aber doch insoweit mißglückt, – als die Eingedrungenen wieder hinausgedrängt und einige von ihnen sogar zu Gefangenen gemacht worden waren. Unter diesen Hans Lüddecke vom roten Haus.

Die Ratmannen ließen nun keine Zeit vergehen, über diesen (Hans Lüddecke) zu Gericht zu sitzen, aber nicht bloß über ihn, sondern auch über ihren eignen Turmwart, dessen Unzuverlässigkeit alle Not und Gefahr verschuldet hatte. Man sprach Tod »von Rechts wegen«, einigte sich aber schließlich dahin, daß beide nach der »Warte« gebracht und ihnen zugestanden werden solle, hoch oben auf der Plattform miteinander zu kämpfen. Wer Sieger bleibe, der solle frei sein, wer aber hinabgeworfen würde, der habe seine Strafe nach »Gottes Willen«. Und hiernach wurde verfahren. Hans Lüddecke und Wächter Mathis kamen in den Turm und die halbe Bürgerschaft zog mit hinaus, um Zeuge eines Ringkampfes und eines Gottesurteiles zu sein. Aber wer beschreibt ihr Staunen, als sie bald danach die Verurteilten friedfertig auf der Platte des Turmes erscheinen und statt miteinander zu kämpfen, sich zu einem aus Mathis Vorratskammer herbeigeschafften Nachtmahle niedersetzen sahen. Diese gute Laune freute selbst die Granseer und um so mehr, als sie sich unschwer das Ende davon berechnen konnten. In der Tat, als der fünfte Tag heraufzog, sah es schlimm aus in den Vorräten und noch schlimmer in den Herzen der beiden Gefangenen. Aber auch hier wieder hieß es »als die Not am größten, war die Hülfe am nächsten« und ehe noch die Sonne in Mittag stand, blitzte es am Waldrande hin von Rittern und Reisigen und ein nach Hunderten zählender bewaffneter Zug wandte sich an der Warte vorüber der Stadt zu. Der aber der erschien, war *Waldemar*. Vor *ihn* jetzt kam der Streit, und Hans Lüddecke, Urfehde schwörend, erhielt Leben und Freiheit zurück. Mathis dagegen verschwand in dem ihm zukommenden Dunkel.

So die Geschichte von der »Warte« bei Gransee, eine bloße Fiktion, die sich jedoch zur Historie bereits zu verdichten anfängt und nach »abermals fünfhundert Jahren« andern Historien einigermaßen ebenbürtig sein wird. Und nicht zu unserem Nachteil. Denn auch die *dichterische* Tat belebt die Schauplätze der von ihr, der Dichtung, gebornen Ereignisse und reiht sie mehr oder minder in die wirklichen »historischen Stätten« ein. Die »Warte« bei Gransee ist in diesem Augenblicke schon eine andre, als sie vor 50 Jahren war, und selbst das trigonometrische Dreigestell, das sich neuerdings auf jener Plattform eingebürgert hat, »auf der Hans Lüddecke und Türmer Mathis miteinander kämpfen sollten« hat ihr nichts Erhebliches von ihrem romantischen Schimmer zu nehmen gewußt.

Wir aber kehren nunmehr auf unsre Lindower Straße zurück, um in raschem Trabe der Stadt zuzufahren, an deren Eingang uns freilich ein *neuer* Aufenthalt erwartet. Zwei Tore nebeneinander! Warum *zwei* Tore? Diese Frage hält uns fest.

Das Waldemar-Tor

Warum *zwei* Tore? F. *Knuths* Geschichte von »Gransee« berichtet darüber: »Alle Städte, die dem *Falschen Waldemar* ihre Tore geöffnet und dadurch sich zu ihm bekannt hatten, wurden, als der baiersche Markgraf wieder herrschte, dahin bestraft, daß sie die Tore zumauern mußten, durch die der Falsche Waldemar eingezogen war. Diese zugemauerten Tore hießen denn auch im Volksmunde ›*Waldemar-Tore*‹. Hart neben ihnen waren inzwischen neue, reichgegliederte, mit Türmen und Zinnen geschmückte gotische Tore gebaut worden, die nun, jahrhundertelang, den Verkehr vermittelten, bis das neuerblühende Leben der Städte den verhältnismäßig schmalen Eingang der gotischen Portale störend zu empfinden anfing. Da entsann man sich der zugemauerten Tore, nahm den fünfhundertjährigen Bann von ihnen, brach die Steine aus dem alten Rundbogen wieder heraus und schuf so dem Leben und Verkehr eine *doppelte* Straße.«

W. *Schwartz* in seinen »Sagen und alten Geschichten der Mark Brandenburg« erzählt es anders. Nach *ihm* würden die sogenannten Waldemar-Tore als »Wendentore« anzusehen sein, durch die man deutscherseits die als unrein betrachtete wendische Bevölkerung vertrieben und die Tore dann vermauert habe. Hiermit stimmt auch überein, daß noch, bis ins vorige Jahrhundert hinein, in allen Dörfern, wo Wenden und Deutsche zusammenwohnten, nur die letztren sich der eigentlichen Kirchentüren bedienen durften, während die Wenden gezwungen waren, durch eine kleine für sie besonders angelegte Seitentür in die Kirche einzutreten.*

---

* Mir persönlich will es, all diesen Auslegungen gegenüber, doch um vieles wahrscheinlicher erscheinen, daß die neuen Tore lediglich gebaut wurden, um etwas Beßres, Schöneres, auch der *Befestigung* Dienenderes, an die Stelle des Alten zu setzen. Ganz in derselben Weise, wie man die Wölbungen der alten romanischen Kirchen abbrach und die Rundbögen durch den allgemeinwerdenden Spitzbogen ersetzte, ganz so machte man's auch mit den Torbauten. Ihre Modernisierung wurde Sache fortschrittlicher städtischer Repräsentation und des Wunsches »nicht zurückzubleiben«. – (Im übrigen finden sich solche »zugemauerten Tore«, die stets gradlinig auf die Hauptstraße stehen, vielfach in unsrer Mark, so beispielsweise in Kyritz, Wittstock und Wusterhausen, ferner in Soldin, Friedeberg, Morin, Berlinchen, Königsberg, Landsberg a. W. und endlich in Bernau, Fürstenwalde und Mittenwalde.)

In Gransee wurde 1818 schon das Waldemar-Tor – ein Name, den ich beibehalte – wieder geöffnet und begann seinem Nachfolger und Nachbar Konkurrenz zu machen Tatsache, die der kleinen Gemeinde der »Falschen-Waldemar-Schwärmer« als vielleicht von symbolischer Bedeutung erscheinen wird.

Wir unsrerseits aber, indem wir den Jacob Rehbock (trotzdem er in der Fürstengruft zu Dessau ruht) für *das* nehmen was er war, meiden mit Geflissentlichkeit den Waldemar-Bogen und bewerkstelligen unsre Einfahrt durch das stattliche Portal des »Ruppiner Tores«, das, wenn auch zurückstehend neben dem berühmten Uenglinger Tor in Stendal, nichtsdestoweniger der Teilnahme wert war, die Fr. W. IV. ihm angedeihen ließ, als er in den vierziger Jahren an Superintendent Kirchner schrieb: »An diesem Tore wird kein Stein gerührt, ohne daß ich zuvor Kenntnis davon erhalte.«

Das Tor liegt hinter uns und unser Wagen lärmt jetzt die Hauptstraße hinauf, an deren linker Seite die beiden Plätze der Stadt und auf ihnen die beiden vorzüglichsten Sehenswürdigkeiten derselben: die *Marienkirche* und das *Luisen-Denkmal* gelegen sind. Ehe wir diese jedoch aufsuchen, benutzen wir zuvor eine kurze Rast in Klagemanns Hôtel, um, mit Hülfe des Wirtes einen guten Trunk und mit Hülfe seiner Gäste die Geschichte von Gransee »frisch vom Fasse« zu schöpfen.

Diese Geschichte geht weit zurück in der Zeiten Lauf, aber erst um 1262 finden wir einen Brief, in dem Markgraf Johann den Granseern das »Recht seiner alten Stadt Brandenburg« verleiht. Es fehlt nicht absolut an Diplomen und Pergamenten aus dieser und der folgenden Zeit, das meiste jedoch ist verlorengegangen, und die Geschichte der Stadt – in ihren Hauptzügen der aller übrigen Grafschaftsstädte nah verwandt – erzählt sich rasch. Es ist das alte Lied: erst großes allgemeines Dunkel, nur hier und da durch ein Streiflicht erhellt; dann Kirchen- und Klösterbau; dann Säkularisierung; dann Schweden und die Pest; dann ein Dutzend Feuersbrünste mit Hinrichtung dieses oder jenes Brandstifters; dann Beglückung der Stadt durch ein paar Garnison- oder Invalidencompagnien und in der Regel damit zusammenfallend: Benutzung alter Klostermauern zu Schul-, Kasernen- und Gefängniszwecken. In dieser Aufzählung ist nicht nur die Geschichte der Stadt, sondern zugleich auch die Charakteristik der einzelnen Jahrhunderte gegeben, wobei sich's trifft, daß das 17. immer als das traurigste, das 18. immer als das prosaischste auftritt.

Die große Zeit Gransees war wohl (wie für so viele Städte unsrer Mark) das 16. Jahrhundert, die Joachimische Zeit. Damals gedieh alles und das Kleinbürgertum wuchs fast über sich hinaus. Eine 18 Fuß hohe Mauer mit 35 Wachttürmen besetzt, umzirkte die Stadt, aus deren Mitte die schon genannte Marien-Kirche aufstieg und über Mauer und Wachttürme hinweg weit ins Ruppinsche und Uckermärkische hineinsah. Es war eine feste Stadt, vielleicht die festeste der Grafschaft. Gräben und Wälle blieben bis in den Anfang des vorigen Jahrhunderts, wo sie applaniert und zu

Anlagen umgeschaffen wurden, so daß damals, wohl der Zahl der Häuser entsprechend, 321 Gärten die stehengebliebene Stadtmauer umgaben. Ob diese Zahl dieselbe geblieben ist, vermag ich nicht anzugeben, aber auch *jetzt* noch erschließt einem ein Rundgang am Gransee, besonders um seine Nordhälfte, die ganze landschaftliche Lieblichkeit einer kleinen märkischen Stadt. Nach der einen Seite hin, in breiter Fläche, Wasser, Wald und Wiese, nach der andern aber, im Schatten alten Mauerwerks, eine stattliche Reihe von Blumenbeeten und eingeschoben in diese, jener von weißen und schwarzen Kreuzen überragte Garten, der beflissen ist, uns mit Fliederduft und Vogelsang über die Bitterkeit des Scheidens hinwegzutäuschen.

Aber dieser »Gang um die Stadt« war bestimmt, erst gegen Abend und bei niedergehender Sonne zu mir zu sprechen. *Noch* war heißer Mittag, und wo hätt' ich zu dieser Stunde besser Schutz gefunden, als in der dämmerkühlen Kirche der Stadt.

Die Marienkirche,

deren Pfeiler bis in den Anfang des 13. Jahrhunderts zurückdatieren, ist ein ursprünglich romanischer Bau, mit Gewölben aus der gotischen Epoche. Was diese Kirche, die von keiner in der Grafschaft übertroffen wird, auch schon äußerlich auszeichnet, ist die reiche Verwendung des vierblättrigen Kleeblatts. Allerdings begegnet man diesem Ornament innerhalb der Backsteingotik unserer Mark an den verschiedensten Stellen, aber nirgends in gleicher Überschwenglichkeit wie hier. Nicht nur band- und bortenartig tritt es uns an Fries und Strebepfeilern entgegen, sondern die betreffenden Bänder und Borten verbreitern sich auch zu ganzen Flächen, so daß tapetenartige Wirkungen erzielt werden, ähnlich denen an modernen Berliner Bauten, wo man mit Stein, als ob es sich um eine Tapisseriearbeit handle, Muster und Figuren herzustellen beginnt.

Die Marienkirche hat *zwei* Türme, die des Vorzugs genießen, *beide* fertig zu sein und sich nur dadurch unterscheiden, daß die Spitze des einen völlig *massiv,* die des andern als eine bloße *Holzkonstruktion* in die Höhe steigt. Als Grund für diese Verschiedenheit wird diplomatische Rücksicht angegeben und zwar Rücksicht auf die rivalisierenden Mächte der Maurer und Zimmermeister. Was dem einen recht war, war dem andern billig.

In dem nach rechts hin gelegenen steinernen Turme befinden sich die »vier Glocken mit dem harmonischen Geläut«. Bei dem Brande von 1711 stürzten die *damals* vorhandenen in das Schiff der Kirche nieder und der Glockengießer Johann Jacobi zu Berlin goß aus dem zusammengeschmolzenen Gut die *jetzigen* vier. Zwei davon sind intereßlos, aber die *erste* und *dritte* zeichnen sich durch ihre Inschrift aus.

Die *erste,* bei 16 Fuß Umfang, hat folgende Umschrift: Quum dirissimum ac satis fatale incendium, incuria perditi fabri, die XIX. Junii anni MDCCXI, exortum urbem totam cum trecentis aedibus privatis ac sacris, simul omnibus et publicis deperderet, haec ego campana die XXX. Octobris MDCCXI reliquiis facta a. J. Jacobi. Also etwa: Nachdem eine höchst schreckliche verhängnisvolle Feuersbrunst, welche durch die Nachlässigkeit eines verruchten Schmidts den 19. Juni 1711 ausbrach, die ganze Stadt mit 300 Bürgerhäusern samt Kirchen und öffentlichen Gebäuden zugrunde gerichtet hatte, bin ich, diese Glocke, am 30. Oktober 1711 aus den Überbleibseln hergestellt durch Johann Jacobi.

Die *dritte* Glocke, die neun Fuß Umfang, bringt Reimzeilen. Sie lauten:

> Gleiche Glut zerstörte mich,
> Gleiche Glut erneute mich
> Wie die andern zweehne;
> Drum soll mein Getöhne
> Gott, nächst ihnen,
> Dir auch singen
> Und Dankopfer bringen.

J. Jacobi goß mich in Berlin 1711.

Das *Innere* der Kirche bietet weniger als man erwarten sollte, weil das mehrerwähnte Feuer von 1711 den ganzen Inhalt ausbrannte. Manches wurd aber doch gerettet.

Etwas davon zeigt der *Altar.* Dieser selbst ist ein Rokokobau (1739) von den üblichen Formen; als *Bild* aber ist in die von korinthischen Säulen eingefaßte Wand eine bunte mittelalterliche Holzskulptur eingelassen, so daß der Schrein jetzt eine wunderliche Stilvermählung aus dem 15. und 18. Jahrhundert zeigt.

Ein andres Überbleibsel aus mittelalterlicher Zeit ist eine *Reliquienbüchse,* die, durch ein glückliches Ungefähr, erst gerettet und dann aufgefunden wurde. Sie befand sich in einem aus Steinen aufgeführten Altar einer Seitenkapelle, der, weil massiv, dem Feuer widerstand. Auf diesem Altar nahm Anfang der fünfziger Jahre Superintendent Kirchner eine eingelegte Steinplatte wahr, die hohl klang, wenn man daraufklopfte. Diese stimmte den Superintendenten die Platte herausnehmen zu lassen. Was er vermutet hatte, bestätigte sich. Unter dem Sandstein war eine Öffnung, von der aus, röhrenartig, ein Kanal auslief, darin weitere Nachforschungen die vorerwähnte *Reliquienbüchse* entdeckten. Sie hat die Form einer gedrückten Kugel, ist faustgroß von Lindenholz und zeigt eine mittelgroße Öffnung, die mittelst eines einfachen Deckels geschlossen wird. In dieser Büchse befanden sich, außer einem Stückchen Mumie, drei Splitter vom Kreuze Christi in ein Stückchen Seidenzeug gewickelt, zugleich auch eine Urkunde mit dem Sekretsiegel des Bischofs von Havelberg (Büchse und Inhalt sind zur Zeit in Händen des Superintendenten Kirchner in Walchow.)

Von kaum geringerem Interesse sind zwei *Grabsteine,* die den außergewöhnlichen Grad ihrer Wohlerhaltenheit einem ähnlichen Glücksumstande verdanken. Sie lagen 1711, als das große Feuer ausbrach, wahrscheinlich in Nähe des Altars. Die Flammen und selbst das niederstürzende Geröll hatten ihnen wenig anzuhaben vermocht und als zwanzig Jahre später zu Wiederherstellung des Kircheninnern geschritten wurde, kam den Werkleuten der glückliche Gedanke, die bei dem Aufräumen mit aufgerissenen Grabsteine, bei Pflasterung und Fliesenlegung der Kirche nach Möglichkeit zu benutzen. Als bloße Fliese war aber die glatte Rückseite des Grabsteins besser zu verwenden als seine Bildseite, weshalb Bild und Inschrift nach *unten* kamen. Und so wurden sie gerettet. Neuerdings aus dem Mittelgange, wo sie lagen, wiederaufgenommen, hat man sie nördlich in die Kirchenwand eingemauert. Es sind zwei Bellins, Vater und Sohn. Der Grabstein des Vaters zeigt ein gutes Ritterbild mit, vier Wappen in den Ecken, und folgende Inschrift: »Anno 1582 den Tack Mariä Lichtmeß ist der edle, gestrenge, ehrenfeste *Hermann Bellin,* Erbseß XV. Marckow in Gott seeliglich entschlafen, welcher Seele Gott gnädig sei.« – Der Grabstein des Sohnes, auch Hermann Bellin, ist klein und von geringerem Interesse.

Neben diesen Epitaphien der Bellins, Vater und Sohn, erhebt sich noch ein dritter, um 150 Jahre jüngerer Grabstein, und zwar der des Inspektors oder Superintendenten Ernst Germershausen, eines Mannes von einer gewissen städtischen und (weil typisch) auch kulturhistorischen Bedeutung, weshalb wir hier eingehender bei ihm verweilen.

Ernst Germershausen

folgte 1704 seinem Vorgänger Andreas Seehausen im Amt und verwaltete es 28 Jahre. In die Zeit seiner geistlichen Oberherrschaft fällt das große Feuer von 1711 das 300 Häuser und in ihrem Innern auch die Kirche zerstörte. Mit dem Magistrate lag er in beständiger Fehde, was auf den Wiederaufbau der Kirche nachteilig wirkte. Die Stadtbehörde verweigerte beispielsweise die Lieferung von Holz, infolgedessen die Kirche drei Jahre lang ohne Dach blieb. Beiläufig eine Strafe, die diejenigen, die sie verfügten, mittraf, wenn sie nicht vielleicht »aus Rache« auch die Predigt versäumten. In der Magistratsregistratur ist noch ein starkes Aktenbündel vorhanden, das Kunde gibt von der gegenseitigen Erbittertheit.

Aus Predigten die G. hinterlassen, erkennt man ihn als einen sehr eigenartigen Herrn. So findet sich in einem Leichensermon aus dem Jahre 1728 folgende sonderbare Bemerkung über Ebbe und Flut: »Die Lästerer der Religion geben vor, Moses habe die Juden bloß aus Hochmuth und Ehrgeiz durchs rothe Meer in die Wüste geführt um über sie zu herrschen und habe des *Meeres Ab- und Zufluß verstanden.* Allein solche Spötter haben keinen Begriff von der Seefahrt, da den geringsten Schiffsleuten bekannt ist, daß Ebbe und Fluth in der Welt *nirgend* existirt als in der Nord-See, am heftigsten in Schottland, weshalb man meint, daß dort der Schlund sei, wo das Meer, als wenn es Othem holete, das Wasser gleichsam verschlucke und wieder von sich stoße, da, je weiter von Schottland, diese Ebbe und Fluth desto weniger zu spüren. «

Er konnt aber auch besser sprechen. So beispielsweis in einer andern Leichenrede, die er im selben Jahre hielt. Sie begann: »Am 6. Mai 1728 starb in seinem 84. Jahre der Vorachtbare und Wohlvornehme Herr *Daniel Grieben* Senior. Er trat dreimal in den Stand der heiligen Ehe und hinterläßt 16 Kinder, 56 Enkel und 8 Urenkel. Sein Leben und Wandel betreffend, so hat er sich als einen Christlichen und Gottseeligen Bürger wohl aufgeführt, Gottesdienste, selbst in der Wochen, nie versäumet und mit gebührender Andacht das heilige Abendmahl fleißig gebrauchet; seine Kinder und Gesinde zur Gottesfurcht gehalten und wohlerzogen, daß auch, Gott sei Dank, unter solcher starken Zahl kein Ungerathenes vorhanden. Er gab einen guten Haushalter ab; gegen den Nächsten war er mitleidig, so daß er in der Noth mit Geld und Getreide jedermann ohne jeden Eigennutz gern gedienet. Und da ihn Gott im Zeitlichen reichlich gesegnet, hat er sich durch solches weder zu Stolz und Hoffahrt, noch zu Verschwendung bewegen lassen, sondern ist nach wie vor in Gottesfurcht, Demuth und Fleiß verblieben. Viel Menschen hat er mit Vormundschaft und Zurechtweisung ihres Vermögens gedienet und seine Leibes- und Gemüthskräfte Gott zu Ehren und dem Nächsten zu Nutz wohl angewendet.«

Das sind Kernworte, die auch *den* ehren, der sie sprach. Seine beständigen Streitigkeiten mit der Stadtbehörde beweisen nicht allzuviel *gegen* ihn. Sie scheinen (wenn sie überhaupt dazu angetan sind einen Schatten auf seinen Charakter zu werfen) lediglich in einem hochgespannten Selbstbewußtsein ihren Grund gehabt zu haben. Und zu diesem Selbstbewußtsein war er in dem damaligen Gransee vielleicht berechtigt. Er war gelehrt und charaktervoll, in Welt und Büchern gleich erfahren, und ragte mutmaßlich um Haupteslänge über den »Magistrat« hinaus. Um einen Kopf größer sein, ist aber an und für sich schon ein Verbrechen, und es *zeigen,* ein doppeltes. Seine von ihm selbst verfaßte Grabschrift gibt uns, ungewollt, zugleich ein Lebens- und Charakterbild.

Memoria.
Ernesti *Germershausen,* Gransoviensium praesulis,
Cui Magdeburgum vitam, Hamburgum fortunam,
Maria Germanicum, Atlanticum, Gaditanum, Ligusticum,
Thyrrhenum experientiam,
Urbes Olysippum, Gades, Malaga, Alicante, Genua,
Livorno, Pisa, Florentia et ipsa
Roma prudentiam,
Lichterfelda et Gransoviense Territorium
Honores conciliaverunt.
Quibus cum (33) Annos et quod excurrit praefuisset.
Placide obiit die (6 Decembris Anni MDCCXXXII.)
Cujus anima requiescat in pace.

Zum Gedächtnis
von Ernst *Germershausen,* Inspektor zu Gransee,
Dem Magdeburg das Dasein, Hamburg Vermögen,
Das Deutsche, Atlantische, Spanische Meer,
Das Thyrrhenische und auch das Ligurische, Erfahrung,
Die Städte Lissabon, Cadix, Malaga, Alicante, Genua,
Livorno, Pisa, Florenz und selbst
Rom Weisheit,
Die Bezirke von Lichterfelde und Gransee aber
Amt und Würde gaben,
Starb, nachdem er sie 33 Jahre und darüber verwaltet, sanft
Den 6. Dezember 1732.
In Frieden ruhe seine Seele.

Von der Marienkirche fort wenden wir uns jetzt der andern Sehenswürdigkeit der Stadt zu. Es ist:

Das Luisen-Denkmal

O welche Reise!
Wie traurig leise
Durchzogen wir der schwarzen Fichten Nacht.
Es fielen unsre Tränen in den Sand;
Sie gab einst Schönheit diesem Land.
Achim v. Arnim

Eh ich das Denkmal selbst beschreibe, geb ich die *Situation.*
Am 19. Juli 1810 neun Uhr früh war die Königin zu Hohen-Zieritz gestorben. Die Leiche verblieb daselbst noch sechs Tage. Am 24. wurde sie in Silberstoff gekleidet und in einem schwarz drapierten Zimmer in Parade ausgestellt. Am 25., in glühender Sonnenhitze, begann die Überführung; Gransee sollte an diesem Tage noch erreicht werden So war der Zug:
Oberstallmeister v. *Jagow* und Schloßhauptmann v. *Buch;*
herzoglich mecklenburgisches Forstpersonal;
Detachement mecklenburgischer Kavallerie;
mecklenburgischer Hofstaat samt den strelitzischen Ministern;
der Herzog *Karl* von *Mecklenburg* (jüngster Bruder der Königin) und
der Oberhofmeister Baron v. *Schilden;*
der auf Federn ruhende, an den inneren Seiten mit Polstern versehene Leichenwagen;
die Oberhofmeisterin Gräfin v. *Voß;*
zwei preußische Kammerherren;
die Kammerfrauen der Königin;
Detachement mecklenburgischer Kavallerie.

An der preußischen Grenze, bei *Fischerwall,* dort, wo jetzt am Rande des Waldes ein einfacher Denkstein steht, wurde der Trauerzug von der Leibeskadron des Regiments Garde du Corps, von dem Landrat des Ruppiner Kreises, späterem Grafen v. *Zieten* und einer Deputation der Ritterschaft erwartet. In allen Ortschaften, welche von dem Zuge berührt wurden, wie auch in allen denen, welche bis auf eine Meile von der Landstraße entfernt lagen, wurde mit allen Glocken geläutet. So schritt man auf *Gransee* zu. Hier war bereits vorher, von Berlin aus, ein gotisch verziertes, mit schwarzem Tuch bekleidetes Langzelt eingetroffen, das man mit Hülfe von Vorhängen in drei Abteilungen geteilt hatte. In der vordersten standen die Wachtposten der Garde du Corps, in der zweiten der Leichenwagen; in der dritten befanden sich die Personen des Hofes.

An der Stadtgrenze von *Gransee,* bei der sogenannten Baumbrücke, wurde der Zug von den städtischen Behörden empfangen und auf jenen oblongen Platz geleitet, der jetzt den Namen »*Luisen-Platz*« führt. Die Stelle, wo der Leichenwagen inmitten des Zeltes stand, ist bis heute durch ein paar eiserne Fackelhalter (hart links neben der Straße) markiert. Am 26. Juli früh setzte sich der Kondukt, auf Oranienburg zu, wieder in Bewegung; am 27. traf er in Berlin ein.

Zur Erinnerung an die Nacht vom 25. auf den 26. wurde, seitens der Stadt Gransee wie des Ruppiner Kreises, das »*Luisen-Denkmal*« errichtet. Es ist von Eisen; einzelnes vergoldet. *Schinkel* entwarf die Zeichnung; die Berliner K. Eisengießerei führte sie aus.

Dies Denkmal nun, dessen Beschreibung wir uns in nachstehendem zuwenden, besteht aus einem Fundament und einem sockelartigen Aufbau von Stein, auf dem ein *Sarg* ruht. *Über* diesem Sarg, in Form eines Tabernakels, erhebt sich ein säulengetragener Baldachin. Die Verhältnisse des ganzen sind: 23 Fuß Höhe bei 13 Fuß Länge und 6 Fuß Breite. Der Sarg, in Form einer Langkiste mit zugeschrägtem Deckel, hat seine natürliche Größe; zu Häupten ruht eine vergoldete Krone; an den vier Ecken wachsen vier Lotosblumen empor. Die Inschriften am Kopf- und Fußende lauten wie folgt: »Dem Andenken der Königin *Luise* Auguste Wilhelmine Amalie von Preußen.« – »Geb. den 10. März 1776, gest. den 19. Julius 1810. Nachts den 25. Julius stand ihre Leiche hier.« Die Inschriften zu beiden Seiten des Sockels sind folgende. *Links:* »An dieser Stelle sahen wir jauchzend ihr entgegen, wenn *sie,* die herrliche, in milder Hoheit Glanz mit Engelfreudigkeit vorüberzog.« *Rechts:* »An dieser Stelle hier, ach, flossen unsre Thränen, als wir dem stummen Zuge betäubt entgegen sahen; o Jammer sie ist hin. «

Die weiteren Inschriften, die der Gesamtbau trägt, befinden sich teils am *Fundament,* teils an der *Innenseite* jener großen Eisenplatten, die das Schrägdach des Baldachins bilden. Am Fundament steht: »Von den Bewohnern der Stadt Gransee der Grafschaft Ruppin und der Priegnitz.« Die großen Eisenplatten enthalten nur ein Namensverzeichnis und zwar die Namen derjenigen, die sich um die Errichtung dieses Denkmals beson-

ders verdient gemacht haben. Es sind: Joh. Friedrich *Klagemann,* Burge-
meister; Karl Heinrich *Borstell,* Kämmerer; Karl Wilhelm *Metzenthin,* E.
Gottfried *Koch,* Joh. Andreas *Werdermann,* Johann Jacob *Scheel,* Raths-
männer; Johann Jacob *Gentz,* Vorsteher der Stadtverordneten; Friedrich
Christian Ludwig Emil v. *Zieten* auf Wustrau, Landrath; Carl Friedrich
Schinkel, Baumeister.

Am 19. Oktober 1811 wurde das Monument im Beisein des damals
zehnjährigen Prinzen *Carl* von Preußen enthüllt. Sooft der König später,
bei Gelegenheit seiner Besuchsreisen nach Neu-Strelitz, *Gransee* passier-
te, ließ er den Wagen an dieser Stelle halten. Am Abend des 19. Juli 1860,
also am funfzigjährigen Todestage der Vollendeten, wurde bei Fackel-
schein und unter dem Geläut aller Glocken, eine liturgische Andacht an
eben diesem Denkmal abgehalten. Nicht nur Stadtbewohner, auch Angehörige des Kreises waren in großer Zahl erschienen.

Und wie Gransee durch jenes Denkmal sich selber ehrte, so glänzt auch
sein Name seitdem in jenem poetischen Schimmer, den *alles* empfängt,
was früher oder später in irgendeine Beziehung zu der leuchtend-liebens-
würdigen Erscheinung dieser Königin trat. Die moderne Historie weist
kein ähnliches Beispiel von Reinheit, Glanz und schuldlosem Dulden auf
und wir müssen bis in die Tage des früheren Mittelalters zurückgehn, um
Erscheinungen von gleicher Lieblichkeit (und dann immer nur innerhalb
der *Kirche)* zu begegnen. Königin Luise dagegen stand inmitten des *Lebens,* ohne daß das Leben einen Schatten auf sie geworfen hätte. Wohl hat
sich die Verleumdung auch an *ihr* versucht, aber der böse Hauch vermochte den Spiegel nicht auf die Dauer zu trüben. *Mehr* als von der Verleumdung ihrer Feinde, hat sie von der Phrasenhaftigkeit ihrer Verherrli-
cher zu leiden gehabt. Sie starb *nicht* am »Unglück ihres Vaterlandes«,
das sie freilich bitter genug empfand. Übertreibungen, die dem einzelnen
seine Gefühlswege vorschreiben wollen, reizen nur zum Widerspruch.

Das Luisen-Denkmal zu Gransee hält das rechte Maß: es spricht nur für
sich und die Stadt und ist rein persönlich in dem Ausdruck seiner Trauer.
Und deshalb rührt es.

Gentzrode

Gentzrode

Einst war eine Zeit, da war nur eines,
Da war nicht Steig, den Fuß zu stellen,
Da war nicht Haus, das Haupt zu ruhen;..
»Ist mein dies alles? bin ich hier der Meister?
So rief er, erwartend, ob's einer ihm wehrte.

1.
Von der Gründung Gentzrodes 1855 bis zum Tode von Johann Christian Gentz 1867

Im Winter 1888 auf 89 war es, daß unsre Zeitungen, bei Gelegenheit einer in Berlin stattfindenden *»Großen Weinausstellung«* eine kurze Notiz über ein den »Delegierten zur Ausstellung« gegebenes Fest brachten, welches Fest mit einem Jagdausfluge nach dem Rittergute *Gentzrode,* halben Wegs zwischen Ruppin und Rheinsberg, abgeschlossen habe. Und in der Tat seitens des Herrn F. W. Nordenholz, ehemaligen bremensischen Konsuls in Argentinien, waren die Weindelegierten, darunter eine große Zahl portugiesischer Gäste, nach dem oben genannten Rittergute hin eingeladen worden, in der ausgesprochenen Absicht, die »Herren aus dem Süden« mit einer nordischen Jagdszenerie, den verbleibenden deutsch-preußischen Rest der Gesellschaft aber mit einer nach der *landwirtschaftlichen* Seite hin ganz eigentümlichen Neuschöpfung (in manchem noch eigentümlicher als der Fürst Pücklerschen in Muskau) bekanntzumachen.

Von dieser Neuschöpfung hab' ich in nachstehendem zu berichten.

Gentzrode liegt auf dem Plateau, bzw. am Abhang einer Sanddüne, die seit unvordenklichen Zeiten den Namen der »Kahlenberge«, ja, an einer Stelle sogar des »Kranken Heinrich« führt, ein Terrain, ganz nach Art der 1848 historisch gewordenen Berliner »Rehberge«: Sand und wieder Sand, von nichts unterbrochen als von einem gelegentlichen Büschel Strandhafer und jenen nesterartigen Löchern, die die vordem hier zahlreichen Krähen aufzukratzen pflegten. So waren die Rehberge und so waren auch die Ruppiner Kahlenberge, welche letzteren, außerdem noch, in mittelalterlicher Zeit einen aus Feldstein aufgemauerten *Luginsland* trugen, die »Kuhburg«, von der aus ein Wächter nach allen Seiten hin Umschau hielt und Meldung machte, wenn die »Quitzowschen« oder ihresgleichen, wie dies mehrfach geschah, im Anzuge waren. Anfang dieses Jahrhunderts existierten noch die Fundamente dieser »Kuhburg« und als neuerdings an der alten Turmstelle nachgegraben wurde, fand sich der Burgschlüssel einige Fuß tief im Sande. Das war 1855, in welchem Jahre *Johann Christian Gentz,* über den ich vordem berichtet, diese Sanddüne (die »Kahlenberge«) gekauft hatte, von vornherein mit der Absicht, eine Oase daraus zu machen. Als er beim Graben den eben erwähnten Burgschlüssel fand, lächelte er und sah darin eine Gewähr, daß diese Stelle nun *seine* sein solle.

Die Kahlenberge, wie hervorgehoben, waren nur ein Sandplateau; nichtsdestoweniger machte der Ankauf dieses halb wertlosen Terrains (der Morgen wurde anfangs nur mit sechs Taler bezahlt) große Schwierigkeiten. Diese Schwierigkeiten entstanden daraus, daß es *Stadt*land war, an dem viele Ruppiner Bürger strichweis ihren Anteil hatten, so daß beispielsweise mit 118 Partnern verhandelt und ebensoviel Tauschverträge zustande gebracht werden mußten. Schließlich waren einige tausend Morgen erworben, aber ehe das Gesamtareal beisammen war, gingen die zuerst erstandenen und bereits urbar gemachten Teile schon wieder durch allerlei Prüfungen und Gefahren. Diese Gefahren waren *Wassers-* und *Feuersnot.*

Was zunächst die *Wassersnot* angeht, so muß vorauf bemerkt werden, daß es keine Not durch, sondern eine Not um Wasser war.

Gleich in den ersten Jahren wurd' es eine Lebensfrage für Gentzrode, ob es möglich sein werde, das erforderliche Wasser zu beschaffen. Man hatte bis dahin nur einen Regentümpel, nur eine primitive Zisterne. Damit war nichts zu leisten, und immer unerläßlicher erwies sich die Herstellung eines *Brunnens.* Ein Ratszimmermeister wurde konsultiert und unterfing sich endlich, die Sache wagen zu wollen. Ein halbes Hundert Arbeiter ward angestellt, um ein trichterförmiges Loch zu wühlen, das eine Tiefe von 40 und oben eine Weite von 5o Fuß hatte. Jedoch umsonst: kein Wasser kam und der Ratszimmermeister erklärte schließlich, »daß sein Rat und seine Weisheit zu Ende seien.« Staffetten gingen nun nach Berlin, um von dort her »höhere Meister« herbeizuholen. Aber wie zu Zeiten einer Epidemie keine Ärzte zu haben sind, so waren in jenem beispiellos trocknen Sommer (1837) keine Brunnenmacher zu haben. Von allen Seiten her waren dieselben Notschreie gekommen und in der Hauptstadt selbst stand es kaum besser. So blieb denn Gentzrode auf seine eignen oder doch auf benachbarte Kräfte angewiesen. Und sie fanden sich auch.

Ungerufen stellte sich ein kleiner, unansehnlicher Mann ein, namens *Franke,* der aus Groß-Menz gebürtig und seines Zeichens ein Maurergeselle war. Er erbot sich den Brunnen fertigzubauen. Wie begreiflich, fand er zunächst wenig Glauben und Vertrauen. »Er sieht aus wie ein Maulwurf« sagte der alte Gentz; »aber was soll uns das; Erde genug ist aufgeworfen.« Franke ließ sich jedoch weder durch scherzhafte noch durch ernst gemeinte Bemerkungen aus der Fassung bringen und zeigte jedem Bedenken gegenüber eine solche Sicherheit und Ruhe, daß endlich beschlossen ward, ihn gewähren zu lassen. Er wurde nun in einer Baracke einlogiert, erwies sich hier mit allem zufrieden und imponierte zunächst wenigstens durch Anspruchslosigkeit. Aber schon nach einigen Tagen überraschte die Kunstfertigkeit, mit der er zu Werke ging. Er hatte die Methode des »Senkens«, die die Ruppiner noch nicht kannten, und die, wenn ich richtig verstanden habe, dem »mit dem Kasten vorgehn« der Mineure oder der Anwendung des »Wolfs« oder Eisenwagens entsprach, mit dessen Hilfe beispielsweise der Tunnel in London gebaut wurde. Vortreiben, ausgraben und wieder vortreiben. Die vorgetriebene Eisenwandung (so we-

nigstens beim Tunnelbau) bildet den jedesmaligen Schutz für den Graben-
den, während das hinter ihm liegende Stück ausgemauert wurde.

Gentzrode war in jenen Tagen, fast mehr noch als später, eine Sehenswürdigkeit und es machte wirklich einen spukhaften Eindruck, den kleinen
Mann, bei Grubenlicht, wie einen Erdgeist in der Tiefe hantieren zu sehen.
Einer rief hinunter: »Wenn dich der Teufel geholt hat, so decke den Brunnen zu.« Dieses letztere wurde aber nicht nötig, weil das erstere nicht geschah; Franke erreichte vielmehr in vier Wochen angestrengter Arbeit den
Wasserspiegel. Er lag 56 Fuß tief. Und mit neuem Mute setzte der »Maulwurf« nunmehr seine Arbeit fort.

Lassen wir ihn zunächst in seiner Tiefe, daraus wir ihn erst in einem neuen
kritischen Momente, wieder werden emporsteigen sehen. Denn seltsam,
eben diesem kleine Manne war es auch vorbehalten, die zweite, *größere* Not,
die Gentzrode zu bestehen hatte, zu beseitigen oder wenigstens, allen andern
vorauf, an ihrer Beseitigung mitzuwirken. Er hatte das *Wasser* gefunden. Das
zweite, was er tat, war: er hielt den Lauf des *Feuers* auf.

Die Geschichte davon zwingt uns auf eine Zeit vor dem erst in Sicht stehenden Abschluß der Brunnenarbeit zurückzugehn.

Ein großer Teil des Gentzroder Gutsareals, namentlich aber die der königlichen Forst zu gelegenen Reviere, waren mit *Heidekraut* überdeckt. Erlaubnis war nachgesucht worden, dies Heidekraut abbrennen zu dürfen,
die Regierung hatte die nötige Zustimmung gegeben, und das in Frage
kommende Terrain war in zwei Hälften, in eine Hälfte links und in eine
andre rechts der Wittstocker Straße geteilt worden. Mit der einen Hälfte
hatte man begonnen und bereits Ende August war *unter Innehaltung aller
üblichen Vorsichtsmaßregeln* der Heidekrautbrand gefahrlos und ohne jeden Zwischenfall ausgeführt worden. Dies war zur Linken. Vier Wochen
später sollte mit der Rechtshälfte vorgegangen werden.

Diese vier Wochen waren jetzt um und wie herkömmlich in Blättern an-
gezeigt wird: »Am heutigen Tage finden Schießübungen statt« oder »auf
dem Glacis werden Sprengungen vorgenommen« so stand auch im Ruppiner Anzeiger: »Am 27. September wird auf der Strecke rechts vom Wittstocker Wege das Gentzroder Heidekraut niedergebrannt.« Eine Warnung
und eine Festankündigung zu gleicher Zeit, denn eine große Zahl von Personen fand sich ein, um dem Schauspiele beizuwohnen.

Bei Beschreibung der nun folgenden Szene, laß ich den Hauptbeteiligten
(Alexander Gentz, auf den ich weiterhin zurückkomme) selber sprechen:

»Es war neun Uhr früh am genannten Tage (27.) als ich, in Begleitung einiger Freunde, von Ruppin her in Gentzrode eintraf. Ein leiser Wind blies bei
unbewölktem Himmel über die Kahlenberge hin. Alles gewährte einen heitern Anblick; jeder war an seinem Platze, die Zuschauer erwartungsvoll.
Wir nahmen also die bereitgehaltenen Fackeln zur Hand, und ohne uns lange bei der Frage aufzuhalten, wo's wohl am geratensten sei, anzufangen,
gingen wir umgekehrt davon aus: »die nächste Stelle, die beste.« So denn
die Fackeln hinein, und im Nu stand eine Heidestrecke von 300 Schritt in

Brand. Noch fünf Minuten und das Feuer fing bereits an uns Bedenken zu machen, denn der Wind war heftiger geworden. Jetzt erst kam mir der Gedanke, mich auch zu vergewissern, ob seitens meines Inspektors der vorschriftsmäßige *Sicherheitsstreifen* gezogen sei. Wir waren alle wie vom Teufel des Leichtsinns besessen gewesen. Die gesetzliche Vorschrift, die vier Wochen vorher aufs genaueste befolgt worden war, forderte mit Recht einen 20 Ruten breiten, tief umgepflügten Streifen zwischen dem abzubrennenden Heideland und dem weiten Forstbestande dahinter. Und was fanden wir statt dessen! Eine Rute breit lief der Streifen, und nur mit dem Haken, statt mit dem tiefer gehenden Pfluge, war das Erdreich umgebrochen worden. Ein Angstschrei kam über meine Lippen. Dann wurden Versuche gemacht, den schmalen Sicherheitsstreifen durch Ausschlagen des Feuers mit Sträuchern und Büschen zu behaupten, aber vergebens. Die Flamme lief wie eine Schlange über das Gras hin, der Wind wurde Sturm und trieb die Lohe der königlichen Forst zu. Das Heidekraut, die zehn Fuß hohen Tannen, das Kieferngestrüpp, alles war trocken wie Stroh; das Feuer brauste bereits durch die niedrigen Kronen und ungeheure Rauchwolken stiegen auf, die fast die Sonne verdunkelten. Im Zurückeilen nach dem abgesteckten Hofe benahm uns die Hitze schon den Atem und wir liefen Gefahr erstickt zu werden. Ich wollte die Mannschaften zu gemeinschaftlicher Hilfe zusammenrufen, aber zerstreut irrten sie hierhin und dorthin, und mein Ruf ging unter in dem unheimlichen Toben der Feuermasse.

Da stieg aus dem Brunnen unser alter »Maulwurf«, Maurer Franke, hervor, der einzige, der auch jetzt wieder Geistesgegenwart genug besaß, um auf ein rettendes Mittel zu verfallen. Er wies, ohne ein Wort zu sprechen, auf die vier Gespanne Pferde hin, die weit weg auf dem Felde pflügten. In der Tat, *wenn* überhaupt noch eine Möglichkeit da war die königliche Forst zu retten, so konnten es nur *diese* tun. In wenigen Minuten waren sie herbeigeholt, und jetzt mit ihnen in Karriere nach der Feuergrenze, wo sie's möglich machten, auf dem verhängnisvollen Streifen einige tiefere Furchen zu ziehen. Welche Spannung! Ich allein war der Betroffene. Niemand ahnte die volle Verantwortlichkeit, in der ich schwebte. Vor mir 20 000 Morgen Forst, ausgedörrt vom heißen Sommer, und hinter mir das heranwälzende Feuermeer, das schon einen Umfang von 300 Morgen einnahm. Ich stürzte zurück nach der Baracke, um auf einem dort untergebrachten Reitpferde nach der Stadt zu jagen, um Hilfe zu holen. Aber – neue Entmutigung! Einige jener Neugierigen, die des Schauspiels halber herbeigekommen waren, hatten sich ohne weiteres mit dem Reitpferde aus dem Staube gemacht.

Wirr und verworren lief alles aneinander vorüber. Außer meinen Leuten, die von Hunger, Durst und Hitze erschöpft waren, war niemand mit Rettungsinstrumenten da. Der gefürchtete Moment kam in der Tat immer näher, schon war der Waldsaum erreicht und der Sturm begann bereits die Flammen in die königliche Forst hineinzuschleudern. Die helle Verzweiflung faßte mich, meine Kräfte waren hin, und die Fantasie stellte mir das entsetzliche Bild vor Augen: das Resultat einer vierzigjährigen rastlosen Tätigkeit meines Vaters mit einem Schlage vernichtet zu sehen! Vernichtet war ich selber.

Aber dieser schlimmste Moment war auch die Rettung. Die Nachricht von dem Geschehenen war inzwischen nach Ruppin gelangt, alle Sturmglocken gingen, und durch öffentlichen Ausruf ward angekündigt »daß jedes Haus zwei arbeitsfähige Männer zu stellen habe. «Die ganze Stadt war auf den Beinen, die Dörfer nicht minder, und alles, was Wagen und Pferde hatte, machte sich auf, um der bedrohten Stätte zuzueilen. Schon sah ich die Menschen mit überladenen Wagen, Spritzen und Wassertonnen vom Kuhburgsberge herunterjagen, als mir, auch von der anderen Seite her, die Nachricht kam das Feuer ist bewältigt. « Es war so. Mit einiger Ruhe konnten wir jetzt dem letzten Akte des Schauspiels zusehen und wahrnehmen, wie die mehr und mehr in sich selbst erstickenden Flammen ihren dunklen Rauch über die Tannen lagerten. War es die Windstille, die plötzlich eingetreten, oder waren es die Weisungen des alten Brunnenmachers, gleichviel, die Forst war gerettet und mit ihr mein Vermögen.«

Alle diese Vorgänge fielen in den Spätsommer 1857. Katastrophen ähnlicher Art brachen von jenem Zeitpunkt ab nicht mehr herein; Wasser war gewonnen, der Boden urbar gemacht, und das Unternehmen begann innerhalb der gehegten Erwartungen, ja über diese hinaus zu prosperieren, nicht zu kleinstem Teile deshalb, weil man den Mut hatte, nicht nach berühmten Mustern und überkommener Weisheit, sondern in einer Art Opposition vorzugehn. In allem gab der »common sense« den Ausschlag. Man wollte nicht Pendant zu Vorhandenem, sondern das Gegenstück dazu sein. Parole wurde: Nur kein System!.. »Geld und Nüchternheit übernahmen hier von Anfang an die Gestaltung und Regelung des Ganzen, aber doch derartig eigentümlich, daß sich, innerhalb der nüchternsten Erwägungen, ein beständiger, ans Sublime streifender Hang zu Kalkül und Spekulation zu erkennen gab. Wie Rechner und Schachspieler phantastisch werden können, wie's eine Trunkenheit des Verstandes gibt, ähnlich operierte man auch hier.« Jeder herkömmliche Satz wurde angezweifelt, eben weil er herkömmlich war, die Kritik wurde zum schöpferischen Element

Und die Devise jedes neuen Tags.
Sie lautete: ich *will* es und ich *wag's.*

Im Einklange damit war es, daß, allem Spott der Besserwisser zum Trotz, von Anfang an der eine Gedanke verfolgt wurde: den Ackerbetrieb, mit Rücksicht auf den sterilen Boden, nach Möglichkeit zu beschränken und statt seiner, neben Maulbeerbaumpflanzungen und Seidenzucht, den *Brennereibetrieb* und als auch dieser, wie schon vorher die Seidenzucht versagte oder wenigstens nicht voll genügte, große Waldkulturen in Angriff zu nehmen. Dies ergab relativ glänzende Resultate, da man, von Anfang an, auf nur sehr mäßige Zinserträge gerechnet hatte. Verhältnismäßig »rasch war aus der Anlage so viel geworden, daß die ehemaligen

»Kahlenberge« als eine märkische Musterwirtschaft angesehen wurden. Ackerfelder zogen sich in breiten Flächen über das Plateau hin, desgleichen frische Wiesen am Fuße desselben, überall aber, den Abhang hinab und dann eingemustert in die Schläge, wuchsen Schonungen auf und bedeckten eine ziemlich bedeutende Fläche mit jungen Eichen, Birken und Buchen. Aus dem Mittelpunkt dieser Neuschöpfung aber erhob sich, quadratisch, ein Komplex von Wirtschaftsgebäuden, hoch von Schornsteinen überragt, deren Rauchfahnen weit ins Land hinein die Wandlung verkündeten, die sich an dieser Stelle vollzogen hatte. Dem entsprachen auch die mittlerweile herangezogenen Arbeitskräfte. Drei Inspektoren waren da, samt vielen Knechten und Mägden, alles in allem 116 Menschen, an einer Stelle, wo, seit dem Hinsterben des letzten Turmwächters auf der »Kuhburg«, kein menschlich Wesen mehr gelebt hatte. Der schönste Moment aber war der, als das erste Kind, ein Junge, auf dieser Stelle geboren wurde, was den alten Gentz das stolze Wort sprechen ließ: »Er ist der *erste* hier, er soll Adam heißen.«

Alles war in gutem Stand und Gedeihen, als *Johann Christian Gentz*, zwölf Jahre nach der Begründung, starb.

2
Vom Tode des alten Johann Christian Gentz (1867) bis zum Bau des Gentzroder Herrenhauses 1877

Am 4. Oktober 1867 war der alte Gentz gestorben und vorläufig bis zur endlichen Ausführung eines für Gentzrode geplanten Mausoleums, auf dem alten Ruppiner Kirchhof am Wall beigesetzt worden. Sein jüngster Sohn Alexander, trat nach erfolgter Vermögensauseinandersetzung mit seinem älteren Bruder Wilhelm, dem Maler, das Gesamterbe an, das aus folgenden Hauptstücken bestand:
aus dem Stadthaus samt Laden- und Bankgeschäft,
aus dem sogenannten »Tempelgarten« samt Tempel vorm Tempeltor,
aus dem Torfgeschäft im Luch, und viertens und letztens
aus *Gentzrode,*
welchem letzteren der neue Besitzer vom Anfang an seine volle Hingabe widmete. Bevor ich indessen erzähle, wie diese speziell Gentzrode zugute kommende Hingabe sich äußerte, geb' ich, als Einleitung eine biographische Skizze des neuen Besitzers bis zu dem Zeitpunkt der Gutsübernahme. Bei der Skizze selbst aber folge ich *Alexander Gentz'* eigenen Aufzeichnungen.

Alexander Gentz

»Ich wurde« so schreibt er »am 14. April 1825 geboren und zwar als der jüngste von vier Brüdern, die, von frühester Kindheit an, sämtlich lebhaften Geistes und von gleicher Neigung beseelt waren, sich in freier Natur herumzutummeln, um Pflanzen, Käfer, Vogeleier und Schmetterlinge zu sammeln. Ein Elementarlehrer, der Weißbauer hieß, und trotz eines mehr als bescheidenen Gehalts von nur 120 Talern sich eine wundervolle Pflanzen- und Insektensammlung angelegt hatte, wußte durch Exkursionen, auf denen wir ihn begleiten durften, unsren Eifer für naturwissenschaftliche Dinge zu steigern. Es ging meistens auf Alt-Ruppin zu bis an den Molchow-See. Die weite Sandfläche – von kleinen Hügeln unterbrochen, mit denen der Wind spielte – war so tot und öde, daß nicht einmal Fichtengestrüpp oder Heidekraut drauf wuchsen und an dieser Wüste vorbei (wenn nicht querdurch, was auch vorkam) wanderten wir bis an die ›Räuberkute‹, die wir schon um ihres Namens willen liebten und der nur leider die Räuber fehlten. Mitten im Sande begegneten wir dann plötzlich einem Sumpfloch mit wilden Enten drauf, nach denen wir vom Ufer her mit Steinen warfen, bis sie weiterflogen oder niedertauchten. Hinter der ›Räuberkute‹ lief dann, die sogen. Schwedenschanze durchschneidend, ein alter Weg auf die Neue Mühle zu. Dies war der Ausflug, den wir am häufigsten machten, am liebsten aber war uns der Weg am Klappgraben hin und dann über diesen fort bis zu den mit Eichen und Buchen bestandenen ›drei Wällen‹, die wohl auf 1000 Schritt die Grenze zwischen der Storbecker und Krentzliner Feldmark ziehen und den Eingang zu einem prachtvollen Eichenkamp, der der ›blecherne Hahn‹ hieß, bildeten, eine landschaftlich reizende Partie mit Baumgruppen, wie sie sich, was unsere Grafschaft angeht, kaum noch auf dem schönen Ruppiner Wall und im Forstrevier ›Pfefferteich‹ vorfinden. Ja, nach dem ›blecheren Hahn‹ hin, wo sich eine Meierei mit Milchwirtschaft befand, das war ein beliebter Ausflug und nur eines gab es, was noch darüber hinausging, das war ein in der Nähe der Kahlenberge gelegenes Elsbruch, mit einem dunklen Wassertümpel in der Mitte, der den Namen der ›Gänsepfuhl‹ führte. Das war harmlos genug, es war aber die unheimlichste Stelle in der ganzen Gegend, an die sich allerlei Spukgeschichten knüpften, Geschichten, deren Grusel noch wuchs, als es eines Morgens hieß, Uhrmacher Hettig und Ratsdiener Kalle, die hier zu fischdieben und sich zu diesem Zwecke eines am Ufer liegenden alten Fischerkahnes zu bedienen pflegten, seien in der Nacht vorher auf dem Gänsepfuhl ertrunken. Ja der Grusel wuchs, das muß ich wiederholen, aber ich kann nicht sagen, daß sich im übrigen ein mir zur Ehre gereichendes menschliches Mitgefühl mit eingeschlichen hätte, namentlich was den Ratsdiener Kalle betraf. Dieser nämlich war unser aller Feind, weil er uns, wenn wir uns auf eine städtische Wiese verirrten, um Schmetterlinge zu fangen, immer abzufassen suchte, bei welcher Arbeit ich auch wirklich mal ergriffen und von ihm gepfändet worden war. Ich war jetzt naiv oder selbstsüchtig genug, in den Tod, den er erlitten, eine gerechte Strafe für die mir widerfahrene Strenge zu sehn und sympathisierte durchaus mit dem hämischen Fischer, der den am Ufer liegenden Kahn vorher durchlöchert und dadurch den Tod beider Inkulpaten herbeigeführt hatte. Daß Kalle neun Kinder hinterließ, änderte wenig in meinen Augen. Nichts Egoistischeres als ein halberwachsener Junge. Sonderbarerweise kam der Elsbruch und mit ihm der gefürchtete Gänsepfuhl 30 Jahre später in meinen Besitz und als ich an die Urbarmachung des Bruches ging und den mit Kraut ganz durchwachsenen Gänsepfuhl ausbaggern ließ, kam auch das Boot wieder ans Licht, darin Hettig und Kalle ihren Tod gefunden hatten und ich sah nun deutlich die Löcher, die der Kahnbesitzer, um seine fischdiebenden Feinde zu vernichten, hineingebohrt hatte.

Zehn Jahr alt, kam ich auf das Ruppiner Gymnasium und verließ es von Sekunda aus, um noch die Magdeburger Handelsschule zu besuchen, denn es stand fest, daß ich für den Kaufmannsstand erzogen werden sollte. Jahr und Tag war ich in Magdeburg und kam dann in ein Stettiner Modewarengeschäft, um daselbst die Handlung zu erlernen. Es erging aber meinen Eltern mit mir nicht besser, als mit meinem älteren Bruder Wilhelm: auch mir wollte das Kaufmännische, wenigstens in der Gestalt, in der es mir *damals* entgegentrat, nicht behagen, und alle meine Neigung richtete sich, wie bei meinem Bruder, auf die Kunst. Ich überwand mich aber und hielt aus. Als ich 20 Jahr war, wollt' ich aus den engen Verhältnissen heraus und in die Welt hinein. Meine Sehnsucht war Paris, was meine Eltern veranlaßte, meinen Oheim, den in Neu-Strelitz wohnenden Rentier Voigt (einen Bruder meiner Mutter) nach Ruppin kommen zu lassen, um mich von meiner Reisesehnsucht abzubringen: ›Der Junge geht ins Verderben‹ sagte Onkel Voigt ›bringt ihn nach *Wittstock*. Was soll er in Paris? In Wittstock kann er was lernen.‹ Es half aber alles nichts, ich blieb bei meinem Willen, und meine Mutter war schließlich einsichtig genug, in dieser Frage nachzugeben. Ich packte also meinen Koffer und ging auf zwei Jahre nach Paris. Während der ersten Monate flanierte ich, um die Weltstadt kennenzulernen, in den Straßen umher, dann nahm ich eine Stellung in einem kaufmännischen Geschäft an und wurde meines Fleißes halber belobt, während man mir das ausbedungene Gehalt schuldig blieb. Meine Kollegen lachten darüber und sagten: ›Monsieur, vous avez travaillé pour le roi de Prusse‹. Bald danach trat ich, um's besser zu haben, in ein spanisches Kommissionshaus ein. Als aber infolge der ausbrechenden Februarrevolution (1848) alle Geschäfte zu stocken begannen, gab ich auch diese Stelle wieder auf und zog es vor, eine Reise nach dem südlichen Frankreich, nach Spanien und Algier zu machen. Bei dem Wiedereintreffen in Paris fand ich Briefe vor, die mich in die Heimat zurückberiefen und vom Sommer 1848 an war ich wieder in Ruppin.

Es folgten diesem ersten großen Ausfluge noch verschiedene Reisen, aber alle waren von kürzerer Dauer. So war ich beispielsweise Anfang der fünfziger Jahre verschiedentlich in Wien und Venedig und 1855 ein halbes Jahr lang in England, bis ich mich das Jahr drauf mit Helene Campe, Tochter des Buchhändlers Julius Campe, zu Hamburg (Verleger Heines) verlobte. Mein Papa, als er mich zur Verlobungsfeier nach Hamburg begleitete, schmeichelte sich damit, in meinem Schwiegervater einen wohlhabenden Mann gewonnen zu haben, von dessen Vermögen mir sofort ein erheblicher Bruchteil zufallen würde. Beide alte Herrn unterhielten sich denn auch über diesen Punkt und suchten sich auszuhorchen.

›Was geben Sie Ihrem Sohne mit?‹ fragte Campe.

›50 000 Taler‹ antwortete mein Papa und erwartete eine Gegenerklärung von ungefähr derselben Höhe. Campe aber antwortete nur: ›Wohl Ihnen‹.

Und dabei blieb es. 4 000 Taler abgerechnet, die mir mein Schwiegervater zur Bestreitung der Aussteuer, unmittelbar nach der Trauung, in die Hand drückte.

Glücklicherweise zog ich mit meiner Heirat, auch ohne besondere Legitimierung von seiten meines Schwiegervaters, ein glückliches Los. Meine Frau hatte, unter häuslichen Tugenden, auch den Vorzug einsichtsvoller Klugheit und der Fähigkeit, sich in die Verhältnisse der neuen Familie zu schicken. Aus unserer Ehe wurden uns vier Kinder geboren.

1857 übernahm ich das alte Geschäft in der Stadt, das ich von diesem Zeitpunkt an selbständig leitete. Vier Monate des Jahres befand ich mich in der Regel auf Reisen, um die nötigen Einkäufe zu machen, war ich aber wieder daheim, so langweilte mich der ›Verkauf im Einzelnen‹ und das sogen. ›Ladengeschäft‹ sagte mir grade so wenig zu, wie vordem. Auch das kleine Ruppiner Leben war durchaus nicht nach meinem Sinn, lauter Dinge, die sich erst zum Bessern kehrten, als mich der Wandel der Zeiten in größere kaufmännische Verhältnisse führte: Kapitals-Assoziationen fanden statt und eine der großen Gründerepoche der siebziger Jahre voraufgehende Aktienschwindelzeit brach gerade damals an. In sich verwerflich genug. Aber so verwerflich diese Zeit und ihre Manipulationen sein mochten, ja, mit so großen Verlusten sie für mich verknüpft waren, – das ganze kaufmännische Leben erschien mir doch plötzlich in einem neuen Licht und wenn mich früher das Kleinliche gelangweilt und auch angewidert hatte, so war jetzt etwas da, was mich interessierte, was Gedanken und Spekulation in mir anregte. Mit den größeren Summen, die mir trotz und inmitten meiner Verluste doch immer reichlich wieder zu Händen kamen, ermöglichten sich Unternehmungen der mannigfachsten Art, Ankäufe kamen zustande, und große und kleine Liegenschaften teils in Nähe teils in mehrmeiliger Entfernung von Ruppin, wurden erworben, was schließlich dahin führte, daß wir, mein Vater und ich, eine halbe Quadratmeile Torf- und Wiesenterrain im Wustrauschen und im Rhin-Luch besaßen, ja, uns bald danach sogar in der Lage sahn, ein mit einigen fruchtbaren Ackerstreifen durchsetztes Stück Sandland von nicht unbeträchtlichem Umfang anzukaufen. Dies waren die nach Rheinsberg hin gelegenen ›Kahlenberge‹, die, nach ihrer Umgestaltung in Acker-, Forstund Weideland, den Namen *Gentzrode** und ein oder zwei Jahrzehnte später sogar die Rittergutsqualifikation empfingen«.

So weit die biographische Skizze, die wir hier abbrechen, um nunmehr von Alexander Gentz in Person nach Gentzrode, dessen Besitz er eben angetreten, zurückzukehren.

Beim Tode des Alten (1867) befand sich das neu geschaffene Gut, um es noch einmal zu sagen, in einem durchaus blühenden Zustande:

Waldkulturen, einschließlich einer großen Baumschule, waren geschaffen; ein zweiter artesischer Brunnen, um den Mehransprüchen einer (trotz eingetretener Ungunst der Zeiten) immer noch wachsenden Brennerei zu genügen, ward gegraben;

eine sogenannte »Ablage« am Molchow-See, die, weil der Rhin den Molchow-See durchfließt, einen bequemen Wasserverkehr ermöglichte, war unter großen Schwierigkeiten erkämpft, und endlich umschloß ein Komplex von Scheunen und Ställen (der dominierenden Brennerei zu geschweigen) einen mächtigen und beinah schönheitlich wirkenden Wirtschaftshof.

So war denn das, was der neue Besitzer übernahm, ein blühendes Gewese, das er belassen konnte, wie's war, und zwar um so mehr, als auch schon bei Lebzeiten des Vaters, alles nach seinen (des Sohnes) Anschauungen geleitet worden war. In der Tat, er hatte nicht nötig, im *Prinzip* irgendwas zu ändern und tat es auch nicht, aber er hatte von jetzt an freiere Bewegung und benutzte diese, um alles reicher auszugestalten. Nicht in Richtung und Anschauung, aber im *Maß* und *Tempo* wurde geändert.

Das zeigte sich zunächst bei den Waldkulturen, an die der neue Besitzer sofort mit gesteigerter Energie herantrat, weil er von dem lebhaften Wunsche geleitet war, in erster Reihe ein *Waldgut* aus Gentzrode zu machen. Er begann damit 110 000 junge Eichen aus Holland* zu beziehen und in den rajolten Boden einzusetzen. Oberförster Berger aus Alt-Ruppin, Fachmann

---

*Dieser *sehr* anfechtbare Name »Gentzrode« war das Resultat langen Suchens, was man ihm leider auch anmerkt. Alexander Gentz hatte »Helenenhof« vorgeschlagen, in Huldigung gegen seine Frau Helene, was, wenn angenommen, durchschnittsmäßig, aber wenigstens richtig gewesen wäre. Man war jedoch mit dem Einfachen und Natürlichen nicht zufrieden und forschte nach etwas Besserem. Unter denen, die befragt wurden, war natürlich auch Wilhelm Gentz, damals in Paris, der nicht säumte bei seinen Freunden und Kunstgenossen eine Art Preisausschreiben zu veranstalten. *Henneberg,* dem in seiner Eigenschaft als Braunschweiger die »rodes« nahe lagen, verfiel auf »Gentzrode«, was sofort jubelnd begrüßt und auch in Ruppin vom alten Gentz angenommen wurde. Meinem Ermessen nach jedoch, ist es, um es zu wiederholen, ein so schlecht gewählter Name wie nur irgend möglich, weil in zwiefacher Beziehung verwirrend. Erstlich gab es auf den Kahlenbergen überhaupt nichts zu »roden«; gerodet kann immer nur da werden, wo Wald ist, und nicht auf einer Sanddüne. Was aber fast noch schlimmer ist, ist das, daß jeder, der den Namen hört, Gentzrode da suchen wird, wo die »rodes« zu Hause sind, also im *Harz,* nicht aber im Ruppinschen. Eine solche willkürliche Namensauslegung ist, auf geographische Orientierung angesehn, nicht viel besser als ein falscher Wegweiser.

und Autorität, ritt vorüber und rief ihm zu: »In solchen Boden wollen Sie Eichen pflanzen? Werfen Sie Ihr Geld nicht weg!« Aber der, an den sich dieser Zuruf richtete, ließ sich durch solche Fachmannsurteile nicht abschrecken. Er war kurze Zeit vorher in Potsdam und Babelsberg gewesen und hatte sich an beiden Orten überzeugt, daß die neuen Parkanlagen auf einem Boden erfolgten, der zum Teil nicht besser war, als der seine. Das gab ihm, wenn er desselben noch bedurft hätte, neuen Mut und gestützt auf solche Wahrnehmungen fuhr er in seinen Anpflanzungen fort. Auch aus dem Samen wurde gezogen, selbstverständlich unter Vermeidung alles Willkürlichen und Zufälligen. Professor Koch in Berlin hatte vielmehr, auf Ersuchen, ein Verzeichnis aufgestellt, in dem angegeben war, *welche* außereuropäischen Bäume am besten geeignet wären, sich im märkischen Sande zu akklimatisieren, und, gestützt auf diese Liste, wurden nunmehr aus New-York, Canada, Columbia, Tiflis und Sibirien Samenarten im Betrage von 2000 Talern bezogen und – ausgesät. Das, was am besten aufging, gab eben dadurch den Beweis, auf unserm Boden vorzugsweise verwendbar zu sein; aber auch das derartig Erprobte und Bewährte sah sich noch wieder vor eine engere Wahl gestellt, in der abwechselnd der Baum von größerem Holzwert und der von prächtigerer Laubfärbung seinen Vorzug geltend machte. So wurden Kulturen hergestellt, die, schönheitlich den Schöpfungen des Fürsten Pückler an die Seite zu stellen, zugleich auch als rentabel anzusehen waren und diese Annahme rechtfertigten. Für 10 000 Taler Pflanzbäume konnten in wenigen Jahren aus diesen Anlagen verkauft werden und Kontrakte wurden abgeschlossen, nach denen, von Gentzrode her, die Bäume zur Bepflanzung der auf Berlin einmündenden Chausseen geliefert werden sollten. Es hatte sich nämlich herausgestellt, daß die auf dem leichten Boden der »Kahlenberge« gewonnenen Pflanzbäume zu derartigen Anlagen vorzugsweise verwendbar waren.

So viel über die *Waldkulturen,* denen unausgesetzt ein großes Interesse gewidmet blieb. Indessen, so groß dasselbe war so stellte sich doch in einer Art Gegensatz zu dem ursprünglichen Plane mehr und mehr heraus, daß, um das Ganze prosperieren zu lassen, auch das *Landwirtschaftliche* betont

---

* »Daß ich«, so schreibt A. Gentz an anderer Stelle »den Versuch mit diesen holländischen Eichen machen konnte, verdankte ich dem Grafen v. Königsmarck auf Netzeband und Plaue, vordem preußischem Gesandten im Haag. Als ich ihn auf seinem Schloß Plaue besuchte, zeigte er mir auf schlechtem Boden Eichenanpflanzungen, die mit vortrefflichem Erfolge gemacht waren und ich erfuhr nun, daß es aus Holland bezogene Pflänzlinge seien. Mit großer Liebenswürdigkeit übernahm er es, mir dergleichen in Holland zu bestellen, sogar die Zahlung dafür zu leisten, so daß ich die bald danach eintreffenden Pflänzlinge nur vom Neustädter Bahnhof abzuholen hatte und zwar in drei Transporten, erst 20 000, dann 40 000, dann 50 000 Stück. Alles gedieh vortrefflich.«

und mit Hülfe eines durch die Brennereiabgänge großzuziehenden Viehstandes der Acker verbessert werden müsse. Dies durchzuführen, war es nötig, immer neue Menschen heranzuziehen, die, nachdem sie mal da waren, auch untergebracht werden mußten. Und so entstand in kürzester Frist eine ganze Straße von Arbeiterwohnungen: 21 Familienhäuser, jedes einzelne zu vier Familien.

Es konnte nicht ausbleiben, daß bei diesem beständigen Wachsen von Gentzrode das Interesse der Familie ganz in dieser Lieblingsschöpfung aufging, und schließlich dahin führte, wenigstens den Aufenthalt in Sommertagen, »draußen« zur Hauptsache, den drinnen in der Stadt zur Nebensache zu machen. Es war dies eine sehr glückliche Zeit, die zuletzt allseitig den Wunsch entstehen ließ, Gentzrode nicht bloß als Villeggiatur der Familie, sondern als Wohnsitz überhaupt anzusehen. Dazu war aber ein Hausbau ganz unerläßlich.

Alexander Gentz selbst hat sehr anschaulich über diesen Zeitabschnitt und wie sich schließlich die Notwendigkeit eines Wohnhauses herausstellte, berichtet:

»Durch eine Reihe von Jahren hin« so schreibt er »hatten wir uns mit der Stube des Inspektors begnügt und darin ein gelegentlich mehr als gemütliches Dasein geführt. Versuchte beispielsweise der Inspektor mit seiner schreienden Stimme Wirtschaftsangelegenheiten zu behandeln, so war gewiß auch ein Torfmeister da, der mit seinen Berichten aus dem Luch dazwischenfuhr. Und damit nicht genug. Das Mädchen kam klappernd mit den Tassen in die Stube, während meine Frau den Kaffeetisch arrangierte. Mäntel und Fußsäcke hingen zwischen Jagdgewehren und Tabakspfeifen und die Wirtschaftsmamsell kam mit einem Häckselkasten, darin eben gelegte Eier lagen oder mit ein paar Stücken Butter, die mit nach Ruppin wandern sollten. Und nun setzten wir uns an den Kaffeetisch, an dem alles herrschte, nur nicht Ruhe, denn entweder kamen Tagelöhner und Arbeiter, um die Schlüssel vom Schlüsselbrett zu holen oder ein Polier oder Zimmergeselle trat ein, um Nägel zu fordern oder irgendwas andres. Alles so primitiv wie möglich. Soviel Tassen, soviel Größen und Muster und kamen dann mehrere von unsren Beamten und Angestellten und setzten sich mit an denselben Tisch, so wurde der Aufgußkaffee immer dünner und der Kümmel, den wir in der Brennerei leidlich zu mischen verstanden, mußte aushelfen. Aber demungeachtet waren dies glückliche Stunden und wenn Fremde mit uns herausgekommen waren, so wählten wir draußen einen Platz im Freien und nahmen abends unsre saure Milch unter einem Holunderbaum an windgeschützter Stelle. Die Kinder waren glücklich und der Hang, dies Idyll zu ändern und mit einem prächtigen Bau zu vertauschen, war, vielleicht grade weil wir Gentzrode so liebten, anfänglich höchst gering. Nach und nach stellte sich aber doch, und zwar nach aller Meinung, die Notwendigkeit heraus, diesen primitiven Zuständen ein Ende zu machen und als ich in die Lage kam, einen großen an der Landstraße sich hinziehenden Speicher bauen zu müssen, entschloß ich mich, diesem Speicher einen *turmartigen Anbau* zu geben, teils um das Straßenbild zu verbessern, teils um endlich einige präsentable Wohnräume zu gewinnen. Und nach diesem Entschlusse wurde denn auch verfahren. Der turmartige Anbau, mit einem *mächtigen Turmknopf* oben, empfing ein großes Zimmer im Erdgeschoß und ein ebenso großes im ersten Stock, woran sich dann, im zweiten Stock, einige kleinere Räume: Schlaf- und Logierzimmer anschlossen.«

So berichtet A. Gentz über die Verhältnisse, die diesen turmartigen Speicheranbau mit einem Goldknopf darauf entstehen ließen. Uns erübrigt nur noch die Räume selbst zu schildern, von denen das Turmzimmer im Erdgeschoß, soviel ich weiß, bis diesen Tag unverändert geblieben ist.

Dies *untere Turmzimmer* kann als ein in seiner Art interessanter Raum gelten. Man hat hier alles in Bild und Schrift beisammen, die Personen und die Gedanken, die Gentzrode seinerzeit entstehen ließen. Es ist eine dunkelgrüne runde Halle, oben mit goldnen Sternen bemalt. Als Wandbilder (von Wilhelm Gentz herrührend), erst der alte *Johann Christian*, dann *Alexander* Gentz, dann der erste Torfmeister, der erste Förster, der erste Brenner, der erste Inspektor. Dazu Versinschriften. Zwischen den beiden Gentz, Vater und Sohn, stehn folgende Reime:

> Wer Großes schafft, muß viele Plagen
> Mit zähem Muthe fest ertragen.
> Auch Dem, der hier den wüsten Sand
> Der Kahlenberg' in urbar Land
> Verwandelt hat mit Müh und Fleiß,
> Ihm machte man sein Streben heiß.
> Philisterrede, Spott und Hohn,
> War Anfangs seiner Mühe Lohn,
> Alsdann des Waldbrands grimme Noth
> Hat Untergang ihm fast gedroht.
> Doch hat er all die Müh' und Plagen
> Mit zähem Muthe fest ertragen.
> Er dacht': wem Großes soll gedeihn,
> Darf keine Müh und Arbeit scheun,
> Muß rüstig brauchen Kopf und Hände,
> *Dann* führt er's doch zum guten Ende.

Dieser längeren Reiminschrift gegenüber, stehen folgende kurze Sprüche:

Was verkürzt die Zeit?	Thätigkeit.
Was bringt in Schulden?	Harren und Dulden.
Was macht gewinnen?	Nicht lange besinnen.
Was bringt zu Ehren?	Sich wehren.

So das runde Zimmer im Erdgeschoß. Auch das im ersten Stock war seinerzeit reich geschmückt mit Teppichen, Geweihen und Tigerfellen, mit Raubvögeln und Wildschweinsköpfen, meist selbstgemachte Jagdbeute. Dazwischen waren andre Räume mit Waffen gefüllt, so daß sie einer Rüstkammer glichen; oben aber lief ein Außengang um den Turm herum, von dem aus man einen trefflichen Überblick über Näh' und Ferne hatte.

Das obere Zimmer war Arbeitszimmer für Alexander Gentz, wenn er, auf länger oder kürzer, in Gentzrode verweilte, während das Rundzimmer im Erdgeschoß als Empfangsraum für die Besucher diente, deren sich, in den Sommermonaten, beinah täglich etliche hier zusammenfanden. Auch solche, die für längere Zeit in Gentzrode verweilten, hatten in diesem Parterreraum ihr regelmäßiges Frühstücksrendezvous mit der Familie. Diese Besucher waren meist Freunde aus Berlin, unter ihnen Adolf Stahr und Fanny Lewald, die hier vorübergehend ihren Sommeraufenthalt nahmen.

All dies war in den ersten siebziger Jahren. Aber wie seinerzeit das »Inspektorhaus« nicht mehr genügt hatte, so wollte jetzt auch der »Turmanbau« nicht mehr genügen und A. Gentz, dessen Torfgeschäft »im Wustrauer Luch« nach wie vor große Gewinnsummen abwarf, hielt jetzt den Zeitpunkt für gekommen, um seine speziell hier in Gentzrode von Anfang an auf das künstlerisch Prächtige gerichteten Ideen verwirklichen zu können. Mit andern Worten, es handelte sich darum, zum Abschluß des Ganzen, ein *Schloß*, einen *Park*, ein *Mausoleum* entstehn zu lassen. Und mit dem ihm eignen Feuereifer ging er an die Durchführung dieser neuen Idee. Sein Bruder *Wilhelm*, der schon damals, einigermaßen kopfschüttelnd, dem allen zusehen mochte, schreibt mir über das Vorgehen aus jenen Tagen: »Alexander wandte sich zunächst an die Herren Kyllmann und Heyden und bat dieselben um einen Entwurf. Aber was die Herren ihm einsandten, eine reizende Zeichnung im Villenstil, mißfiel ihm, weil es ihm nicht groß genug war. Er ging nun die Herren Gropius und Schmieden um einen andern Plan an. Dieser kam und gefiel ihm. Er war, so schrieb *Wilhelm* Gentz (der Maler) an mich, orientalischem Geschmacke angepaßt und diesem neuen Plane gemäß, ward denn auch beschlossen mit dem Bau zu beginnen. Zuvor aber erschien meinem Bruder Alexander, und von seinem Standpunkt aus mit Recht, eine Erhöhung des Terrains notwendig und zwar ›imposanteren Aussehns halber.‹ Viele Tausende wurden dafür ausgegeben. Schmieden erzählte mir später, es sei ihm angst und bange geworden bei den Ausgaben, die das alles verursacht habe. Nun gleichviel, es kam zustande, desgleichen eine dem Schloß gegenübergelegene, durch eine künstliche Felsengrotte verschönte Parkanlage, die Richard Lucä, bei seinem Besuch in Gentzrode, ein Meisterstück gärtnerischer Kunst nannte.«*

---

* Von anderer Seite her wird mir über eben diesen Park geschrieben: »Über-

So war das, was hier entstand. Die ganze Prachtschöpfung ging ihrem Abschluß entgegen, und nur das »Mausoleum« fehlte noch. Die Pläne zu demselben lagen schon vor und A. Gentz war von einer fieberhaften Hast erfüllt, daß mit der Ausführung begonnen werde. Die Mittel waren da, denn es war die Zeit unmittelbar nach den Gründerjahren und Ansehn und Vermögen standen auf der Höhe. »Gestehe, daß ich glücklich bin« konnte der Herr auf Gentzrode, wenn er Umschau hielt, wie König Polykrates ausrufen und im Gefühle dieses seines Glücks, kam er auf den Einfall, neben andrem auch sein und seines Werkes eigner Geschichtsschreiber sein zu wollen. Diesem Einfall verdanken wir ein, meines Wissens, in seiner Art einzig dastehendes Schriftstück. Energisch und rasch wie in allem, so ging er auch in *dieser* Sache vor und schrieb eine Geschichte der Entstehung von Gentzrode nieder, die, nach seinem Wunsch und Willen, in den großen vergoldeten Turmknopf des in vorstehendem ausführlich geschilderten Speicheranbaus deponiert werden sollte. Der Ernst, fast könnte man sagen die Feierlichkeit, mit der er dabei verfuhr, erhellt am besten aus den Einleitungsworten zu dieser »Urkunde.« Dieselben lauten:

»Im Namen Gottes!«

»Im Namen Gottes! Johann Christian Gentz und ich, Alexander Gentz (Sohn Johann Christians) haben das auf den› Kahlenbergen bei Neu-Ruppin belegene Gut *Gentzrode* durch Ankauf von Ländereien im Jahre 1856 begründet und das Jahr drauf mit Herstellung der nötigen Wirtschaftsgebäude begonnen. In den vergoldeten Knopf, den ich dem Turm am Kornspeicher vor Jahren gegeben habe, soll diese Schrift niedergelegt werden und unseren Nachkommen über unsre bisherige Wirksamkeit auf Gentzrode Kunde geben. «

So der Beginn, an den sich, am Schluß des Ganzen, folgende Worte reihn:

»Die vorstehenden, für den Turmknopf am Kornspeicher bestimmten Aufzeichnungen, habe ich in den Nächtestunden geschrieben, die mir der letzte Winter gewährte. Der erste Gedanke war, nur einfach in richtiger Reihenfolge niederzuschreiben, wie das alles nach und nach entstand. Im Schreiben selbst aber kam mir dann die Lust zu allerhand *Exkursionen,*

---

raschend schön und kühn ist die westlich vom Gutshofe sich hinziehende Parkanlage. Die Verteilung von Rasenflächen und Busch innerhalb derselben, die Gruppierungen von Nadel- und Laubhölzern, endlich die Auswahl der letzteren in Bezug auf Wechsel in der Farbe des Laubes je nach der Jahreszeit – all das ist das Resultat eines geläuterten Geschmacks. Entworfen wurde das Ganze von dem verstorbenen Gartendirektor Meyer aus Berlin, ausgeführt aber von Alexander Gentz selbst, der im einzelnen auch zu kleinen Änderungen schritt. Ob zum Vorteil, stehe dahin. Der Park schließt ab mit einer Felsengrotte, zu der mächtige, bis zu 50 Fuß hohe Felsblöcke verwandt wurden, um deren Wände sich dichter Efeu rankt.«

die nun *Schlaglichter warfen auf die Personen, mit deren Beschränktheit und Schlauheit ich all die Zeit über zu kämpfen hatte.* Was ich im Luch an Torfwiesen erstand, das hatte nur den Zweck des Gelderwerbes, meine Tätigkeit in Gentzrode dagegen war meine Lust und Freude. Zugleich hab ich es ins Leben gerufen, um es *zur Grundlage für den Wohlstand und Zusammenhalt einer Familie zu machen,* denn der Grundbesitz bleibt das sicherste und stabilste Besitztum. «

So schrieb er damals, ahnungslos, wie bald diese Herrlichkeit und mit ihm der stolze Plan eines andauernden Familienbesitzes zusammenbrechen würde. Die Katastrophe war nah.

Aber ehe wir diese schildern, wenden wir uns dem *Manuskript zu,* das in den vergoldeten Turmknopf gelegt werden sollte.

3
Die Turmknopf-Urkunde

Das Niederschreiben einer für den Turmknopf bestimmten Urkunde,* deren Vor- und Nachwort ich am Schluß des vorigen Kapitels bereits mitteilte, war es, was A. Gentz, nach vorläufigem Abschluß seiner Gentzroder Bautätigkeit, einen Winter lang beschäftigte. Wie mir nicht zweifelhaft ist, zu seiner besonderen Befriedigung. Und eine solche Befriedigung zu fühlen, dazu war er nicht nur aus menschlicher Schwachheit (er wollte den Ruppinern etwas anhängen) sondern auch ästhetisch und künstlerisch angesehen, vollkommen berechtigt. Ja, was er da niedergeschrieben hat, zum Teil in einem brillanten Stil, ist durchaus eine *literarische Tat,* und das bekannte, für die fachmäßige Schriftstellerwelt freilich nicht allzu schmeichelhafte Wort: »ein Schriftsteller kann jeder sein, der was zu sagen hat« empfängt aus diesen Alexander Gentzschen Aufzeichnungen eine neue Bestätigung. Eine literarische Tat, so sagte ich. Aber damit ist die Sache noch keineswegs erschöpft, der eigentliche Wert dieser Urkunde liegt in ihrer *lokalhistorischen* Bedeutung. Es wird darin ein kleines märkisches Städtebild aus der Mitte des Jahrhunderts gegeben, ein Bild, wie's bis dahin nicht da war und auch auf lange hin mutmaßlich nicht wiederkommen wird. Eingelebtsein in alle Verhältnisse, scharfe Beobachtung und große Klugheit, vereinigten sich hier mit angeborner schriftstellerischer Begabung und ließen ein Werk entstehen, das nun für alle die, die dermaleinst märkische *Kulturhistorie* schreiben wollen und ebenso für die märkische Novellistik der Zukunft unschätzbar erscheint. Ein Mikrokosmus, wie er nicht schöner gedacht werden kann.

---

* Ob das ursprüngliche, von A. Gentz selbst herrührende Manuskript wirklich in den Turmknopf hineingelegt worden ist, weiß ich nicht. Was mir für diese meine Arbeit vorgelegen hat, war eine beglaubigte Abschrift.

Der ursprüngliche Zweck der Urkunde »wie Gentzrode ward und wuchs« wird nie ganz aus dem Auge verloren, aber wie sein eignes vorzitiertes Schlußwort es auch ausspricht, überall finden wir Exkurse, denen sich Porträtierungen gesellen, eine ganze Galerie von kleinstädtischen Charakterköpfen.

Und nun geb' ich dem Verfasser selber das Wort, nur hier und da, beßren Verständnisses halber, eine kurze Bemerkung einfügend.

»..Ich war nun also Mitglied des Magistratskollegiums und damit scheint mir der Zeitpunkt da, mich über diese Körperschaft oder doch wenigstens die Hervorragendsten darin auszusprechen. Eh' ich aber den einzelnen mich zuwende, muß ich noch meiner Einführung als solcher gedenken. Ich meinerseits war im Frack erschienen und unterwarf mich eben der herkömmlichen Begrüßungsanrede von seiten des Bürgermeisters, als ein älteres Mitglied den Sprechenden ohne weiteres unterbrach, um ihn darauf aufmerksam zu machen »daß zwei Kollegen ohne Frack erschienen seien, was gegen die Etikette verstoße und zuvörderst gerügt werden müsse.« Nun erst, nach erteilter Reprimande, konnte der Sprecher in seiner Anrede fortfahren.

Wie sich denken läßt, war das Kollegium, dem ich von da ab angehörte, von sehr verschiedener Zusammensetzung. Da waren zunächst der Ratszimmermeister Söhnel, Kürschnermeister Emden und Buchbindermeister Siecke, – gute, treffliche, wohlwollende Herren, der letztere, vielleicht weil er die Kirchenverwaltung hatte etwas zu zaghaft. Dann war da der Particulier *Loof,* eng überhaupt, am engsten aber in Geldsachen, zumal wenn es seinen eignen Beutel anging, in welchem Fall er sich, wo nützlich, noch konservativer erwies, als in der Politik. Ein fünfter war Möbelfabrikant *König.* Er genoß des Vorzugs die beste Ratsherrnfigur zu haben. Auch Kaufmann und Gutsbesitzer *Windaus* hätte gelten können, wenn er etwas besser auf dem Posten gewesen wäre. Windaus hatte das Einquartierungswesen, kam aber Mobilmachung oder dergleichen, so zog er sich auf sein Gut Herzberg zurück und überließ das Nötige seinen Deputierten. Partikülier *Menzel* (ehmaliger Apotheker) der mit der Abschätzung zu tun hatte, war erheblich anfechtbarer. Man wußte nie, was eigentlich seine Meinung war und wäre die Grafschaft Ruppin noch katholisch gewesen, so hätte man glauben müssen, er sei in einem Jesuitenkloster erzogen. Posthalter *Hoepfner* ersetzte, was er an Tüchtigkeit nicht besaß oder wenigstens nicht zeigen wollte, durch ausdrucksvolle Rede, die, je länger sie dauerte, desto schöner wurde. Vor allem bemerkenswert indes war der stellvertretende Bürgermeister und Auskultator a. D. *Mollius,* Sohn des im vorigen Jahrhundert in der Ruppiner Geschichte vielgenannten Ratsherrn Mollius. Vor diesem Auskultator a. D. wenn man ihm in der Dämmerung begegnete, konnte man sich fürchten, denn, zu eingezogenem Kreuz und durchbohrendem Blick, trug er das Gesicht bis an die Nasenspitze derartig in ein dickes Halstuch gewickelt, daß man ihn für Robespierre halten konnte. Bei näherer Bekanntschaft wurde man freilich gewahr, daß dies anscheinende Revolutions- und Schreckgespenst, trotz seiner 60 Jahre, von sehr kümmerlicher Konstitution war und zu nicht viel mehr als einem zarten Knaben zusammenschrumpfte. So war Mollius. Das Lumen des ganzen Kollegiums aber und zugleich die Geißel desselben war Mühlenbesitzer und Partikülier *Gustav Schultz,* den mein Vater immer nur »Gustav von Gottes Gnaden« nannte. Sein Verstand und seine praktische Befähigung waren gut, aber er hütete sich auch, sein Licht unter den Scheffel zu stellen, und wer dies Licht dennoch nicht sehen wollte, der war sein Feind – Das Oberhaupt dieser ratsherrlichen Körperschaft war Bürgermeister v. *Schultz,* früher Offizier in dem in Ruppin garnisonierenden Infanterieregiment.

So war der Magistrat. Neben diesem aber gab es auch freiere, natürlich in beständiger Fehde mit- und untereinander lebende Gemeinschaften, die Capulets und Montecchis von Ruppin, von denen jene die Gruppe der *Haus-,* diese die Gruppe der *Acker*besitzer bildeten. Unter den Capulets der Hausbesitzer (nur dieser *einen* Gruppe sei hier in Kürze gedacht) ragten zwei hervor: zunächst der Sattlermeister *Rosenhagen,* ein Greis von über 80, der aus verschiedenen Gründen als ein Orakel galt. 1789 war er in Paris gewesen und hatte den Bastillensturm miterlebt, weshalb er – wohl mit sehr fraglichem Recht – der ›Bastillenstürmer‹ hieß. Es paßte dazu, daß seine beiden Söhne sich in Frankreich niedergelassen hatten; er selber trug sich französisch, in der Tracht des vorigen Jahrhunderts. – Neben ihm, auch aus der Gruppe der Hausbesitzer, und von ähnlicher Bedeutung wie Rosenhagen, wenn auch nicht voll so wichtig, stand Schmiedemeister *Krausnick,* der sich auf den Philosophen hin ausspielte. Von ihm hieß es, daß er die sämtlichen Bände des Allgemeinen Landrechts besessen habe, was auf seine Mitbürger derartig wirkte, daß seine juristische Befähigung außer Zweifel war.

*Haus*besitzer und *Acker*besitzer, waren zwei große Körperschaften außerhalb des Rahmens der eigentlichen *Stadtregierung,* während eine mit der *Stadtforstverwaltung* betraute Bürgergruppe, deren nebenherlaufende Zugehörigkeit zu der einen oder andern der großen Körperschaften unerörtert bleiben mag, schon mehr innerhalb des Regierungsrahmens stand. Es waren ihrer zwölf. Vorsitzender war der schon als Magistratsmitglied genannte Kürschnermeister *Emden,* ein ordentlicher, einsichtsvoller Mann, dem Drechslermeister *Krengemann* als »Sachverständiger« beigegeben war. Der wußte von Wald und Forst zu reden, daß es eine Freude war und wenn Gott für den ausgestreuten Kiefernsamen rechtzeitig Regen und Sonnenschein schickte, so bewies sich unser »Sachverständiger« auch als Sachverständiger comme-il-faut. Blieb aber der liebe Gott aus, ja, wo blieben da Krengemann und seine Fichten! Neben Krengemann lagen dem Schuhmacher *Lehmann* die vorzunehmenden »Kulturarbeiten« ob und er unterzog sich dieser Aufgabe mit einer fast ans Krengemannsche grenzenden Wald- und Forstweisheit. Von ähnlicher Bedeutung oder auch von größerer – weil er das Amt eines Kassenrendanten verwaltete – war Schlosser *Grunow*, ein wohlhabender, kinderloser Mann, bei dem die 800 Taler, die nach stattgehabter Holzauktion, den jedesmaligen Höhepunkt der Kasse bildeten, wenigstens schloßsicher lagen. Im übrigen war sein Kopf so zäh wie das Eisen, das er schmiedete. Vieler Ehren war er teilhaftig und als er auch noch Schützenmajor wurde, trug er einen Schnurrbart. Fünfter im Kreise war Kürschnermeister *Michaelis*, ein Mann von frommem Gemüt, dem, weil er richtig schreiben konnte, die Protokollführung und die höheren Arbeiten zufielen. Nicht auf gleicher Höhe stand Schneidermeister *Werner*. Er war, wie Sattlermeister Rosenhagen ›der Bastillenstürmer‹ bis Paris gekommen und von dort her als ›Tailleur für die höheren Stände‹ zurückgekehrt. Er hielt zu dem Satze ›daß der Rat immer mehr sei als die Tat‹, weshalb er denn auch einem Maurer der einen hohen Dampfschornstein von innen her aufmauerte, den Rat gab ›lieber ein Gerüst anzulegen, der Schornstein würde sonst krumm.‹ Da Werner einen Puckel hatte, so viel die Antwort drastisch genug aus. Lohgerber *Gienboldt* (der siebente) wählte von 48 an immer demokratisch, ohne sich um ›untergeordnete Fragen‹ zu kümmern und Schuhmacher *Eberhardt* tat dasselbe, vorausgesetzt, daß er gerade nüchtern genug war, um beim Wahlakt erscheinen zu können. Seiler *Heyer* und Sattler *Schommer* waren freundliche Leute, was man vom Böttcher *Kisten* auch sagen konnte, wenn er nicht gerade seinen groben Tag hatte. Über den zwölften und letzten schweigt des Sängers Höflichkeit. Zu vielen dieser Männer, namentlich aus der Gruppe der in Einzelgestalten von mir *nicht* skizzierten Ackerbesitzer, trat ich, beim Ankauf der Kahlenberge, in geschäftliche Beziehungen und kann nicht sagen, daß dieselben erfreulicher Art gewesen wären. Ich will einen gewissen Kern von kleiner bürgerlicher Tüchtigkeit, der in der Mehrzahl dieser Männer steckte, gern anerkennen, auch zugeben, daß etliche, wie Söhnel und Emden, die Eballs, Hancks und Hagens von mehr oder weniger vorzüglichem Charakter waren, die meisten aber waren nicht bloß kleine, sondern meist auch kleinliche Leute, denen der Sinn der Anerkennung für ihnen geleistete Dienste jederzeit fehlte; prosaisch, eng, argwöhnisch, ohne Pietät und Dankbarkeit. Den Obersten v. Wulffen, dem sie die herrlichen, immer schöner werdenden Anlagen vor dem Rheinsberger Tore verdanken, ärgerten sie zur Stadt hinaus und so machten sie's mit jedem, der ihnen Gutes tat und die Stadt und die Grafschaft unter Dransetzung von Kraft und Vermögen zu fördern suchte.« »Was wird mein Los sein?« setzt A. Gentz ahnungsvoll hinzu.

So das für den Turmknopf bestimmte Manuskript, in dem Alexander Gentz beflissen war, ein Zeit- und Sittenbild seiner Stadt, aber zugleich auch der ganzen Grafschaft zu geben. Von den angesehensten Familien adligen und bürgerlichen Standes, von den Kohlbachs, Scherz, Jacob, v. Quast und von Knesebeck wird, meist kurz, in mehr anerkennenden als tadelnden Bemerkungen gesprochen, ausführlich aber wendet er sich einem zu: dem *alten Grafen Zieten auf Wustrau*. Was ihn zu dieser auf

Vorliebe deutenden ausführlichen Behandlung bestimmte, läßt sich mit Sicherheit nicht sagen und hatte wohl in Verschiedenem seine Veranlassung, unter anderm auch darin, daß er in seinem künstlerischen Sinn erkannte: Dieser alte Graf ist ein besonders glücklicher Stoff für die literarische Behandlung. Und darin hat er sich nicht geirrt. Das Bild, das er vom alten Grafen Zieten gibt, von seinem Leben und Sterben, ist das Glanzstück in seinem Manuskript, aus dem ich nun wieder zitiere.

Der alte Graf Zieten auf Wustrau

».. Der alte Graf Zieten auf Wustrau war der Sohn des berühmten General v. Zieten und ein größerer Abstand als der zwischen seinem gefeierten und beinah ehrwürdigen Namen und seiner persönlichen Erscheinung war nicht denkbar. Friedrich der Große hatte ihn 1765 über die Taufe gehalten und davon blieb ihm zeitlebens ein hohes Selbstgefühl, auch das Gefühl, sich was erlauben zu dürfen. Als Anfang der dreißiger Jahre Prinz Wilhelm (der spätere Kaiser) zur Inspektion nach Ruppin kam, war natürlich auch Landrat v. Zieten zur Begrüßung da, neben ihm ein Wustrauer Bauer, der beim Erscheinen des Prinzen den Gruß vergaß oder vielleicht auch nicht grüßen wollte. Zieten schlug ihm sofort die Mütze vom Kopf. Schon als Täufling empfing er das Fähnrichspatent und war später ein übermütiger Lieutnant, enthielt sich aber aller heldischen Taten, die an seinen Vater hätten erinnern können.

Eins ist ihm unbedingt zu lassen: er war, von Übernahme des Guts an, ein guter Landwirt und ein noch besserer Financier. Man darf vielleicht sagen ›ein zu guter‹. Als er das Gut übernahm, standen Schulden darauf, die den alten Zieten, den Vater, während seiner letzten Lebensjahre stark gedrückt hatten. Der Sohn wußte sehr bald Wandel zu schaffen, die Schulden wurden abgezahlt und das Gut erhob sich zum Range eines Mustergutes, dessen Wert mit jedem Jahre stieg, und, wie schon hier bemerkt sein mag, beim Tode des alten Grafen (1854) den zehnfachen Wert haben mochte, wie 70 Jahre früher bei Übernahme des Gutes. Seine, des alten Grafen, besondere Liebe war der Park und durch das was er hier tat (auch das Barocke mit eingeschlossen) hat er sich in hohem Maße den Dank der Ruppiner, der Stadt wie der Grafschaft, verdient. Ganz der Sohn einer in der Oberschicht der Gesellschaft das Christentum mehr oder weniger verspottenden Zeit, gab er diesem spöttischen Zuge, der ihn sein ganzes Lebelang beherrschte, beständigen Ausdruck und beging Dinge, die man heutzutage mit Achselzucken begleiten oder doch mindestens als Geschmacklosigkeiten bezeichnen würde. Damals freute man sich daran und hatte, weil es als ›Esprit‹ galt, sogar Respekt davor. An die Tür einer Art Kapelle war ein Totenkopf und an die Bretterwand eines benachbarten Pavillons ein Christuskopf gemalt, zwischen Kapellchen und Pavillon aber lag ein Kirchhof mit Kreuzen und Gedächtnistafeln und allerhand Inschriften darauf. All das war aber bloß Ornament, Park- und Gartenausschmückung, um auf die Besucher eine bestimmte sentimentale Wirkung auszuüben, denn unter den Kreuzen lag nichts oder – Schlimmeres als nichts. Ein ›falscher Kirchhof‹ also, was übrigens niemanden verdroß oder in seinem religiösen Gefühl verletzte. Man nahm das alles nicht ernst und der Philister, der bewundernd oder schmunzelnd an diese Gräber herantrat, war gerade so spottsüchtig und ungläubig wie der Landrat v. Zieten selbst. Dieser wußte das auch und kannte nichts Lieberes und Schöneres – und dies war eine wirklich erquickliche Seite an ihm, die mit vielem aussöhnen konnte – als seinen Wustrauer Park mit seinen prächtigen alten Bäumen, seinen Lagerplätzen und seinen zur Fahrt auf den See bereit liegenden Booten und Gondeln von seinen lieben Ruppinern besucht zu sehn. Ich mache mich keiner Übertreibung schuldig, wenn ich sage, daß zuzeiten bis 50 Familien in dem Park anzutreffen waren. Denn es gab nichts in der Nähe, was mit Wustrau wetteifern konnte. Sogar Fremde kamen. Und je mehr ihrer kamen, desto glänzender war des Alten Laune. Er erschien dann plötzlich, vom Schloß her, in blauem Rock und hellblauen Pantalons, einen Stern auf der Brust, und verlangte nichts als einen Gruß, den er mit großer Freundlichkeit erwiderte. Niemand fuhr besser dabei, als sein Gärtner, der den Namen Geduldig führte, und dem er eine Art Schankgerechtigkeit, nämlich das Recht einer Milch- und Kaffeewirtschaft verliehen hatte. Besonders Liebespaare liebten Wustrau sehr und viele Verlobungen sind in den verschwiegenen Gängen am See hin geschlossen worden.

Er galt für geizig und fast darf man sagen, seine Taten auf diesem Gebiet übertrafen noch seinen Ruf. Es wäre lohnend hier Details zu geben, aber das Beste davon entzieht sich der Möglichkeit der Mitteilung und nur das eine, vergleichsweise Harmlose mag hier eine Stelle finden, daß er, bei kleinen Diners die gelegentlich stattfanden, persönlich mithalf und mit einer im Laufe der Zeit gewonnenen Übung, aus ein paar Heringen ein paar Dutzend Sardellen herauszuschneiden wußte. Wahrscheinlich erfunden, aber erfundene Geschichten derart sind gerade so gut wie die wirklichen; zwischen den echten und unechten friderizianischen Anekdoten ist kein Unterschied.

Bis in sein hohes Alter hinauf war er Landrat. Er hatte den Kreis gut verwaltet und viele Chausseen angelegt. Unter andrem half er auch dadurch, daß er bei Hofe, wo er namentlich bei Friedrich Wilhelm IV. als ›Original‹ sehr angesehen war, allerlei durchzusetzen wußte, was einem Manne von gleichgiltigerem Namen mutmaßlich nicht geglückt wäre. Mit eben diesem Ansehen bei Hofe hing es auch zusammen, daß er, schon 1840 gegraft, 1851, unter ganz besonders auszeichnenden Förmlichkeiten, zur Enthüllungsfeier des Friedrich-Denkmals nach Berlin geladen wurde. Hochbeglückt durch diese Gunstbezeugungen kam er nach Wustrau zurück. Aber dieselben letzten Lebensjahre, die soviel Auszeichnendes für ihn brachten, brachten ihm auch Kränkungen aller Art, Ärgernisse, die um so ärgerlicher waren, als sie von Personen seiner nächsten Umgebung ausgingen. An der Spitze dieser plötzlich auf dem Plan erschienenen Feinde, stand sein ehemaliger Sekretär C. A. Frost, der, solang er noch in gräflichen Diensten war, nie mehr als 120 Taler Gehalt bezogen und jedes beim Grafen eingereichte Gesuch um Gehaltsverbesserung abschläglich beantwortet gesehen hatte. Hinsichtlich der Charaktere war eine gewisse Verwandtschaft zwischen Herr und Diener und was dem letzteren bei Beginn seiner Laufbahn an Verschlagenheit gefehlt haben mochte, das wußt' er bald einzubringen. Von Natur klüger als sein Herr und mit einem entschiedenen Talent für bureaukratische Schreibereien ausgerüstet, wußt' er sich bald derartig zur Seele der landrätlichen Verwaltung zu machen, daß er nicht ganz Unrecht hatte, die seinem Herrn reichlich zufallenden Anerkennungen *sich* gutzuschreiben. Aber noch war die Zeit nicht da, dies Konto zu begleichen. Diese Zeit kam erst, als die Verhältnisse ihn zwangen, sich nach aufbessernden Mitteln zur Durchbringung seiner immer zahlreicher werdenden Familie umzusehen. Die Gelegenheit zu dieser Aufbesserung war bald gefunden, und zwar sonderbarerweise (wenn auch nur *mittelbar)* durch den alten Landrat selbst. Dieser, dem finanziellen Zuge der damaligen, in die vierziger Jahre fallenden ersten Gründerperiode folgend, fing an, große Strecken seines ›Wustrauer Luchs‹ an Torf-Ausbeutungsgesellschaften zu verkaufen und in eine dieser Gesellschaften trat Frost selber ein, mit Genehmigung seines Herrn, der auf die Weise hoffen mochte, den ewigen Gesuchen um Gehaltsverbesserung ein für allemal enthoben zu werden. Ja, der sonst so Geizige ging weiter, und schoß seinem Sekretär aus freien Stücken 1000 Taler vor, um demselben Gelegenheit zu geben, mit Hülfe dieser Einzahlung, als ›Aktionär‹ in die Torf-Exploitierungsgesellschaft eintreten zu können. Zieten gratulierte sich zu einem Meistercoup. Aber es kam anders, als er erwartet hatte, total anders. Sekretär Frost, der sich, bei seiner genauen Kenntnis aller einschläglichen Verhältnisse, sehr bald den Torfaktionären unentbehrlich zu machen wußte, stieg ebenso rasch an Ansehen, Macht und Vermögen und benutzte nunmehr seine finanziell glänzend gewordene Stellung, um, im Interesse der ›Gesellschaft‹, der er jetzt zugehörte, *Forderungen* zu stellen. Als der alte Landrat auf diese Forderungen nicht eingehen wollte, dagegen von den ihm vorgestreckten ›1000 Talern‹ sprach, warf ihm der über Nacht mächtig Gewordene die ganze Summe vor die Füße und suchte den Widerstand, den der Alte nach wie vor seinen Plänen entgegensetzte, dadurch zu brechen, daß er mit einem Briefe drohte, den er an den König Friedrich Wilhelm IV. schreiben wolle. Schließlich schrieb er diesen Brief auch wirklich und entwarf darin ein Charakterbild des Alten, der Zeit seines Lebens nichts als eine Mischung von Engherzigkeit, Habsucht und Unfähigkeit gewesen sei, stets nur verstanden habe, andre für sich arbeiten zu lassen und sich mit fremden Federn zu schmücken. Was in den letzten Jahrzehnten im Kreise geschehen sei, sei durch die landrätlichen Sekretäre geschehen, speziell durch ihn und sein Aushalten im Dienst, was nichts Leichtes gewesen sei, denn seine Vorgänger hätten sich, bei der Unerträglichkeit des ihnen auferlegten Lebens, das Leben genommen. So Frosts Eingabe. Sehr geschadet kann sie dem von ihm Verklagten aber nicht haben, denn es brachen grade jetzt die vorerwähnten Zeiten an, die dem Alten Auszeichnungen über Auszeichnungen brachten. Indessen so wenig unempfindlich der Alte gegen solche königlichen Gnaden war, ging die heimische Fehde doch nicht spurlos an ihm vorüber, und es würde sich von einer Verkürzung seines Lebens durch eben dieselbe sprechen lassen, wenn er nicht, trotz alledem, sein Leben bis auf 86 Jahre gebracht hätte. Am 29. Juni 1854 starb er nach längerem Krankenlager. [«]

Etwa eine Woche später war das Begräbnis und mit einer Gentzschen Schilderung desselben, möcht' ich diese Graf-Zieten-Skizze schließen.

[»] An Beteiligung war kein Mangel, ja es waren mehr Personen zugegen, als eigentlich Anspruch darauf hatten. Zunächst fehlte kein Edelmann und Rittergutsbesitzer aus dem ganzen Ruppiner Kreise; das war selbstverständlich. Aber auch das Bürgertum, das ›Volk‹, machte sich auf den Weg und die nach Wustrau führende große Straße, war schon in aller Frühe von schwarzgekleideten Trauergästen belebt. Wer keinen Wagen hatte, ging zu Fuß, und so sah ich Ruppiner Damen aus den oberen Ständen, die nur zur Befriedigung ihrer Neugier die kleine Fußreise (fünfviertel Meilen) machten. Endlich erschien auch die Ruppiner Schützengilde mit Epauletts und Tressen und goldgesticktem Kragen. Jeder sah aus wie ein Major. Überhaupt war, wenn ich von den angeschimmelten Kasimirhosen einiger Landstandsmitglieder absehe, kein Mangel an glänzenden Uniformen, besonders an Husarenuniformen, unter denen eine von altertümlichem Schnitt (wahrscheinlich aus der Zeit unmittelbar vor 1806) am meisten Bewunderung fand. Es war ein alter weißköpfiger v. Bredow, der sie trug.

Alles versammelte sich zunächst vor dem Schloß und hatte, bei der besonders starken Hitze, die herrschte, durchaus kein Verlangen, in das Schloß hinein und in die Nähe des Toten zu kommen. Aber endlich war es nicht länger hinauszuschieben und da standen wir nun – auch die ›Honoratioren‹ hatten Zutritt – am Sarge, zu dessen Häupten die von Tassaerts Meisterhand herrührende Portraitbüste seines Vaters, des alten berühmten Zieten, aufragte. Daneben stand der Prediger und hob seinen Sermon an und wer nicht wußte, daß es der Sohn sei, der hätte glauben müssen, es sei der Vater. Der Sohn aber, wenn er hätte sprechen können, hätte mit seiner scharfen Stimme gerufen: ›Du lügst‹, denn wie schwach es mit des alten Grafen Tugenden auch stehn mochte, von einer Sünde war er frei, von der der Heuchelei. Ganz ein Kind des vorigen Jahrhunderts, in dessen Aufklärungsjahrzehnte seine Jugend fiel, war er voll Haß gegen die Kirche und voll Spott gegen ihre Diener. Das letzte der ganzen Szene war ein Akt des Heroismus: Die Wustrauer Bauern nämlich, ohne sich mit der vom Mittelalter überkommenen Citrone bewehrt zu haben, traten heran, luden den Sarg auf ihre Schultern und trugen ihn bis zu der Begräbnisstätte, die der Alte sich sorglich vorher bereitet hatte.

Gesang und Gebet. Dann aber war alles beflissen – denn jeder sehnte sich nach Imbiß und Stärkung – vom Kirchhofe wieder nach dem Schlosse zurückzukehren, in dessen mit den Portraits der ehemaligen Offiziere des Zietenschen Husarenregiments geschmückten großen Saal man mittlerweile Tische gestellt und die Tafel gedeckt hatte, gedeckt mit einem Gefühl für Repräsentation, ja mit einer Opulenz, die diese Räume seit länger als einem halben Jahrhundert nicht mehr gesehen hatten. Dieser Opulenz entsprach denn auch der Bravourangriff auf die Flaschenbatterie, der einige der jüngeren, bei der eminenten und fortgesetzten Energie des Angriffs, zu erliegen drohten.

Und jetzt war es denn auch, daß von unten her der Ruf in den Saal drang ›wir haben auch Hunger‹, ein immer lauter werdender Schrei, der von den vielen Hunderten ausging, die nicht eigentlich zu den Geladenen zählten, inzwischen aber auf dem Rasenplatz vor dem Schloß und besonders auf der Rampe desselben Aufstellung genommen hatten. Es wurden aufrichtig gemeinte Versuche gemacht, das von außen her um Brot schreiende Volk zu befriedigen, aber die besten Anstrengungen erlahmten an der Menge derer, die forderten, und so kam es denn, daß, eh es möglich war, es zu hindern (auch fehlte wohl, weil man kein Ärgernis geben wollte, der Wille dazu) die draußen versammelte Menge von der Rampe her in das Schloß einbrach und durch einen feinen Instinkt, vielleicht auch durch die Lokalkenntnis eines einzelnen geleitet, ihren Weg in den über Erwarten leidlich ausgestatteten Weinkeller nahm. Nun war dieser Keller sicherlich nicht die Stätte nennenswerter Chateau-Weine, das lange Lagern indes, zu dem die wirtschaftlichen Normen des Alten die reichste Gelegenheit geboten hatten, hatte zur Aufbesserung wenigstens das möglichste getan und immerhin etwas Trinkbares hergestellt. Was nicht an Ort und Stelle ausgetrunken wurde, nahm man in Park und Garten mit hinauf und als die letzte Flasche leer war, begann ein Singen und allgemeines Verlangen nach den Dorfmusikanten, die glücklicherweise nicht kamen und den Begräbnistag des letzten Wustrauer Zieten davor bewahrten, in einem bal champêtre sein Ende zu finden. Endlich erschienen aus der Stadt herbeigerufene Polizeisergeanten und räumten den Park, denselben Park, den der Alte (die beste Tat seines Lebens) mit so viel Liebenswürdigkeit durch zwei Menschenalter hin zur Verfügung des Ruppiner Volks gestellt hatte. Mit Kraftliedern und Zechgelagen war ihm heute der ›Dank des Volkes‹ dafür abgestattet worden. «

*

So der Teil des A. Gentzschen Manuskripts, der sich mit den Personen und Zuständen einer um mehr als 30 Jahre zurückliegenden Epoche beschäftigt.

Alle die genannt wurden, sind längst vom Schauplatz abgetreten, vielfach auch schon wieder ihre Kinder. Trotzdem wird es nicht ausbleiben, daß sich einzelne durch gegen den Vater oder Großvater gerichtete Spöttereien unangenehm berührt fühlen. Auch das über den alten Grafen Zieten Gesagte wird einer Beanstandung in einzelnen Gesellschaftskreisen nicht entgehn. Allen aber möcht' ich aus einer langen literarischen Erfahrung zurufen dürfen: wer solche Quellen aus Familienrücksichten absperren will, der steht nicht bloß der historischen Forschung, (zu deren vorzüglichsten Objekten auch das Studium des *Kleinlebens* gehört) sondern vor allem auch sich selbst und den Seinen im Lichte. Das protestantische Volk verlangt keine Heiligen, eher das Gegenteil; es verlangt Menschen,* und alle seine Lieblingsfiguren: Friedrich Wilhelm I., der Große König, Seydlitz, Blücher, York, Wrangel, Prinz Friedrich Karl, Bismarck, sind nach einer bestimmten Seite hin, und oft nach *mehr als* einer Seite hin, sehr angreifbar gewesen. Der Hinweis auf ihre schwachen Punkte hat aber noch keinem von ihnen geschadet. Gestalten wie Moltke bilden ganz und gar die Ausnahme, weshalb auch die Moltkebegrüßung vorwiegend eine Moltkebewunderung ist und mehr aus dem Kopf als aus dem Herzen stammt.

4

Vom Bau des Gentzroder Herrenhauses 1877 (?) bis zum Mai 1880. Der Krach. Der Prozeß. Alexander Gentz' Übersiedelung nach Stralsund. Sein Tod. Versuch einer Charakteristik seiner selbst und seines Prozesses

Als Alexander Gentz an seiner »Geschichte der Erwerbung« von Gentzrode schrieb, stand er, um es zu wiederholen, auf der Höhe seines Glücks. Er hatte den vollen Glauben an sich und seinen Stern, und der Gedanke lag ihm fern, daß eine Wendung der Dinge je kommen, ihn niederwerfen und demütigen könne. Gegen Warnerstimmen, an denen es nicht fehlte, war er taub, wie jeder in gleicher Lage, – der Glückswagen, der ihn trug, mußte sein Ziel erreichen oder in Stücke gehn. Ein Aufhalten gab es nicht.

Und so kam die Katastrophe.

Über die, dieser Katastrophe voraufgehende Zeit liegt nur ein kurzer Bericht vor, dem ich folgendes entnehme.

» .. Gentzrode wuchs; Wiesen waren neuerdings erworben worden und die Bäume gediehen noch über Erwarten hinaus, so daß in den Gründerjahren viele Tausende davon verkauft werden konnten. Ausfälle, die trotzdem eintraten, konnten durch die reichen Torfsticherträge leicht gedeckt werden. A. Gentz verfolgte rastlos den Plan einer allgemeinen Arrondierung seines Besitzes sowohl seiner Äcker in Gentzrode wie seiner Torfgräbereien im Luch. Die Leute nannten ihn den ›alten Blücher‹, in Anerkennung der Energie, mit der er alles durchführte, was er sich vorgesetzt

---

* »Wir lieben nur das *Intlividiuelle*« schreibt der in allem recht behaltende Goethe. »Daher (so fährt er fort) unsere große Freude an Bekenntnissen, Memoiren, Briefen und *Anekdoten* abgeschiedener, selbst unbedeutender Menschen.« Und er hätte hinzusetzen können, auch solcher »of a questionable shape«.

hatte. Die meisten Kämpfe, deren es viele, sowohl mit den Konkurrenten wie mit der Regierung gab, kostete das Luch, an dessen wachsenden Erträgen alles hing. Und diese Kämpfe wurden im ganzen genommen siegreich geführt. Da, mit einem Male, war es, trotz dieser Siege, mit den ›wachsenden Erträgen aus dem Luch‹ aus und dadurch mit Gentzrode, ja mit dem Wohlstand der Familie vorbei. Wie kam das? Der Torf war über Nacht außer Mode gekommen. Alles brannte Steinkohlen oder Briquettes und selbst die Ziegeleien, die bis dahin, ein sehr wichtiger Punkt, die Konsumenten der sonst halb wertlosen Torfabgänge gewesen waren, bauten ihre Brennöfen um, um mit Hülfe dieser Neubauten, die Vorteil versprechende Mode mitmachen und Steinkohlen statt Torf verwenden zu können. Dies allein hätte genügt, dem Gentzschen Geschäft, dessen solide Grundlage der Torf war, einen tödlichen Schlag zu versetzen, zur Beschleunigung des Niederganges aber stellten sich noch andere Schädigungen ein, die freilich mit den veränderten Konjunkturen in einem mehr oder weniger nahen Zusammenhange standen, zum Teil direkt daraus resultierten. Ein Hauptwerk Alexander Gentz' im Luch war die mit enormen Kosten errichtete große Schiffahrtstraße nach Berlin, der sogenannte Fehrbelliner Kanal samt dem schwarzen Graben. Alle fremden Kähne, soviel war ihm seitens der Regierung als Ausgleich für das Geleistete zugebilligt worden, hatten, wenn sie diese Wasserstraße benutzten, unter dem Namen eines Schleusengeldes einen Zoll an ihn zu zahlen, dessen Beträge zunächst zur Verzinsung resp. Amortisierung des Anlagekapitals dienten. Es waren dies sehr beträchtliche Summen, die sich infolge der plötzlich veränderten ›Konjunkturen‹ ebenfalls rasch herabminderten, so daß a tempo zweierlei hinschwand oder doch ins Schwinden kam:

die *Torfgelder* für den selbstproduzierten Torf und

die *Schleusengelder für* die Torfverschiffung der Mitproduzenten.

Aber auch dieser Doppelübelstand erschöpfte noch nicht das Maß der Verlegenheiten. Eine dritte Schädigung kam noch hinzu: der Sommer und Herbst 77 waren sehr regnerisch gewesen, so daß der im Luch überall umherstehende, teils naß gewordene, teils von Anfang an nicht recht ausgetrocknete Torf (der, wie sich denken läßt, eine sehr bedeutende Summe repräsentierte) nicht verschifft, mithin auch das wenige, was von Nachfrage da war, nicht einmal befriedigt werden konnte. Die Folge davon war, daß es schon im Winter 77 auf 78 mit Gentz' Finanzlage kritisch genug stand, bis sich ein Weg fand, dem Unheil noch einmal zu steuern. Dies war durch Verpfändung der gesamten Torfgräbereien mit Rückkaufsrecht. In der Tat nahm alles noch einmal einen gewissen Aufschwung, zum mindesten war auf Jahr und Tag hin ein Stillstand geschaffen. Aber schon am 25. Mai 80 hieß es abermals an der Berliner Börse: ›Gentz ist bankrutt.‹ Und diesmal war kein Einhalt zu tun. Ein Konkursverwalter ward ernannt, der, um ›Verdunkelungen‹ vorzubeugen (es handelte sich um Nachweis etwaiger Schuld aus den Geschäftsbüchern), Gentz' Verhaftung beantragte. Verschiedene Verhöre vor dem Konkursrichter fanden statt, einem vom

Verteidiger gestellten Antrage auf Freilassung wurde nicht Folge gegeben und erst das Landgericht hob in einer Sitzung die weitere Untersuchungshaft auf. Diese Haft hatte zwölf Wochen und fünf Tage gedauert.

Inzwischen schritt man zur Formulierung der Anklage, die schließlich auf Betrug in 35 Fällen und außerdem auf einfachen Bankrutt lautete. Seit Beginn der Untersuchungshaft waren bis zur Fertigstellung der Anklage bzw. bis zur Einleitung des Prozesses fast drei Jahre vergangen. Vom 13. bis 15. Februar 83 fanden die Verhandlungen statt. Einige fünfzig Zeugen waren geladen. Der Tatbestand des Betruges war darin erkannt worden, daß Gentz in der Zeit vom 1. Januar bis 4. Juni 80, als angeblich schon eine Unterbilanz vorhanden war, noch zahlreiche Depositen angenommen habe. Nach Ausweis seiner Bücher stellte sich jedoch heraus, daß er am 1. Januar genannten Jahres noch eine Überbilanz von 790 000 Mark gehabt. Damit fiel die Betrugsanklage zu Boden, während seine schließliche Verurteilung zu vier Monaten Gefängnis auf einfachen Bankrutt hin erfolgte, von welchem Strafmaß die lange Untersuchungshaft in Abrechnung kam. Ein Begnadigungsgesuch unterblieb und die Strafe wurde angetreten. Als er wieder frei war, war er ein gebrochener Mann, gebrochen an Leib und Seele. Trotzdem widerstand es ihm, in seiner Vaterstadt das Feld ohne weiteres zu räumen, bloß um unbequemen Begegnungen aus dem Wege zu gehen. Und so blieb er denn.

Erst nach Ablauf mehrerer Jahre verließ er Ruppin und übersiedelte im März 86 nach Stralsund, um daselbst ein Geschäft von dem geringen Vermögen seiner Frau zu kaufen. Es gelang auch damit. Aber sehr bald schon warf ihn Krankheit danieder und von unaufhörlichen Schmerzen gepeinigt, sah er seine Kräfte hinschwinden; Abzehrung stellte sich ein und er fühlte die Nähe des Todes. Als er im Mai (?) 88 die Ruppiner Zeitung in die Hand nahm und las ›daß die erste Nachtigall im Tempelgarten (der ihm neben Gentzrode das Liebste war) geschlagen habe‹, wurd' er still und stiller. Er ließ seine Kinder, von denen keins daheim war, aus der Ferne kommen und ordnete an, daß er auf dem alten Ruppiner Kirchhof an der Seite seiner Eltern begraben sein wolle. Bald darnach kam ein Blutsturz und am 3. Juli 88 starb er. Nach seinem Willen wurde verfahren und seine Leiche nach Ruppin übergeführt. Da ruht er in Front der Familienbegräbnisstätte, deren Mittelwand die Inschrift trägt:

Ungunst und Wechsel der Zeiten zerstörte was wir geschaffen, Die wir im Leben gekämpft, ruhen im Tode hier aus. [«]

*

Es erübrigt uns noch ein Wort über Erscheinung und Charakter dieses eigenartigen Mannes.

Alexander Gentz war ein echter Sohn seiner Ruppiner Heimat: lang aufgeschossen, mit anscheinend wenig Rückgrat und einem bequemen Schlenkergang, wie die Matrosen ihn haben. Und zu diesem sich wiegenden Matrosengange jene blassen, etwas vortretenden Amphibienaugen, denen man in dem alten Dossaner Gau, dem Lande zwischen Rhin und Dosse, so oft begegnet, Augen, die blöd und unbedeutend wirken und auf Mangel an Energie hinzudeuten scheinen, bis man an einem plötzlichen und beinahe unheimlichen Aufblitzen wahrnimmt, daß das alles nur Schein und Täuschung war und daß hinter dieser schlaffen Unbedeutendheit eine ganz ungewöhnliche Tatkraft lauert, Hang ins Weite, Lust am Hazardieren, Abenteuerlust. Alles in allem, auf den ersten Blick sehr unscheinbare, hinterher aber ungewöhnlich interessante Menschen. Und ein solcher interessanter Mensch war auch Alexander Gentz, was, so mein' ich, selbst von seinen Feinden, deren er ein gerüttelt und geschüttelt Maß hatte, nicht bestritten werden wird. Seine reichen Gaben freilich, nachdem sie viel Gutes gestiftet, wurden ihm verhängnisvoll. Von Natur klug und auf Schulen hervorragend gut unterrichtet, stand ihm, von Beginn seiner Geschäftsführung an, ein für einen kleinstädtischen Ladenbesitzer ganz ungewöhnliches Maß von Bildung zur Seite, das sich durch seine Reisen in Westeuropa noch gesteigert und ihm ein etwas bedrückliches Gefühl der Überlegenheit gegeben hatte. Zu diesem Gefühl intellektueller Überlegenheit gesellte sich alsbald auch noch das Hochgefühl, innerhalb seines Kreises der reichste Mann zu sein, so daß es nur noch seiner Verheiratung mit Helene Campe, der klugen und schönen Tochter des als Heinrich-Heine-Verleger mitberühmt gewordenen Buchhändlers Campe bedurfte, um sein Selbstgefühl bis ins Ungemessene zu steigern. Wie das Turmknopf-Manuskript, aus dem ich Auszüge gegeben, deutlich bekundet, sah er auf die ganze Ruppiner Welt, als auf etwas unendlich Kleines herab, und lebte sich immer mehr und mehr in ein gewisses, über den Personen und selbst über dem Gesetz (soweit die »Kleinstädter« es handhabten) stehendes Herrschergefühl ein, das ihn auch nicht verließ, als er schon vor Gericht stand. Vor den Konkursrichter geführt, nahm er vor diesem, was ganz seinem Wesen entsprach, eine derartig legere Haltung an, daß sich der Richter gezwungen sah, ihm vor Eintritt in die Verhandlung zuzurufen: »Hut ab; Hände aus den Hosen!« ein Zuruf, der (wie ich zufällig weiß) nicht nur das empörte Staunen des Angeklagten, sondern auch das seiner Familie wachrief, woran sich, als an einem rechten Musterbeispiele, zeigen läßt, in einem wie hohen Grade das ganze Haus Gentz ein vollkommen dynastisches Gefühl ausgebildet hatte. A. Gentz stand nicht als einfacher Alexander Gentz, sondern als eine Art Karl Stuart vor seinen Richtern, der bekanntlich, als ihm während der Verhandlung sein Stöckchen aus der Hand fiel, sich wunderte, daß niemand der Richter zusprang, das Stöckchen wieder aufzuheben und ihm zu überreichen.

Und mit diesem charakteristischen Zug aus der Zeit des gegen A. Gentz angestrengten Prozesses, bin ich nunmehr bei dem Prozesse selber angelangt und habe zu diesem, der seinerzeit soviel Staub aufwirbelte, Stellung zu nehmen. Wie stand es damit? Zunächst mit dem Konkurs selbst? Von befreundeter Seite wird mir darüber geschrieben: »Daß ihn (Gentz), wie fast jeden, der zur Bankrutterklärung gezwungen wird, ein bestimmtes Maß von Schuld trifft, ist wohl nicht zu leugnen. Ein vorsichtiger Kaufmann muß rechtzeitig für Reservegelder sorgen und auf den Wandel der Zeiten achten. Beides unterließ er. Er war nicht weitsichtig genug. Dazu kam, daß der ihm angeborene Hang, alles nach Möglichkeit schön und künstlerisch zu gestalten, ihn zu ganz unnützen Mehrausgaben veranlagte. Nicht bloß seine Parkanlagen sind ein vollgültiger Beweis dafür, derselbe Zug prägte sich auch bei den Kanalbauten im Luch aus, wo er sich's beispielsweise nicht nehmen ließ, erst die lange Wasserstraße selbst und dann die Torfgräberhäuser mit niedlichen Anpflanzungen zu umgeben. Diese künstlerische Liebhaberei verschlang ein Vermögen.«

Ich habe dieser trefflichen und selbst in ihrem Tadel auch in gewissem Sinne verbindlichen Schilderung nichts hinzuzufügen. Er raste, jeder Warnung unzugänglich, in sein Verderben hinein, durch nichts berechtigt oder entschuldigt, als durch den Glauben an seinen Stern. Und so war es denn weder verwunderlich, noch auch die Betätigung eines besonderen staatsanwaltlichen Rigorismus, ihn schließlich zur Verantwortung gezogen zu sehn. Nur der Modus konnte vielleicht in diesem und jenem ein anderer sein. Es war ein Vorgehen, das in vielen Stücken an den berühmteren Professor Gräfschen Prozeß erinnert, bei welcher Gelegenheit auch die von Gräfs Schuld Überzeugtesten sich mit einzelnen Details des Verfahrens nicht einverstanden erklären konnten. Ähnlich im Prozeß Gentz. Das Richtige, das was sein soll, kam schließlich in jedem Anbetracht zu seinem Recht, er war schuldig, und das Maß der ihm zudiktierten Strafe wurde sicherlich nicht zu hoch bemessen, aber in das, was der eigentlichen Prozeßverhandlung voraufging, mischte sich wohl manches ein, was besser gefehlt hätte; lange bevor ihn das Gericht verurteilen konnte, war er schon verurteilt durch die Gefühle seiner Mitbürger. Daß diese Gefühle *durchweg* die richtigen gewesen wären, kann ich nicht zugeben. Es brauchte seine Schuld nicht beschönigt, am wenigsten geleugnet zu werden, aber wenn jemals »mildernde Umstände« da waren und mitsprechen durften, so war hier ein solcher Fall gegeben. A. Gentz war das Opfer großer Unternehmungen, die, wenn auch vorwiegend zum eigenen Nutzen unternommen, doch schließlich der Gesamtheit von Stadt und Land zugute gekommen waren. *Dem* trug man nicht Rechnung. Sein Fall statt Mitleid zu wecken, weckte nur Freude, denn kein Jubel ist größer, als der Jubel derer, die, – nachdem man über sie gelacht, – sich schließlich als die Klügeren oder doch jedenfalls als die Siegreichen erweisen.

Jetzt, wo das Grab ihn deckt und das furchtbare Leid, durch das er ging, viele seiner alten Gegner mit ihm ausgesöhnt haben wird, wird auch sein Name wieder wachsen und wenn abermals ein Menschenalter verflossen und der Letzte seiner Mitlebenden heimgegangen sein wird, wird sich das dann lebende Geschlecht seiner als eines Wohltäters der Grafschaft erinnern, als eines Mannes, der in manchem als eine Warnung, in vielem aber auch als ein Vorbild gelten kann.

In seiner Schöpfung *Gentzrode* lebt er fort.

5
Gentzrode von 1881 bis jetzt

Um die Gläubiger in ihren Ansprüchen wenigstens bedingungsweise befriedigen zu können, war, gleich nach der Konkurserklärung,

der *Tempelgarten* von der Stadt,

die *Torfstiche von* der Deutschen Bank,

Gentzrode selbst von den Herren Albert Ebell und Oberamtmann Troll übernommen worden.

Nur mit den Schicksalen von *Gentzrode* haben wir uns in diesem Schlußkapitel zu beschäftigen.

Es war im September 1881, daß die vorgenannten Herren (Ebell und Troll) die beide Gläubiger, aber nicht Inhaber von Hypotheken waren, Gentzrode, das ungefähr eine Million gekostet hatte, kauften und zwar für die Summe von 210 000 Mark. Sie hatten von vornherein nicht die Absicht sich hier zu behaupten, sondern gingen lediglich in der Erwartung einer guten Finanzoperation vor, worin sie sich auch nicht getäuscht sahen. Eine nicht unbeträchtliche Summe floß ihnen aus der Realisierung des überreich ausgestatteten Inventars zu, welcher Inventar-Realisierung im Juli 1882, also nach kaum zehnmonatlichem Besitz, der Wiederverkauf von Gentzrode selbst folgte. Die Kaufsumme war auf 270 000 Mark gestiegen. Der diesmalige Käufer des Gutes war der zu Halle a. S. lebende Herr A. *Wernicke*, Fabrikant für Maschinen landwirtschaftlichen Betriebs, insonderheit für Zuckerfabriken. Es ist wahrscheinlich, daß sein Plan dahin ging, Gentzrode ganz auf Zuckerfabrikation hin umzugestalten. Er mußte sich aber bald von der Unmöglichkeit überzeugen – die Maschinen standen ihm zur Verfügung, aber der alte Dünensand der Kahlenberge, wieviel man auch aus ihm gemacht hatte, war doch kein Rübenland geworden. A. Wernicke hielt im übrigen das Gut in gutem Stande, war aber schließlich doch froh, es nach fünfjährigem Besitz, gegen Austausch wieder veräußern zu können. Er übernahm das in der Provinz Posen gelegene Gut Konooko und trat dafür Gentzrode an den Besitzer ebengenannten polnischen Gutes, Herrn *Paul Hoepffner* ab. Konooko war bei diesem Tausch auf 500 000 Mark, Gentzrode auf 300 000 Mark berechnet worden, so daß Herr Paul Hoepffner noch einen Zuschlag von 200 000 Mark empfing.

Dies war im Januar 1887. Schon im Juni 1888 entäußerte sich Herr Paul Hoepffner seines Gentzroder Besitzes wieder und verkaufte denselben und zwar für die Summe von 300 000 Mark, an den früheren bremensischen Konsul in Argentinien, Herrn F. W. Nordenholz. Dieser gedenkt das Gut zu halten und in dem Geiste weiterzuführen, der es vor grad einem

Menschenalter ins Leben rief. Es soll aufhören, ein Spekulationsobjekt zu sein, sondern umgekehrt wieder ein Gegenstand des Pflanzens, der Passion, des *landwirtschaftlichen Versuchs* werden. Alles wie dereinst unter den Begründern, Gentz Vater und Sohn. Konsul Nordenholz will hier leben, nicht erwerben, er will entstehn sehn und sich des Entstehenden freun.

*

Und nun noch ein Schlußwort.

Der Reiz, den diese Gentzroder Schöpfung von Anfang hatte, wird ihr noch auf lange hin verbleiben, *der Reiz,* daß hier alles erst im *Werden* ist. Unsre Teilnahme haftet am Unfertigen. »Was wird sich bewähren, was nicht«, »wie wird sich's entwickeln?« Das sind die Fragen, die, von alters her, uns an Menschen und Dingen am meisten interessiert haben. Die ganze landwirtschaftliche Welt unsrer Provinz verkehrt in Gentzrode oder fährt hier vor, um den in einen Eichwald umgewandelten Dünensand nach Art eines »interessanten Falls« zu studieren. Und vieles in der Tat ist hier zu lernen, auch seitens derer, die hier anderen Fragen nachsinnen, als denen der Agrikultur. Eine neue Macht hat sich hier etabliert: das intelligente, dem Mittelalterlichen ab-, dem Fortschrittlichen zugewandte Bürgertum, das, aus Überlieferung und Vorurteil gelöst, um *dieser* Welt willen lebt und das Glück im Besitz und in der *Verklärung* des Diesseitigen sucht.

Ob es erreicht werden wird? Es wird bejaht und bestritten. Aber wie immer auch die Antwort auf diese Frage lauten möge, wir haben uns zunächst einer natürlich fortschreitenden Entwicklung alles Lebenden um uns her zu freun, ungetrübt durch die Betrachtung, ob diese Fortentwicklung ein Schritt aufwärts zu höherem Dasein oder ein Schritt abwärts zu Tod und Auflösung ist. Das Wachsende, gut oder nicht gut, tritt an die Stelle des Fallenden, um über kurz oder lang selber ein Fallendes zu sein. Das ist ewiges Gesetz.